RICK RIORDAN

AS PROVAÇÕES DE

APOLO

LIVRO UM
O ORÁCULO OCULTO

Tradução de Regiane Winarski

Copyright © 2016 by Rick Riordan
Publicado mediante acordo com Nancy Galt Literary Agency e Sandra Bruna Agencia Literaria, SL.

TÍTULO ORIGINAL
The Hidden Oracle

PREPARAÇÃO
Marcela de Oliveira

REVISÃO
Milena Vargas
Juliana Werneck

ADAPTAÇÃO DE CAPA E DIAGRAMAÇÃO
Julio Moreira

ARTE DE CAPA
SJI Associates, Inc.

ILUSTRAÇÃO DE CAPA
© 2016 John Rocco

CIP-BRASIL. CATALOGAÇÃO NA PUBLICAÇÃO
SINDICATO NACIONAL DOS EDITORES DE LIVROS, RJ

R452o

    Riordan, Rick
        O oráculo oculto / Rick Riordan ; tradução Regiane Winarski. - 1. ed. - Rio de Janeiro : Intrínseca, 2016.
        320 p. ; 23 cm.   (As provações de Apolo ; 1)

        Tradução de: The Hidden Oracle
        ISBN 978-85-8057-928-4

    1. Ficção infantojuvenil americana. I. Winarski, Regiane. II. Título. III. Série.

16-30675   CDD: 028.5

                                                CDU: 087.5

[2016]

Todos os direitos desta edição reservados à
EDITORA INTRÍNSECA LTDA.
Av. das Américas, 500, bloco 12, sala 303
22640-904 – Barra da Tijuca
Rio de Janeiro – RJ
Tel./Fax: (21) 3206-7400
www.intrinseca.com.br

Para a Musa Calíope
Isto está mais do que atrasado. Por favor, não me machuque.

ACAMPAMENTO MEIO-SANGUE

- Floresta do Norte
- *Sátiros*
- Bosque de Dodona
- Punho de Zeus
- Bosque onde acontecem as reuniões do Conselho dos Anciãos
- *Lobos*
- Bunker 9
- Túneis dos myrmekos
- Riacho Zéfiro
- *Área onde acontecem as festas das mênades*
- Gêiseres
- *Destroços de autômatos antigos*
- *Drakons enormes*
- Estábulos de pégasos
- Florestas do Sul
- *Para Peach Orchad*
- Linha de tiro com arco e flecha
- Arena
- Campos de morangos

N O L S

K. LeFaiver

1
Muitos socos na cara
Queria dizimar todos
Ser mortal, que saco!

MEU NOME É APOLO. Eu era um deus.

Em meus quatro mil seiscentos e doze anos fiz muitas coisas. Castiguei com uma praga os gregos que sitiaram Troia. Abençoei Babe Ruth com três *home runs* no quarto jogo da Série Mundial de 1926. Despejei minha ira contra Britney Spears no Video Music Awards de 2007.

Mas, em toda a minha vida imortal, eu nunca tinha feito um pouso forçado em uma caçamba de lixo.

Nem sei direito como aconteceu.

Só sei que quando acordei, estava caindo. Arranha-céus giravam, aparecendo e sumindo do meu campo de visão. Chamas saíam do meu corpo. Tentei voar. Tentei virar nuvem, me teletransportar para outro lugar, fazer milhares de outras coisas que deviam ser fáceis para mim, mas eu só continuei caindo. Despenquei em um espaço estreito entre dois prédios e *BAM!*

Existe coisa mais triste do que o som de um deus se espatifando contra um amontoado de sacos plásticos cheios de lixo?

Fiquei lá gemendo e sofrendo. Minhas narinas ardiam com o fedor de mortadela estragada e fraldas usadas. Minhas costelas pareciam quebradas, embora isso não devesse ser possível.

Minha mente estava inquieta e confusa, mas uma lembrança veio à tona — a voz do meu pai, Zeus: *SUA CULPA. SUA PUNIÇÃO.*

Só então entendi o que aconteceu comigo. E chorei de desespero.

Se eu, que sou o deus da poesia, não fui capaz de descrever o que senti naquele momento, como vocês, meros mortais, poderiam entender? Imagine ter sua roupa arrancada e ser atingido por um jato de água na frente de uma multidão às gargalhadas. Imagine a água congelante enchendo sua boca e seus pulmões, machucando a pele, transformando suas juntas em uma massa amorfa. Imagine se sentir impotente, envergonhado, completamente vulnerável, despido pública e brutalmente de tudo que faz você ser *você*. Minha humilhação foi pior do que isso.

SUA CULPA, ressoou a voz de Zeus em minha cabeça.

— Não! — gritei, desolado. — Não é verdade! Por favor!

Silêncio. Ao meu redor, escadas de incêndio enferrujadas ziguezagueavam fachada acima, cobertas pelo céu de inverno cinzento e impiedoso.

Tentei me lembrar dos detalhes da minha sentença. Meu pai chegou a dizer quanto tempo essa punição duraria? O que eu deveria fazer para cair novamente nas graças dele?

Minha memória estava um caos completo. Eu mal conseguia lembrar qual era a aparência de Zeus, muito menos por que ele decidiu me despejar na Terra. Houve uma guerra com os gigantes, algo assim. Os deuses foram pegos desprevenidos, foram humilhados e quase derrotados.

Mas de uma coisa eu tinha certeza: minha punição fora injusta. Zeus precisava botar a culpa em alguém, e claro que escolheria o deus mais bonito, talentoso e popular do Panteão: eu.

Fiquei deitado no lixo, observando a etiqueta do lado de dentro da caçamba: PARA COLETA, LIGUE PARA 1-555-FEDOR.

Zeus vai reconsiderar, eu disse a mim mesmo. *Ele só está tentando me dar um susto. A qualquer momento, vai me levar de volta para o Olimpo e me tirar daqui, não sem antes me dar uma lição de moral.*

— É... — Minha voz soou vazia e desesperada. — É, é isso.

Tentei me levantar. Queria estar de pé quando Zeus aparecesse para pedir desculpas. Minhas costelas latejavam. Meu estômago se contraiu. Segurei a beirada da caçamba e consegui me arrastar para fora. Acabei caindo em cima de um dos ombros, que bateu no asfalto com um estrondo.

— *Aaaaii.* — Choramjnguei de dor. — Levante-se. Levante-se.

Ficar de pé não foi fácil. Minha cabeça estava girando. Eu quase desmaiei com o esforço. Olhei ao redor e vi que estava em um beco sem saída. Literalmente. A uns quinze metros, havia uma rua com vitrines sujas que abrigava o escritório de um agente de fianças e uma casa de penhores. Eu estava em alguma parte do oeste de Manhattan, supus, ou talvez em Crown Heights, no Brooklyn. Zeus devia mesmo estar com muita raiva de mim.

Inspecionei meu novo corpo. Eu aparentava ser um adolescente caucasiano do sexo masculino, usando tênis, calça jeans e uma camisa polo verde. Muito *sem graça*. Eu me sentia enjoado, fraco e tão, tão humano.

Nunca vou entender como vocês, mortais, toleram isso. Vocês passam a vida toda presos em um saco de carne, incapazes de apreciar os prazeres mais simples, como se transformar em um beija-flor ou se dissolver em pura luz.

E agora, que os céus me ajudem, eu era um de vocês, apenas mais um saco de carne no universo.

Remexi nos bolsos da calça, torcendo para ainda estar com a chave da minha carruagem do Sol. Nada. Encontrei uma carteira barata de náilon com cem dólares americanos (dinheiro para meu primeiro almoço como mortal, talvez) e uma carteira de motorista provisória do estado de Nova York com a foto de um adolescente pateta de cabelo encaracolado que de jeito nenhum podia ser eu, com o nome *Lester Papadopoulos*. A crueldade de Zeus não tinha limites!

Olhei dentro da caçamba, torcendo para que meu arco, minha aljava e minha lira tivessem caído na Terra comigo. Eu já ficaria feliz só com a minha gaita. Não havia nada.

Respirei fundo. *Ânimo*, eu disse a mim mesmo. *Devo ter mantido algumas das minhas habilidades divinas. As coisas podiam ser piores.*

Uma voz rouca gritou:

— Ei, Cade, dá uma olhada nesse otário!

Havia dois jovens bloqueando a saída do beco: um atarracado com cabelo louro platinado, e o outro, alto e ruivo. Os dois usavam moletons e calças largas. Para completar, tinham o pescoço coberto por tatuagens. Só faltava a palavra DELINQUENTE gravada em letras garrafais na testa de cada um.

O ruivo grudou o olhar na carteira que estava na minha mão.

— Pega leve, Mikey. O cara aqui parece bem simpático. — Ele sorriu e puxou uma faca de caça do cinto. — Na verdade, aposto que ele quer dar todo o dinheiro dele pra gente, não é?

Culpo minha desorientação pelo que aconteceu em seguida.

Eu sabia que minha imortalidade havia sido tirada de mim, mas ainda me considerava o poderoso Apolo! É impossível mudar o jeito de pensar com a facilidade com que se pode, digamos, virar um leopardo-das-neves.

Além do mais, em ocasiões anteriores em que Zeus me puniu me tornando mortal (sim, isso já aconteceu outras duas vezes), eu mantive minha força descomunal e pelo menos parte dos meus poderes divinos. Supus que desta vez também seria assim.

Eu *não* ia permitir que dois rufiões mortais levassem a carteira de Lester Papadopoulos.

Então, me empertiguei todo e torci para que Cade e Mikey ficassem intimidados diante de minha postura real e beleza divina (qualidades que jamais poderiam ser tiradas de mim, independentemente do que mostrava a foto na carteira de motorista). Ignorei o chorume quente proveniente da caçamba, que escorria pelo meu pescoço.

— Eu sou Apolo — anunciei. — Vocês, mortais, têm três escolhas: podem fazer uma homenagem a mim, fugir ou podem ser destruídos.

Eu queria que minhas palavras ecoassem pelo beco, sacudissem os prédios de Nova York e fizessem que os céus chovessem desgraça fumegante. Nada disso aconteceu. Quando pronunciei a palavra *destruídos*, minha voz falhou.

Cade, o garoto ruivo, abriu um sorriso ainda mais largo. Pensei em como seria divertido se eu conseguisse fazer as tatuagens de cobra ao redor do pescoço dele ganharem vida e estrangulá-lo até a morte.

— O que você acha, Mikey? — perguntou ele ao amigo. — Devemos homenagear esse cara?

Mikey fez cara feia. Com o cabelo louro arrepiado, os olhos pequenos e cruéis e o corpo atarracado, ele me lembrava a porca monstruosa que aterrorizou Calidão nos bons e velhos tempos.

— Não estou muito a fim de fazer homenagens hoje, Cade. — A voz dele parecia a de alguém que comeu cigarros acesos. — Quais eram as outras opções mesmo?

— Fugir? — disse Cade.

— Não — respondeu Mikey.

— Sermos destruídos?

Mikey riu com deboche.

— Que tal nós destruirmos *ele*, então?

Cade jogou a faca para o alto e a segurou pelo cabo.

— Gostei dessa ideia. Vamos lá?

Enfiei a carteira no bolso de trás. Levantei os punhos. Não achei que seria legal massacrar mortais até virarem bolo de carne, mas tinha certeza de que isso não seria um problema para mim. Mesmo em meu estado enfraquecido, eu seria bem mais forte do que qualquer humano.

— Eu avisei — falei. — Meus poderes estão muito além da compreensão de vocês.

Mikey estalou os dedos.

— Aham.

Ele deu um pulo para a frente.

Quando estava bem perto, eu avancei. Coloquei toda a minha fúria naquele soco. Devia ter bastado para vaporizar Mikey e deixar uma marca em forma de delinquente no asfalto.

Mas ele se abaixou, o que foi bem irritante.

Eu cambaleei para a frente. Vamos combinar que quando Prometeu elaborou vocês, humanos, usando argila, fez um trabalho porco. As pernas mortais são desajeitadas. Tentei compensar e usar minhas reservas infinitas de agilidade, mas Mikey me deu um chute nas costas. Eu caí e bati meu rosto divino no chão.

Minhas narinas dilataram como se fossem air bags. Meus ouvidos estalaram. Um gosto de cobre inundou minha boca. Rolei para o lado, grunhindo, e vi os dois delinquentes embaçados olhando para mim.

— Mikey — disse Cade —, você está compreendendo o poder desse cara?

— Não — respondeu Mikey. — Não estou compreendendo.

— Tolos! — Gemi. — Vou destruir vocês!

— Ah, claro que vai. — Cade jogou a faca longe. — Mas acho que antes vamos acabar com você.

O garoto levantou a bota bem acima do meu rosto, e o mundo ficou preto.

2

Ela vem do nada
Só para me humilhar
Bananas ridículas

EU NÃO ERA MASSACRADO com tanta violência desde minha competição de guitarra com Chuck Berry em 1957.

Enquanto Cade e Mikey me chutavam, eu me encolhi para tentar proteger as costelas e a cabeça. A dor era intolerável. Eu vomitei e tremi. Apaguei e voltei a mim, com a visão cheia de manchas vermelhas. Quando meus agressores se cansaram dos chutes, bateram na minha cabeça com um saco de lixo, que estourou, me cobrindo de pó de café e cascas mofadas de frutas.

Eles enfim se afastaram, ofegantes. Então, mãos fortes me apalparam e pegaram minha carteira.

— Olha aqui — disse Cade. — Grana e identidade... Lester Papadopoulos.

Mikey riu.

— *Lester?* É ainda pior do que Apolo.

Toquei o nariz, e a sensação era de que ele estava do tamanho de um colchão de água, e com a mesma textura. Meus dedos ficaram manchados de vermelho.

— Sangue — murmurei. — Não é possível.

— É bem possível, Lester. — Cade se ajoelhou ao meu lado. — E pode haver mais num futuro próximo. Você quer explicar por que não tem cartão de crédito? Nem celular? Eu odiaria pensar que bati tanto em você por apenas cem dólares.

Olhei para o sangue nas pontas dos meus dedos. Eu era um deus. Não *tinha* sangue. Mesmo quando fui transformado em mortal antes, icor dourado ainda corria nas minhas veias. Eu nunca tinha sido tão... *convertido*. Devia ser algum erro. Um truque. Qualquer coisa.

Tentei me sentar.

Minha mão escorregou em uma casca de banana e eu caí de novo. Meus agressores morreram de rir.

— Eu adoro esse cara! — comentou Mikey.

— É, mas o chefe disse que ele ia estar cheio da grana — reclamou Cade.

— Chefe... — murmurei. — Chefe?

— Isso mesmo, Lester. — Cade deu um peteleco na minha cabeça. — O chefe mandou: "Vão até aquele beco. Vai ser moleza." Ele disse que a gente tinha que dar uma dura em você e pegar o que tivesse. Mas isto — ele balançou o dinheiro embaixo do meu nariz — não é um pagamento decente.

Apesar da minha situação, senti uma onda de esperança. Se esses delinquentes foram enviados para me procurar, o "chefe" deles devia ser um deus. Nenhum mortal poderia saber que eu cairia naquele lugar específico da Terra. Talvez Cade e Mikey também não fossem humanos. Talvez fossem monstros ou espíritos habilmente disfarçados. Isso ao menos explicaria por que me deram aquela surra com tanta facilidade.

— Quem... quem é seu chefe? — Eu me esforcei para ficar de pé, pó de café caindo dos meus ombros. Estava tão tonto que me senti flutuando perto demais dos vapores do Caos primordial, mas tentei não deixar transparecer e mantive a pose. — Zeus mandou vocês? Ou talvez tenha sido Ares? Eu exijo uma audiência!

Mikey e Cade se olharam como quem diz: *Dá pra acreditar nesse cara?*

Cade pegou a faca.

— Você não se toca, né, Lester?

Mikey tirou o cinto, que não passava de uma corrente de bicicleta, e enrolou no punho.

Decidi subjugá-los com meu canto. Eles podiam ter resistido aos meus punhos, mas nenhum mortal é capaz de resistir a minha voz dourada. Eu estava tentando decidir se cantaria "You Send Me" ou uma composição original, "Sou seu deus da poesia, baby", quando uma voz gritou:

— EI!

Os delinquentes se viraram. Acima de nós, no patamar do segundo lance da escada de incêndio, havia uma garota de uns doze anos.

— Deixem ele em paz — ordenou ela.

A primeira coisa que passou pela minha cabeça foi que Ártemis tinha vindo me ajudar. Minha irmã costumava aparecer na forma de uma garota de doze anos por motivos que nunca compreendi muito bem. Mas algo me disse que não era o caso.

A garota na escada de incêndio não inspirava exatamente medo. Era pequena e gorducha, com cabelo escuro e um corte meio bagunçado em forma de capacete, usando óculos com pedrinhas brilhantes nas hastes da armação preta estilo gatinho. Apesar do frio, ela não usava casaco. Sua roupa parecia ter sido escolhida por uma criança do jardim de infância: tênis vermelhos, meia-calça amarela e um tubinho verde. Talvez ela estivesse indo para uma festa à fantasia vestida de sinal de trânsito.

Ainda assim... havia alguma coisa feroz em sua expressão. A mesma expressão obstinada que minha ex-namorada, Cirene, tinha quando lutava com leões.

Mikey e Cade não pareceram impressionados.

— Some, garota — disse Mikey.

Ela bateu o pé e fez a escada de incêndio balançar.

— Meu beco. Minhas regras!

A voz anasalada e mandona fez parecer que ela estava chamando a atenção de um coleguinha em uma brincadeira de faz de conta.

— O que esse otário tiver é meu, inclusive o dinheiro! — vociferou ela.

— Por que todo mundo está me chamando de otário? — perguntei, com a voz fraca.

O comentário pareceu injusto, mesmo que eu estivesse arrebentado e coberto de lixo; mas ninguém prestou atenção em mim.

Cade olhou com raiva para a garota. O tom vermelho de seu cabelo pareceu escorrer para o rosto.

— Você só pode estar brincando. Some, pirralha! — Ele pegou uma maçã podre e jogou na direção dela.

A garota nem se mexeu. A fruta caiu aos pés dela e rolou inofensivamente até parar.

— Você quer brincar com comida? — Ela limpou o nariz. — Tudo bem.

Eu não a vi chutar a maçã, mas a fruta voou com precisão mortal e acertou o nariz de Cade, que caiu de bunda no chão.

Mikey rosnou. Foi na direção da escada de incêndio, mas uma casca de banana pareceu deslizar diretamente para o caminho dele, que escorregou e levou um baita tombo.

— AIII!

Eu me afastei dos delinquentes caídos. Considerei fugir correndo, mas mal conseguia mancar. Também não queria ser agredido com frutas podres.

A garota saltou a grade. Pousou no chão com uma agilidade surpreendente e pegou um saco de lixo na caçamba.

— Para! — Cade se arrastou meio de lado, tentando se desviar da garota. — Vamos conversar!

Mikey gemeu e rolou até ficar de costas.

A garota fez beicinho. Os lábios dela estavam rachados. Ela tinha uma penugem nos cantos da boca.

— Não fui com a cara de vocês. É melhor irem embora.

— É! — disse Cade. — Claro! Só...

Ele esticou a mão para o dinheiro espalhado entre o pó de café.

A garota jogou um saco de lixo. No meio do percurso, o plástico estourou, lançando um número inestimável de cascas de banana podres, que derrubaram Cade no chão. Mikey foi coberto por tantas que parecia estar sendo atacado por estrelas-do-mar carnívoras.

— Saiam do meu beco — ordenou a garota. — Agora.

Na caçamba, mais sacos de lixo explodiram como pipoca, cobrindo Cade e Mikey de rabanetes, cascas de batata e outros vegetais em decomposição. Milagrosamente, nada caiu em mim. Apesar dos ferimentos, os dois delinquentes se levantaram e saíram correndo e gritando.

Eu me virei para minha pequena salvadora. Mulheres perigosas não eram novidade para mim. Minha irmã fazia chover flechas fatais. Minha madrasta, Hera, deixava os mortais tão loucos a ponto de fazerem picadinho uns dos outros. Mas essa garota de doze anos que controlava o lixo me deixou nervoso.

— Obrigado — arrisquei.

A garota cruzou os braços. Nos dedos do meio ela usava dois anéis iguais de ouro com sinetes de lua crescente. Os olhos brilhavam, escuros como os de um corvo. (Posso fazer essa comparação porque eu inventei os corvos.)

— Não me agradeça — disse ela. — Você ainda está no meu beco.

Ela deu uma volta completa ao meu redor, observando minha aparência como se eu fosse uma vaca premiada. (Também posso fazer essa comparação porque colecionava vacas premiadas.)

— Você é o deus Apolo?

Ela não pareceu muito impressionada. Também não pareceu surpresa com a ideia de um deus andando entre os mortais.

— Você estava ouvindo, então?

Ela assentiu.

— Você não parece um deus.

— Não estou no meu melhor momento — admiti. — Meu pai, Zeus, me exilou do Olimpo. E quem é você?

Ela exalava um cheiro leve de torta de maçã, o que era surpreendente, pois estava muito maltrapilha. Parte de mim queria encontrar uma toalha, limpar o rosto dela e lhe dar dinheiro para uma refeição quentinha. Outra parte queria afastá-la com uma cadeira caso ela decidisse me morder. A garota me fazia lembrar os bichos de rua que minha irmã sempre adotava: cachorros, panteras, donzelas sem-teto, pequenos dragões.

— Meu nome é Meg — disse ela.

— Apelido de Mégara? Ou de Margaret?

— De Margaret. Mas nunca me chame de Margaret.

— E você é uma semideusa, Meg?

Ela ajeitou os óculos.

— Por que você acharia isso?

Mais uma vez, ela não pareceu surpresa com a pergunta. Senti que já tinha ouvido o termo *semideus* antes.

— Bem — falei —, está óbvio que tem algum poder. Você afugentou aqueles delinquentes com frutas podres. Talvez tenha o poder de banana-cinética? Ou será que consegue controlar o lixo? Eu conheci uma deusa romana, Cloacina, que cuidava do sistema de esgoto da cidade. Será que vocês são parentes…?

19

Meg fez beicinho. Tive a impressão de ter dito alguma coisa errada, embora não conseguisse imaginar o quê.

— Acho que só vou pegar seu dinheiro — disse ela. — Vai. Sai daqui.

— Não, espera! — O desespero transpareceu na minha voz. — Por favor, eu... Talvez precise de um pouco de ajuda.

Eu me senti ridículo, claro. Apolo, o deus da profecia, das pragas, da arqueria, da cura, da música e de várias outras coisas de que não conseguia me lembrar no momento, pedindo ajuda a uma pivetinha de roupa colorida. Mas eu não tinha mais ninguém. Se aquela criança decidisse levar meu dinheiro e me chutar para as ruas cruéis do inverno, acho que não poderia impedi-la.

— Digamos que eu acredite em você... — A voz de Meg assumiu um tom cantarolado, como se ela estivesse prestes a anunciar as regras do jogo: *Eu vou ser a princesa, e você, a copeira.* — Digamos que eu decida ajudar. E depois?

Boa pergunta, pensei.

— Nós... Nós estamos em Manhattan?

— Aham. — Ela rodopiou e deu um chute enquanto saltava no ar. — Em Hell's Kitchen.

Parecia errado uma criança dizer *Hell's Kitchen*, a cozinha do inferno. Mas também parecia errado uma criança morar em um beco e entrar em brigas com delinquentes.

Pensei em andar até o Empire State Building. Lá era o portal moderno para o Monte Olimpo, mas eu duvidava que os guardas fossem me deixar subir até o seiscentésimo andar secreto. Zeus não permitiria que fosse tão fácil.

Talvez eu pudesse encontrar meu velho amigo Quíron, o centauro. Ele tinha um acampamento de treinamento em Long Island. Podia me oferecer abrigo e orientação. Mas seria uma viagem perigosa. Um deus indefeso é um alvo atraente. Qualquer monstro no caminho me estriparia com prazer. Espíritos invejosos e deuses menores também poderiam aproveitar a oportunidade. E tinha o "chefe" misterioso de Cade e Mikey. Eu não fazia ideia de quem ele era, nem se tinha outros seguidores piores para enviar contra mim.

Mesmo que chegasse a Long Island, meus novos olhos mortais talvez não fossem capazes de *encontrar* o acampamento de Quíron em seu vale magicamente camuflado. Eu precisava de um guia para chegar até lá, alguém com experiência...

— Tive uma ideia. — Eu me empertiguei o máximo que os ferimentos permitiram. Não era fácil parecer confiante com o nariz sangrando e a roupa cheia de pó de café. — Sei de alguém que pode ajudar. Ele mora no Upper East Side. Me leve até ele e vou recompensá-la.

Meg fez um som que parecia algo entre um espirro e uma gargalhada.

— Me recompensar com o quê? — Ela fez uma dancinha e pegou notas de vinte dólares do lixo. — Já estou pegando todo o seu dinheiro.

— Ei!

Ela jogou a carteira para mim, agora vazia exceto pelo documento de motorista de Lester Papadopoulos.

— Peguei seu dinheiro, peguei seu dinheiro — cantarolou Meg.

Eu sufoquei um rosnado.

— Olha só, criança, eu não vou ser mortal para sempre. Um dia, vou voltar a ser um deus. E então vou recompensar aqueles que me ajudaram... e punir os que não ajudaram.

Ela colocou as mãos na cintura.

— Como *você* sabe o que vai acontecer? Já foi mortal antes?

— Para falar a verdade, sim. Duas vezes! Nas duas, minha punição só durou alguns anos, no máximo!

— Ah, é? E como voltou a ser todo deusístico ou sei lá o quê?

— A palavra *deusístico* não existe — observei, embora minhas sensibilidades poéticas já estivessem pensando em jeitos de usá-la. — Normalmente, Zeus exige que eu trabalhe como escravo para algum semideus importante. Esse cara do outro lado da cidade que mencionei, por exemplo. Ele seria perfeito! Faço as tarefas que meu novo mestre exigir por alguns anos. Desde que eu me comporte, recebo permissão para voltar ao Olimpo. Só preciso recuperar minha força e descobrir...

— Como você tem certeza de qual semideus?

Pisquei.

— O quê?

— A que semideus você deve servir, burro.

— Eu... hã. Bem, normalmente é óbvio. Dou de cara com eles sem querer. É por isso que quero ir para o Upper East Side. Meu novo mestre vai convocar meus serviços e...

— Sou Meg McCaffrey! — Ela fez uma careta. — E convoco seus serviços!

Um trovão ribombou no céu cinza. O som ecoou pelos desfiladeiros da cidade como uma gargalhada divina.

O que tinha sobrado do meu orgulho virou água gelada e escorreu para minhas meias.

— Eu pedi por isso, né?

— É! — Meg pulou sem parar com os tênis vermelhos. — Vamos nos divertir!

Com grande dificuldade, resisti à vontade de chorar.

— Você tem certeza de que não é Ártemis disfarçada?

— Eu sou aquela outra coisa — disse Meg, contando meu dinheiro. — A coisa que você disse antes. Uma semideusa.

— Como sabe?

— Simplesmente sei. — Ela me lançou um sorriso presunçoso. — E agora tenho um deus de companhia chamado Lester!

Olhei para os céus.

— Por favor, pai, já aprendi a lição. Por favor, não posso fazer isso!

Zeus não respondeu. Devia estar ocupado demais gravando minha humilhação para postar no Snapchat.

— Ânimo — disse Meg. — Quem era o cara que você queria ver, o do Upper East Side?

— Outro semideus. Ele sabe o caminho para um acampamento onde posso encontrar abrigo, orientação, comida…

— Comida? — As orelhas de Meg se ergueram quase como as pontas dos óculos estilo gatinho. — Comida *boa*?

— Bem, normalmente eu só como ambrosia, mas, é, acho que sim.

— Então essa é minha primeira ordem! Vamos encontrar esse cara que vai nos levar a esse tal acampamento!

Dei um suspiro infeliz. Seria uma servidão muito longa.

— Como você desejar — falei. — Vamos procurar Percy Jackson.

3

Eu era deusístico
Agora eu estou um lixo
Ih, haicai não rima

ENQUANTO ANDÁVAMOS PELA MADISON Avenue, minha mente rodopiava com perguntas: *Por que Zeus não me deu um casaquinho? Por que Percy Jackson morava tão longe? Por que os pedestres ficavam me olhando?*

Por um momento pensei que meu brilho divino tivesse voltado. Talvez os nova-iorquinos estivessem impressionados com meu poder e minha incrível aparência.

Meg McCaffrey fez o favor de esclarecer.

— Você está fedendo — disse ela. — E parece que acabou de ser assaltado.

— Mas eu *acabei* de ser assaltado. E escravizado por uma criancinha.

— Não é escravidão. — Ela roeu um pedaço da cutícula do polegar e cuspiu. — É mais uma cooperação mútua.

— Mútua no sentido de que você dá ordens e eu sou obrigado a cooperar?

— É. — Ela parou em frente à vitrine de uma loja. — Dá só uma olhada. Você está nojento.

Meu reflexo olhou para mim, só que não era o *meu* reflexo. Não podia ser. O rosto era o mesmo da identidade de Lester Papadopoulos.

Eu parecia ter uns dezesseis anos. Meu cabelo era escuro e encaracolado, um estilo com o qual arrasei na época de Atenas e de novo no começo dos anos 1970. Meus olhos eram azuis. Meu rosto era agradável de um jeito meio bobão, mas estava desfigurado por causa do nariz da cor de uma berinjela, abaixo do qual se formara um bigode nojento de sangue. E pior: minhas bochechas estavam cobertas com uma espécie de protuberância que parecia terrivelmente com... Meu coração chegou a parar por um momento.

— Que horror! — gritei. — Isso é... Isso é uma *espinha*?

Deuses imortais não *têm* espinhas. É um dos nossos direitos inalienáveis. Eu me aproximei do vidro e vi que minha pele era mesmo um terreno irregular de acnes e pústulas.

Fechei os punhos e gritei para o céu impiedoso:

— Zeus, o que eu fiz para merecer isso?

Meg puxou a manga da minha camisa.

— Assim você vai acabar sendo preso.

— Que importância tem? Fui transformado em um adolescente espinhento! Aposto que nem tenho...

Com um frio na espinha e tomado pelo medo, levantei a camisa. Meu abdome parecia coberto por desenhos de flores, formados pelos hematomas que conquistei com a queda na caçamba e com os chutes que recebi em seguida. Mas isso não era nada perto do que constatei logo depois: eu tinha *barriga*.

— Não, não, não. — Cambaleei pela calçada, torcendo para a barriga não ir comigo. — Onde está o meu tanquinho? Eu *sempre* tive tanquinho. Eu *nunca* tive gordurinha na cintura. Nunca em quatro mil anos!

Meg deu outra gargalhada debochada.

— Dá um tempo, bebezão, você está ótimo.

— Eu sou gordo!

— Você é comum. As pessoas comuns não têm tanquinho. Vamos.

Eu queria protestar e dizer que eu não era comum *nem* uma pessoa, mas, com desespero crescente, percebi que o termo agora se adequava perfeitamente a mim.

Do outro lado da vitrine, um segurança me olhava de cara feia. Permiti que Meg me puxasse pela rua.

Ela saltitava e parava ocasionalmente para pegar uma moeda ou girar em um poste de luz. Parecia ignorar o frio, a jornada perigosa que encararia e o fato de que eu estava cheio de espinhas.

— Como você pode estar tão calma? — perguntei. — Você é uma semideusa andando com um deus até um acampamento para conhecer outros como você. Nada disso a preocupa?

— Ah. — Ela fez um aviãozinho de papel com uma das minhas notas de vinte dólares. — Já vi um monte de coisas esquisitas.

Fiquei tentado a perguntar o que poderia ser mais esquisito do que a manhã que acabamos de ter, mas achei que ficaria ainda mais estressado se soubesse a resposta.

— De onde você é?

— Já falei. Do beco.

— É, mas... onde estão seus pais? Família? Amigos?

Uma expressão de desconforto surgiu em seu rosto. Ela voltou a atenção para o aviãozinho de dinheiro.

— Não importa.

Minhas habilidades altamente avançadas de ler pessoas me disseram que ela estava escondendo alguma coisa, mas isso era bem comum entre os semideuses. Crianças abençoadas com um pai ou mãe imortal costumavam ser estranhamente sensíveis sobre seu passado.

— E você nunca ouviu falar do Acampamento Meio-Sangue? Nem sobre o Acampamento Júpiter?

— Não. — Ela encostou o dedo na ponta do aviãozinho para testá-lo. — Quanto falta para a casa do Perry?

— Percy. Não sei. Mais alguns quarteirões... acho.

Isso pareceu satisfazer Meg. Ela foi pulando na frente, jogando o aviãozinho de dinheiro e pegando-o de volta. Quando passamos pelo cruzamento da Rua 72, ela deu uma estrela, suas roupas uma confusão tão intensa de verde, amarelo e vermelho que fiquei com medo de os motoristas se confundirem e a atropelarem. Felizmente, as pessoas em Nova York estavam acostumadas a desviar de pedestres distraídos.

Concluí que Meg devia ser uma semideusa não domesticada. Casos assim eram raros, mas não desconhecidos. Mesmo sem nenhuma rede de apoio, sem ter encontrado outros semideuses ou recebido um treinamento adequado, ela conseguiu sobreviver. Mas sua sorte não duraria muito. Geralmente os monstros davam início à caça e destruição dos jovens heróis por volta da época em que eles faziam treze anos, quando seus verdadeiros poderes começavam a se manifestar. Meg não tinha muito tempo. Ela precisava ser levada para o Acampamento Meio--Sangue tanto quanto eu. Ela tinha sorte de ter me conhecido.

(Sei que essa última frase parece óbvia. *Qualquer pessoa* que me conhece tem sorte, mas você entendeu o que eu quis dizer.)

Se eu estivesse em minha forma onisciente de sempre, poderia ter desvendado o destino de Meg. Poderia ter olhado sua alma e visto tudo que precisava saber sobre pais divinos, poderes, motivos e segredos.

Agora, eu não conseguia mais enxergar essas coisas, estava cego. Só acreditava que a menina era uma semideusa porque ela convocou meus serviços com sucesso. Zeus afirmou o direito dela com um trovão. Senti como se uma capa feita de cascas de banana bem amarradas me envolvesse. Fosse lá quem Meg McCaffrey fosse, fosse lá como tivesse me encontrado, nossos destinos estavam entrelaçados.

Era quase tão constrangedor quanto as espinhas.

Viramos na Rua 82, a leste.

Quando chegamos à Segunda Avenida, o lugar começou a me parecer familiar, com fileiras de prédios, lojas de material de construção, lojas de conveniência e restaurantes indianos. Eu sabia que Percy Jackson morava em algum lugar por ali, mas minhas viagens pelo céu na carruagem do Sol me deram um senso de localização pareado com o Google Earth. Eu não estava acostumado a me deslocar no nível da rua.

Além do mais, nessa forma mortal, minha memória perfeita tinha se tornado... imperfeita. Medos e necessidades mortais enevoavam meus pensamentos. Sentia fome. Queria ir ao banheiro. Meu corpo estava doendo. Minhas roupas estavam fedendo. Parecia que meu cérebro estava cheio de pedaços de algodão molhados. Sinceramente, como vocês, humanos, aguentam?

Depois de mais alguns quarteirões, uma mistura de granizo e chuva começou a cair. Meg tentou pegar as gotas na língua, o que achei uma forma muito ineficiente de beber alguma coisa, e logo água suja. Comecei a tremer por causa do frio e tentei me concentrar em pensamentos felizes: as Bahamas, as Nove Musas em perfeita harmonia, as muitas punições horríveis que eu daria a Cade e Mikey quando me tornasse deus de novo.

Eu ainda estava interessado em descobrir quem era o chefe deles e como ele soube em que lugar eu cairia na Terra. Nenhum mortal teria como saber isso. Na verdade, quanto mais eu pensava, mais improvável se tornava a ideia de que um deus (fora eu mesmo) pudesse ter previsto o futuro de forma tão certeira.

Afinal, eu era o deus da profecia, o mestre do Oráculo de Delfos, distribuidor de amostras de alta qualidade do destino dos outros há milênios.

É claro que não me faltavam inimigos. Uma das consequências naturais de ser tão incrível é que eu atraía inveja por onde passava. Mas eu só conseguia pensar em um adversário capaz de prever o futuro. E se *ele* viesse atrás de mim em meu atual estado...

Afastei esse pensamento. Já tinha muito com que me preocupar. Não fazia sentido ficar aterrorizado por causa de situações hipotéticas.

Começamos a procurar nas ruas menores, verificando os nomes nas caixas de correspondência e nos painéis dos interfones. O Upper East Side tinha uma quantidade surpreendente de Jacksons. Achei isso irritante.

Depois de várias tentativas fracassadas, dobramos uma esquina, e ali, parado debaixo de um resedá, havia um velho Prius azul. O capô tinha o amassado inconfundível dos cascos de um pégaso. (Como eu tinha tanta certeza? Sou ótimo em identificar marcas de cascos. Além do mais, cavalos normais não sobem em carros. Pégasos, sim. O tempo todo.)

— Ahá — falei para Meg. — Estamos quase chegando.

Meio quarteirão depois, reconheci o prédio: um edifício de tijolos aparentes com cinco andares e aparelhos de ar-condicionado enferrujados pendurados nas janelas.

— *Voilà*! — gritei.

Meg parou de repente, como se houvesse uma barreira invisível que a impedisse de avançar. Ela olhava desconcertada para a Segunda Avenida.

— O que aconteceu? — perguntei.

— Achei que tivesse visto de novo.

— O quê? — Segui o olhar dela, mas não vi nada de estranho. — Os delinquentes do beco?

— Não. Duas... — Ela balançou os dedos. — Bolhas brilhantes. Eu as vi na Avenida Park.

Meu coração disparou.

— Bolhas brilhantes? Por que você não disse nada?

Ela bateu nas hastes dos óculos.

— Eu já falei que vi muitas coisas esquisitas. Geralmente não ligo, mas...

— Mas, se eles estiverem nos seguindo, não vai ser nada bom — retruquei. Olhei para a rua de novo. Nada de diferente, mas eu não estranharia se Meg realmente tivesse visto bolhas brilhantes. Muitos espíritos aparecem dessa forma. Meu próprio pai, Zeus, já se transformou em uma bolha brilhante para atrair uma mulher mortal. (Por que a mulher mortal achou isso atraente, eu não faço ideia.)

— A gente devia entrar — falei. — Percy Jackson vai nos ajudar.

Meg continuou hesitante. Ela não demonstrou medo quando enfrentou ladrões com lixo em um beco sem saída, mas agora parecia estar em dúvida se devia tocar a campainha. Então me dei conta de que talvez ela já tivesse encontrado semideuses, e que esses encontros podiam não ter saído como o esperado.

— Meg, sei que alguns semideuses não são bons — falei. — Eu poderia contar histórias de todos que precisei matar ou transformar em ervas...

— Ervas?

— Mas Percy Jackson sempre foi de confiança. Não precisa ter medo. Além do mais, ele gosta de mim. Eu ensinei tudo que ele sabe.

Ela franziu a testa.

— É?

Achei a inocência dela meio encantadora. Havia tantas coisas óbvias que ela não sabia.

— Claro. Vamos subir agora.

Eu toquei o interfone. Alguns segundos depois, a voz falhada de uma mulher atendeu.

— Alô.

— Oi — falei. — Aqui é Apolo.

Estática.

— O *deus* Apolo — reforcei, achando que talvez devesse ser mais específico. — Percy está?

Mais estática, seguida de duas vozes em uma conversa abafada. A porta da frente se abriu. Antes de entrar, vi um breve movimento com o canto do olho. Dei uma conferida na calçada, mas novamente não vi nada.

Talvez tivesse sido um reflexo. Ou granizo sendo carregado pelo vento. Ou talvez tivesse sido uma bolha brilhante. Meu couro cabeludo formigou de apreensão.

— O que foi? — perguntou Meg.

— Nada de mais. — Forcei um tom alegre. Não queria que Meg saísse correndo logo no momento em que estávamos tão perto de um lugar seguro. Estávamos unidos agora. Eu teria que segui-la se ela ordenasse, e não queria ter que viver naquele beco para sempre. — Vamos subir. Não podemos deixar nossos anfitriões esperando.

Depois de tudo que fiz por Percy Jackson, eu esperava alegria com a minha chegada. Boas-vindas lacrimosas, a queima de algumas oferendas e um pequeno festival em minha homenagem não teriam sido inadequados.

Mas o jovem só abriu a porta do apartamento e perguntou:

— Por quê?

Como sempre, fiquei impressionado com a semelhança dele com o pai, Poseidon. Ele herdara os mesmos olhos verde-mar, o mesmo cabelo preto desgrenhado, as mesmas belas feições que podiam mudar de bom humor para raiva com facilidade. No entanto, Percy Jackson não seguia a preferência do pai por shorts de praia e camisas havaianas. Ele estava usando uma calça jeans surrada e um casaco de moletom azul com as palavras EQUIPE DE NATAÇÃO AHS bordadas na frente.

Meg recuou no corredor e se escondeu atrás de mim.

Decidi dar um sorriso.

— Percy Jackson, minhas bênçãos para você! Estou precisando de assistência.

O olhar de Percy voou de mim para Meg.

— Quem é a sua amiga?

— Esta é Meg McCaffrey — expliquei —, uma semideusa que precisa ser levada para o Acampamento Meio-Sangue. Ela me salvou de delinquentes.

— Salvou... — Percy olhou meu rosto ferido. — Você quer dizer que o visual "adolescente surrado" não é só disfarce? Cara, o que aconteceu com você?

— Eu acho que mencionei delinquentes.

— Mas você é um deus.

— Quanto a isso... eu *era* um deus.

Percy piscou.

— *Era*?

— Além disso — falei —, tenho quase certeza de que estamos sendo seguidos por espíritos do mal.

Se eu não soubesse quanto Percy Jackson me idolatrava, teria jurado que ele estava prestes a me dar um soco no nariz já quebrado.

Ele suspirou.

— Acho que vocês dois deviam entrar.

4

Residência Jackson
Nada de trono dourado
Isso é sério, cara?

OUTRA COISA QUE NUNCA entendi: como vocês, mortais, conseguem morar em lugares tão pequenos? Onde está o orgulho? O senso de estilo?

O apartamento dos Jackson não tinha nenhuma sala do trono grandiosa, nem colunatas, terraços e salões de banquete, nem mesmo banhos termais. Tinha uma salinha com uma cozinha adjacente e um único corredor levando ao que eu supunha que fossem os quartos. Ficava no quinto andar e, embora eu não fosse inflexível a ponto de exigir um elevador, achei estranho não ter nenhuma pista de pouso para carruagens voadoras. O que eles faziam quando chegavam visitas do céu?

Atrás da bancada da cozinha, fazendo um smoothie, estava uma mortal muito atraente de uns quarenta anos. O cabelo castanho comprido tinha algumas mechas grisalhas, mas os olhos brilhantes, o sorriso fácil e o vestido festivo tie-dye lhe davam uma aparência mais jovem.

Quando entramos, ela desligou o liquidificador e saiu de detrás da bancada.

— Sibila sagrada! — gritei. — Senhora, tem alguma coisa errada com sua barriga!

A mulher parou, intrigada, e olhou para a própria barriga enormemente inchada.

— Bem, estou grávida de sete meses.

Senti vontade de chorar por ela. Carregar aquele peso não parecia natural. Minha irmã, Ártemis, tinha experiência com partos, mas essa era a única área das artes da cura que sempre achei melhor deixar aos cuidados dos outros.

— Como você é capaz de suportar isso? — perguntei. — Minha mãe, Leto, sofreu durante uma longa gravidez, mas só porque Hera a amaldiçoou. Você foi amaldiçoada?

Percy parou ao meu lado.

— Hã, Apolo, ela não foi amaldiçoada. E, por favor, não mencione Hera.

— Pobre mulher. — Balancei a cabeça. — Uma deusa jamais se permitiria ficar tão sobrecarregada. Ela daria à luz assim que tivesse vontade.

— Isso deve ser bom — concordou a mulher.

Percy Jackson tossiu.

— Enfim... Mãe, estes são Apolo e a amiga dele, Meg. Pessoal, esta é minha mãe.

A mãe de Jackson sorriu e apertou nossas mãos.

— Me chamem de Sally.

Ela estreitou os olhos ao notar meu nariz machucado.

— Querido, isso parece estar doendo. O que aconteceu?

Tentei explicar, mas me enrolei com as palavras. Eu, o deus da poesia, com uma língua de veludo, não consegui descrever minha desgraça para aquela mulher.

Então entendi por que Poseidon ficou tão apaixonado. Sally Jackson tinha a combinação certa de compaixão, força e beleza. Era uma daquelas raras mulheres mortais que conseguiam se conectar espiritualmente com um deus como sua semelhante: não sentia medo de nós nem cobiçava o que podíamos oferecer, apenas nos presenteava com verdadeira companhia.

Se ainda fosse imortal, talvez eu mesmo tivesse flertado com ela. Mas no momento eu era um garoto de dezesseis anos. Minha forma mortal estava se impregnando no meu estado mental. Eu via Sally Jackson como uma figura materna, o que ao mesmo tempo me consternava e constrangia. Pensei em quantos anos havia que eu não falava com minha própria mãe. Eu devia convidá-la para almoçar quando voltasse ao Olimpo.

— Olha — Sally bateu no meu ombro —, Percy pode ajudar você a fazer um curativo e limpar isso aí.

— Posso?

Sally olhou para ele com a sobrancelha levemente erguida, aquela típica expressão maternal.

— Tem um kit de primeiros socorros no banheiro, querido. Apolo pode tomar um banho e vestir alguma roupa sua. Vocês dois são mais ou menos do mesmo tamanho.

— Isso é muito deprimente — disse Percy.

Sally segurou delicadamente o queixo de Meg. Ainda bem que a menina não a mordeu. A expressão da mulher continuava gentil e tranquilizadora, mas consegui ver a preocupação nos olhos dela. Sem dúvida, estava pensando: *quem vestiu essa pobre garota de sinal de trânsito?*

— Tenho umas roupas que podem servir em você, querida — disse ela. — Roupas pré-gravidez, claro. Tome um banho. Depois, vamos arrumar alguma coisa para você comer.

— Eu gosto de comida — murmurou Meg.

Sally riu.

— Então nós temos isso em comum. Percy, você leva Apolo. Nos encontramos de novo daqui a pouco.

Então foi isso: tomei banho, cuidei dos curativos e coloquei roupas herdadas de Jackson. Percy me deixou sozinho no banheiro para cuidar de tudo, pelo que fiquei muito grato. Ele me ofereceu ambrosia e néctar, comida e bebida dos deuses, para cicatrizar os ferimentos, mas eu não sabia se seria seguro consumir isso na minha forma mortal. Não queria entrar em autocombustão, então preferi os itens de primeiros socorros convencionais.

Quando terminei, olhei meu rosto machucado no espelho do banheiro. Talvez as roupas estivessem impregnadas de raivinha adolescente, porque mais do que nunca eu me sentia um aluno revoltado do ensino médio. Pensei em quanto era injusto estar sendo punido, em quanto meu pai era ridículo, que mais ninguém na história do universo tinha vivenciado os mesmos problemas que eu.

É claro que tudo aquilo era empiricamente verdade. Sem exageros.

Ao menos meus ferimentos pareciam estar cicatrizando mais rápido do que os de um mortal normal. O inchaço do nariz tinha diminuído. Minhas costelas ainda doíam, mas eu não estava mais com a sensação de que havia alguém tricotando um suéter com agulhas quentes dentro do meu peito.

A cura acelerada era o *mínimo* que Zeus podia fazer por mim. Afinal, eu era um deus das artes medicinais. Zeus provavelmente só queria que eu me recuperasse depressa para enfrentar mais dor, mas fiquei agradecido mesmo assim.

Eu me perguntei se devia acender uma pequena fogueira na pia de Percy Jackson, quem sabe queimar algumas ataduras em agradecimento, mas acabei concluindo que isso poderia diminuir a hospitalidade da família.

Observei a camiseta preta que Percy tinha me emprestado. Na frente havia o logo dos discos do Led Zeppelin: Ícaro alado caindo do céu. Eu não tinha nada contra o Led Zeppelin. Aliás, havia inspirado suas melhores músicas. Mas tinha uma ligeira desconfiança de que havia sido uma piadinha de Percy me dar justo aquela camiseta: a queda do céu. Sim, ha-ha. Não era preciso ser um deus da poesia para enxergar a metáfora. Mas decidi não comentar nada. Não daria esse gostinho a ele.

Respirei fundo. Em seguida, fiz meu discurso motivacional de sempre para o espelho.

— Você é lindo e as pessoas te amam!

Então saí para enfrentar o mundo.

Percy estava sentado na cama, olhando para a trilha de gotas de sangue que deixei no tapete.

— Me desculpe por isso — falei.

Ele estendeu as mãos.

— Na verdade, eu estava pensando na última vez que meu nariz sangrou.

— Ah...

Embora enevoada e incompleta, a lembrança me veio à mente. Atenas. A Acrópole. Nós, deuses, lutamos lado a lado com Percy Jackson e seus amigos. Derrotamos um exército de gigantes, mas uma gota do sangue de Percy caiu no solo e despertou Gaia, a Mãe Terra, que não estava de bom humor.

Foi quando Zeus se virou contra mim. Ele me acusou de começar a coisa toda só porque Gaia havia ludibriado minha prole, um garoto chamado Octavian, levando-o a incitar os acampamentos romano e grego a uma guerra civil que quase destruiu a civilização humana. Eu pergunto: como pode ter sido culpa minha?

Mesmo assim, Zeus *me* declarou responsável pela ilusão de grandeza de Octavian. Zeus pareceu considerar o egoísmo uma característica que o garoto herdou de mim. O que é ridículo. Tenho autopercepção suficiente para não ser egoísta.

— O que aconteceu com você, cara? — A voz de Percy me despertou dos devaneios. — A guerra terminou em agosto. Estamos em janeiro.

— Estamos?

Acho que eu devia ter desconfiado pelo tempo frio, mas nem havia parado para pensar nisso.

— Na última vez que nos encontramos — disse Percy —, Zeus estava massacrando você na Acrópole. E então, *bam*, o vaporizou. Ninguém viu nem ouviu falar de você em seis meses.

Tentei lembrar, mas, em vez de se tornarem mais claras, minhas lembranças da época divina ficavam cada vez mais indistintas. O que aconteceu nos últimos seis meses? Estive em algum tipo de estase? Zeus havia demorado tanto tempo assim para decidir o que fazer comigo? Talvez houvesse um motivo para ele ter esperado até esse momento para me jogar na Terra.

A voz do meu pai ainda ecoava em meus ouvidos: *Sua culpa. Sua punição.* Minha vergonha parecia recente e intensa, como se a conversa tivesse acabado de acontecer, mas não havia como ter certeza.

Depois de viver por tantos milênios, eu tinha dificuldade de me achar no tempo. Eu escutava uma música no Spotify e pensava: "Ah, essa é nova!" Aí, percebia que era o "Concerto para piano nº 20 em ré menor" de Mozart, de mais de duzentos anos atrás. Ou me perguntava por que Heródoto, o historiador, não estava nos meus contatos. Aí lembrava que Heródoto não tem smartphone porque morreu na Idade do Ferro.

É muito irritante a brevidade da vida de vocês, mortais.

— Eu... eu não faço ideia de onde estava — admiti. — Tenho algumas falhas na memória.

Percy fez uma careta.

— Odeio falhas na memória. Ano passado, perdi um semestre inteiro graças a Hera.

— Ah, é.

Eu não me lembrava muito bem sobre o que Percy Jackson estava falando. Durante a guerra com Gaia, fiquei mais concentrado nos meus fabulosos feitos heroicos. Mas imagino que ele e os amigos tenham passado por maus bocados.

— Ah, não tema — falei. — Sempre há novas oportunidades para conquistar a fama! Foi por isso que vim até você pedir ajuda!

Ele fez aquela expressão confusa de novo, como se quisesse me dar um chute, quando eu tinha certeza de que devia estar lutando para conter a gratidão.

— Olha, cara...

— Você poderia parar de me chamar de *cara*? É um doloroso lembrete de que sou humano.

— Tudo bem... Apolo, posso muito bem levar você e Meg para o acampamento, se é isso o que querem. Nunca viro as costas para um semideus que precisa de ajuda...

— Maravilhoso! Você tem alguma outra coisa além do Prius? Um Maserati, talvez? Eu aceitaria um Lamborghini.

— *Mas* — continuou Percy —, não posso me envolver em nenhuma outra Grande Profecia nem nada assim. Eu fiz umas promessas.

Olhei para ele sem entender muito bem.

— Promessas?

Percy entrelaçou os dedos. Eram longos e ágeis. Ele teria sido um excelente músico.

— Perdi boa parte do meu segundo ano na escola por causa da guerra com Gaia. Passei o outono inteiro tentando recuperar as matérias atrasadas. Se eu quiser ir para a faculdade com Annabeth no outono que vem, tenho que ficar longe de problemas e conseguir meu diploma.

— Annabeth. — Tentei me lembrar de onde conhecia esse nome. — É a loura assustadora?

— Ela mesma. Fiz uma promessa bem *específica* de que não morreria enquanto ela estivesse fora.

— Fora?

Percy acenou com a mão vagamente.

— Ela foi passar algumas semanas em Boston. Uma emergência familiar. A questão é...

— Você está dizendo que não pode me oferecer seu serviço integral para me levar de volta ao trono?

— Hã... é. — Ele apontou para a porta do quarto. — Além do mais, minha mãe está grávida. Vou ter uma irmãzinha. Eu gostaria de estar por perto para conhecê-la.

— Ah, eu entendo. Lembro quando Ártemis nasceu...

— Vocês não são gêmeos?

— Eu sempre a vi como minha irmãzinha.

Percy contorceu a boca.

— Enfim, além de minha mãe estar grávida, ela vai lançar seu primeiro livro na primavera, então eu gostaria de ficar vivo por tempo suficiente para...

— Que maravilha! Lembre-a de queimar os sacrifícios adequados. Calíope fica bem sensível quando os romancistas esquecem de agradecer.

— Tudo bem. Mas o que estou dizendo... é que não posso sair por aí em outra missão. Não posso fazer isso com minha família.

Percy olhou pela janela. No peitoril havia uma planta com delicadas folhas prateadas dentro de um vaso, possivelmente um enlace lunar.

— Já causei ataques cardíacos suficientes à minha mãe para uma vida inteira. Ela acabou de me perdoar por ter desaparecido no ano passado, mas jurei para ela e para Paul que não faria isso de novo.

— Paul?

— Meu padrasto. Ele está em um treinamento de professores hoje. É um bom sujeito.

— Entendo.

Na verdade, não entendia. Eu queria voltar a falar dos meus problemas. Estava impaciente por Percy ter desviado a conversa para ele. Infelizmente, percebi que esse tipo de egocentrismo é comum entre semideuses.

— Você *compreende* que tenho que encontrar um jeito de voltar para o Olimpo — falei. — Isso provavelmente envolve várias provações árduas com um grande risco de morte. Você seria capaz de recusar tamanha glória?

— É, tenho certeza de que seria, sim. Desculpe.

Repuxei os lábios. Sempre fiquei decepcionado quando mortais se colocavam em primeiro lugar e não conseguiam enxergar a situação como um todo: a importância de *me* colocar em primeiro lugar. Mas eu precisava lembrar a mim mesmo que esse jovem já havia me ajudado em várias outras ocasiões. Ele conquistara minha boa vontade.

— Entendo — falei, sendo incrivelmente generoso. — Você ao menos vai nos acompanhar ao Acampamento Meio-Sangue?

— Isso eu posso fazer.

Percy enfiou a mão no bolso do moletom e pegou uma caneta esferográfica. Por um instante, achei que ele quisesse meu autógrafo. Não sei dizer quantas vezes isso aconteceu. Mas então lembrei que a caneta era o disfarce da espada dele, Contracorrente.

Percy sorriu, e parte daquela malícia antiga de semideus brilhou em seus olhos.

— Vamos ver se Meg está pronta para um passeio no campo.

5

Pastinha gostosa
Cookie azul de chocolate
Amo essa mulher

SALLY JACKSON ERA UMA feiticeira tão poderosa quanto Circe. Ela transformou uma moleca de rua em uma garotinha incrivelmente bonita. O cabelo escuro de Meg estava brilhoso e penteado. O rosto redondo estava limpo. Os óculos estilo gatinho tinham sido polidos até as pedrinhas nas hastes brilharem. Evidentemente, ela insistiu em ficar com os tênis vermelhos velhos, mas estava usando uma legging preta nova e uma túnica verde que ia até o joelho.

A sra. Jackson encontrou um jeito de manter o antigo visual de Meg, mas fazendo alguns ajustes para deixá-lo mais equilibrado. A menina agora tinha uma aura de elfo primaveril que me lembrou muito uma dríade. Na verdade...

Uma onda repentina de emoção tomou conta de mim. Eu sufoquei o choro. Meg fez beicinho.

— Estou tão feia assim?

— Não, não — falei. — É que...

Eu queria dizer *você me lembra uma pessoa*, mas não ousava tocar nesse assunto. Só dois mortais partiram meu coração. Mesmo depois de tantos séculos, era impossível para mim pensar nela — ou até pronunciar seu nome — sem cair em desespero.

Não me entenda mal. Eu não me sentia atraído por Meg, de jeito nenhum. Eu tinha dezesseis anos (ou mais de quatro mil, dependendo de como você encarasse a situação), ela tinha só doze. Mas, olhando para ela agora, me dei conta de que Meg McCaffrey podia ser filha do meu antigo amor... se meu antigo amor tivesse vivido o bastante para ter filhos.

Era doloroso demais. Desviei o olhar.

— Bem — disse Sally Jackson, com alegria forçada —, que tal eu fazer o almoço enquanto vocês três... conversam?

Ela lançou um olhar preocupado para Percy e foi para a cozinha, com as mãos apoiadas na barriga grávida.

Meg se sentou na beirada do sofá.

— Percy, sua mãe é tão normal.

— Hum... Obrigado?

Ele empurrou uma pilha de apostilas para o lado na mesa de centro e abriu espaço.

— Estou vendo que você gosta de estudar — comentei. — Muito bem.

Percy riu com deboche.

— Eu *odeio* estudar. Já tenho uma bolsa integral para estudar na Universidade Nova Roma, mas eles querem que eu passe em todas as matérias do ensino médio e ainda por cima tire uma boa nota nos exames de admissão. Dá para acreditar? Sem mencionar que tenho que passar na APIS.

— Passar no quê? — perguntou Meg.

— É uma prova para semideuses romanos — expliquei. — A Avalição de Poderes Incríveis dos Semideuses.

Percy franziu a testa.

— É isso que a sigla significa?

— É claro que é. Eu sei porque escrevi as seções de análise de música e poesia.

— Nunca vou perdoar você por isso — disse Percy.

Meg ficou de pé.

— Então você é mesmo um semideus? Como eu?

— Infelizmente, sim. — Percy afundou na poltrona, e eu me sentei no sofá. — Meu pai é a parte divina da família. Poseidon. E os seus?

As pernas de Meg ficaram imóveis. Ela observou as cutículas roídas, os anéis de lua crescente nos dedos do meio.

— Não conheci meus pais... direito.

Percy hesitou.

— Lar adotivo? Pais adotivos?

Imediatamente pensei em uma planta chamada *Mimosa pudica*, ou dormideira, criação do deus Pã. Assim que as folhas são tocadas, a planta se fecha como autodefesa. E esse parecia ser o caso de Meg, encolhendo-se diante das perguntas de Percy.

Ele levantou as mãos.

— Desculpe. Não quis ser xereta. — Percy me lançou um olhar curioso. — E como vocês se conheceram?

Contei a história para ele. Posso ter exagerado um pouco na parte em que me defendi bravamente de Cade e Mikey, mas só por questões narrativas, você entende.

Quando terminei, Sally Jackson voltou. Colocou na mesa uma tigela de nachos e uma caçarola cheia de uma coisa cremosa com camadas multicoloridas, como rocha sedimentar.

— Já trago os sanduíches — disse ela —, mas não quis desperdiçar o restinho da pasta que tinha na geladeira.

— Oba! — Percy enfiou um nacho na pasta. — Minha mãe é famosa por essa pasta, pessoal.

Sally bagunçou o cabelo dele.

— Leva guacamole, creme azedo, feijões refritos, molho...

— Tem sete camadas? — Ergui o rosto, maravilhado. — Você sabia que sete é meu número sagrado? Você inventou isso para *mim*?

Sally limpou as mãos no avental.

— Bem, na verdade, não posso levar o crédito...

— Você é modesta demais! — Experimentei a pasta. O gosto era quase tão bom quanto nachos de ambrosia. — Você terá fama imortal por isso, Sally Jackson!

— Que fofo. — Ela apontou para a cozinha. — Já volto.

Em pouco tempo, estávamos comendo sanduíches de peru e nachos e bebendo smoothies de banana. Meg parecia um esquilo, enfiando mais comida na boca do que podia comer. Minha barriga estava cheia. Eu nunca tinha sido tão feliz. Sentia um desejo estranho de ligar um Xbox e jogar *Call of Duty*.

— Percy, sua mãe é incrível — falei.

— Não é? — Ele terminou o smoothie. — Voltando à sua história... você tem que ser servo da Meg agora? Vocês mal se conhecem.

— *Mal* é generosidade sua — falei. — Mas é isso mesmo que você ouviu. Meu destino agora está ligado ao da jovem McCaffrey.

— Nós estamos *cooperando* — disse Meg.

Ela pareceu saborear a palavra.

Percy pegou a caneta esferográfica no bolso. Ele bateu com ela no joelho, pensativo.

— E essa coisa toda de se tornar mortal... você já passou por isso duas vezes?

— Não por escolha — garanti. — Na primeira vez, tivemos uma pequena rebelião no Olimpo. Tentamos destronar Zeus.

Percy fez uma careta.

— Imagino que não tenha dado muito certo.

— Eu levei a maior parte da culpa, naturalmente. Ah, e seu pai, Poseidon. Nós dois fomos jogados na Terra como mortais, fomos obrigados a servir Laomedonte, o rei de Troia. Ele era um senhor rígido. Até se recusou a pagar por nosso trabalho!

Meg quase engasgou com o sanduíche.

— Eu tenho que pagar?

Uma imagem apavorante me veio à mente: Meg McCaffrey tentando me pagar com tampinhas de garrafa, bolinhas de gude e pedaços de barbante colorido.

— Pode ficar tranquila — falei. — Não vou apresentar uma conta no final nem nada. Mas, como eu estava dizendo, na segunda vez que virei mortal, Zeus estava zangado porque matei alguns ciclopes.

Percy franziu a testa.

— Cara, isso não é legal. Meu irmão é um ciclope.

— Eram ciclopes maus! Eles lançaram o raio que matou um dos meus filhos!

Meg quicou no braço do sofá.

— O irmão de Percy é um ciclope? Que irado!

Respirei fundo e tentei pensar em coisas boas.

— De qualquer modo, fiquei preso a Admeto, o rei da Tessália. Ele era um senhor gentil. Eu gostava tanto dele que fiz todas as suas vacas terem bezerros gêmeos.

— Posso ter vacas bebês também? — perguntou Meg.

— Bem, Meg — comecei —, primeiro você teria que ter algumas mamães vacas. Sabe...

— Pessoal — interrompeu Percy. — Só para relembrar, você tem que ser servo de Meg por...?

— Uma quantidade indefinida de tempo. Provavelmente, um ano. Possivelmente mais.

— E, durante esse tempo...

— Vou indubitavelmente encarar muitas provações e dificuldades.

— Como conseguir vacas para mim — disse Meg.

Trinquei os dentes.

— Que provações vão ser, eu ainda não sei. Mas, se eu passar por elas e provar que sou digno, Zeus vai me perdoar e permitir que eu retorne ao Olimpo.

Percy não pareceu convencido, provavelmente porque eu não fui convincente. Eu *precisava* acreditar que minha punição mortal seria temporária, como havia sido das outras duas vezes. Mas Zeus criou uma regra rigorosa: *Três erros e você está fora.* Só me restava torcer para que isso não se aplicasse a mim.

— Eu preciso de mais tempo para entender o que está acontecendo — falei. — Quando chegarmos ao Acampamento Meio-Sangue, vou falar com Quíron e tentar descobrir quais dos meus poderes divinos permaneceram comigo nesta forma mortal.

— Se é que você ainda tem algum — comentou Percy.

— Vamos pensar positivo.

Percy se recostou na poltrona.

— Alguma ideia de que tipo de espíritos estão seguindo vocês?

— Bolhas brilhantes — disse Meg. — Eram brilhantes e meio... bolhudas.

Percy assentiu, sério.

— Essas são as piores.

— Não importa — declarei. — Sejam o que forem, temos que fugir o mais rápido possível. Quando chegarmos ao acampamento, as fronteiras mágicas vão me proteger.

— E a mim? — perguntou Meg.

— Ah, sim. A você também.

Percy franziu a testa.

— Apolo, se você é realmente um mortal, tipo, cem por cento mortal, você vai conseguir *entrar* no Acampamento Meio-Sangue?

A pasta de sete camadas da mãe de Percy começou a revirar no meu estômago.

— Não diga uma coisa dessas, por favor. Claro que eu vou entrar. Eu *tenho* que entrar.

— Mas você pode se machucar em batalha agora... — refletiu Percy. — Se bem que talvez os monstros ignorem você, porque você não é importante?

— Pare com isso!

Minhas mãos tremiam. Ser mortal já era traumático o bastante. A ideia de ser barrado no acampamento, de *não* ser *importante*... Não. Não podia ser.

— Tenho certeza de que mantive alguns dos meus poderes — argumentei. — Por exemplo, ainda sou deslumbrante, tirando as espinhas e o excesso de peso. Eu devo ter outras habilidades!

Percy se virou para Meg.

— E você? Eu soube que você arrasa no lançamento de sacos de lixo. Você tem mais alguma habilidade da qual eu deva saber? Convocar relâmpagos? Fazer privadas explodirem?

Meg deu um sorriso hesitante.

— Isso não é um poder.

— Claro que é — disse Percy. — Alguns dos melhores semideuses começaram explodindo privadas.

Meg riu.

Não gostei do jeito como ela estava sorrindo para Percy. Eu não queria que a garota tivesse uma paixonite. A gente talvez nunca saísse dali. Por mais que eu gostasse da comida de Sally Jackson (um cheiro divino de biscoitos assando vinha da cozinha), eu precisava ir o mais rápido possível para o acampamento.

— Hã, ok — Eu esfreguei as mãos. — Quando podemos partir?

Percy olhou para o relógio na parede.

— Agora, acho. Se vocês estão sendo seguidos, prefiro que os monstros fiquem atrás da gente do que farejando ao redor do apartamento.

— Que magnânimo — falei.

Percy indicou as apostilas com desgosto.

— Eu só preciso voltar ainda hoje para cá. Tenho muita coisa para estudar. Nas primeiras duas vezes que fiz o exame de admissão para a faculdade... Argh. Se não fosse a ajuda de Annabeth...

— Quem é essa? — perguntou Meg.

— Minha namorada.

A expressão de Meg murchou. Fiquei feliz de não haver sacos de lixo por perto.

— Faça uma pausa! — pedi. — Seu cérebro vai ficar renovado depois de uma viagem tranquila até Long Island.

— Hã... — disse Percy. — Acho pouco provável. Tudo bem. Vamos.

Ele se levantou na hora em que Sally Jackson se aproximava com um prato de biscoitos com gotas de chocolate recém-assados. Por algum motivo, os biscoitos eram azuis, e o cheiro era divino. Posso dizer isso porque eu sou divino.

— Mãe, não surte — disse Percy.

Sally suspirou.

— Eu odeio quando você diz isso.

— Só vou levar Apolo e Meg para o acampamento. Só isso. Volto logo depois.

— Acho que já ouvi isso.

— Eu *prometo*.

Sally olhou para mim e depois para Meg. A expressão dela se suavizou, sua gentileza natural talvez superando a preocupação.

— Tudo bem. Tomem cuidado. Foi um prazer conhecer vocês dois. Tentem não morrer.

Percy deu um beijo na bochecha dela. Ele esticou a mão para pegar um biscoito, mas ela afastou o prato.

— Ah, não — disse ela. — Apolo e Meg podem pegar um, mas vou fazer o restante de refém até você voltar em segurança. E vá logo, querido. Será uma pena se Paul comer todos quando ele chegar em casa.

Percy fechou a cara. E se virou para nós.

— Estão ouvindo? Um prato de biscoitos depende de mim. Se vocês me fizerem morrer no caminho, vou ficar furioso.

6

Aquaman dirige
Nada pode ser pior
Não, não, pode sim

PARA MINHA GRANDE DECEPÇÃO, os Jackson não tinham um arco com aljava sobrando para me emprestar.

— Sou péssimo em arco e flecha — explicou Percy.

— É, mas *eu* não — retruquei. — É por isso que você devia estar sempre preparado para as *minhas* necessidades.

Mas Sally nos emprestou bons casacos, de fleece. O meu era azul com a palavra BLOFIS escrita por dentro da gola. Talvez fosse uma proteção misteriosa contra espíritos do mau. Hécate saberia. Bruxaria não era mesmo minha praia.

Quando chegamos ao Prius, Meg pediu para ir na frente, o que foi mais um exemplo da injustiça que era minha atual existência. Deuses não andam no banco traseiro. Sugeri novamente ir atrás deles em um Maserati ou em um Lamborghini, mas Percy admitiu que não possuía nenhum dos dois. O Prius era o único carro da família.

Como eu ia dizendo... Uau. Simplesmente *uau*.

Sentado no banco de trás, logo fiquei enjoado. Eu costumava guiar minha carruagem do Sol pelo céu, onde todas as pistas eram de alta velocidade. Não estava acostumado com a via expressa de Long Island. Acredite, mesmo ao meio-dia em pleno mês de janeiro, não há nada de *expresso* nas suas vias expressas.

Percy freou, e fomos jogados para a frente. No fundo, eu desejava poder lançar uma bola de fogo e derreter os carros em nosso caminho, abrindo passagem para nossa jornada, que obviamente era mais importante que a de qualquer um deles.

— Seu Prius não tem lança-chamas? Lasers? Ao menos facas hefestianas no para-choque? Que tipo de veículo econômico é este?

Percy olhou pelo retrovisor.

— Vocês têm carros assim no Monte Olimpo?

— Nós não temos engarrafamento. Isso eu posso jurar.

Meg ficou puxando seus anéis de lua. Mais uma vez, me perguntei se havia alguma ligação entre ela e Ártemis. A lua era o símbolo da minha irmã. Teria Ártemis enviado Meg para cuidar de mim?

Ainda que fosse o caso, não parecia fazer sentido. Ártemis tinha dificuldade de compartilhar qualquer coisa comigo: semideuses, flechas, nações, festas de aniversário. É uma coisa de irmãos gêmeos. Além do mais, Meg McCaffrey não me parecia uma das seguidoras da minha irmã. Tinha outro tipo de aura... que eu seria capaz de reconhecer facilmente se fosse um deus. Mas não. Tinha que contar com intuição mortal, que era como tentar pegar uma agulha de costura usando luvas de forno.

Meg se virou e olhou pelo para-brisa traseiro, provavelmente procurando alguma bolha brilhante nos seguindo.

— Pelo menos não estamos sendo...

— Não diga — avisou Percy.

Meg bufou.

— Você não sabe o que eu ia...

— Você ia dizer "Pelo menos não estamos sendo seguidos" — afirmou Percy. — Isso vai nos amaldiçoar. Na mesma hora, vamos perceber que *estamos* sendo seguidos. E então, vamos acabar em uma enorme batalha que vai destruir o carro da minha família e provavelmente a estrada inteira também. Em seguida, vamos ter que correr até o acampamento.

Meg arregalou os olhos.

— Você consegue prever o futuro?

— Não é preciso. — Percy foi para a faixa que estava andando um pouco menos devagar. — É que já fiz muito isso. Além do mais — ele me lançou um olhar acusatório —, ninguém mais consegue prever o futuro. O oráculo não está funcionando.

— Que oráculo? — perguntou Meg.

Nenhum de nós respondeu. Por um instante, fiquei perplexo demais para falar. E, acredite, tenho que ficar *muito* perplexo para isso acontecer.

— *Ainda* não está funcionando? — perguntei, baixinho.

— Você não sabia? — retrucou Percy. — Ah, claro, você esteve fora por seis meses, mas isso aconteceu sob sua vigília.

Que injustiça. Eu estava ocupado me escondendo da ira de Zeus na época, uma desculpa perfeitamente legítima. Como poderia saber que Gaia ia tirar vantagem do caos da guerra e trazer meu maior e mais antigo inimigo das profundezas do Tártaro para tomar posse de sua antiga morada na caverna de Delfos e cortar a fonte do meu poder profético?

Ah, sim, estou ouvindo daqui suas críticas: *Você é o deus da profecia, Apolo. Como poderia não saber que isso ia acontecer?*

O que você verá em seguida será uma bela careta no maior estilo Meg McCaffrey.

Engoli o gosto do medo e da pasta de sete camadas.

— Eu só... Eu imaginei... Eu torcia para que isso já estivesse resolvido a essa altura.

— Você quer dizer resolvido por semideuses — disse Percy —, enviados em uma grande missão para recuperar o Oráculo de Delfos?

— Exatamente! — Eu sabia que Percy ia entender. — Acho que Quíron esqueceu. Vou lembrá-lo assim que chegarmos ao acampamento, e então ele pode despachar alguns de vocês, gentalha talentosa, quer dizer, heróis...

— Olha, a questão é a seguinte — disse Percy. — Para sair em uma missão, nós precisamos de uma profecia, certo? As regras são essas. Se não tem oráculo, não *tem* profecia, então estamos presos em um...

— Ardil 88. — Suspirei.

Meg jogou um pedaço de linha em mim.

— É Ardil 22.

— Não — expliquei, pacientemente. — Isso é um Ardil 88, ou seja, quatro vezes pior.

Tenho a sensação de que estou flutuando em um banho quente e alguém tirou a tampa do ralo: a água gira ao meu redor, me puxando para baixo. Em pouco tempo, eu estaria tremendo, ou então seria sugado pelo ralo para o esgoto da desesperança. (Não ria. É uma metáfora perfeitamente razoável. Além do mais, quando se é um deus, é bem possível ser sugado por um ralo, se for pego desprevenido, relaxado e por acaso mudar de forma no momento errado. Uma vez, acordei em uma unidade de tratamento de esgoto em Biloxi, mas isso é outra história.)

Eu começava a ter um vislumbre do que me aguardava na minha temporada como mortal. O oráculo estava sendo controlado por forças hostis. Meu inimigo estava à espreita, ganhando forças a cada dia com os vapores mágicos das cavernas de Delfos. E eu era um mortal fraco comprometido com uma semideusa não treinada que jogava lixo e mordia as cutículas.

Não. Zeus não *podia* esperar que eu consertasse isso. Não na minha atual condição.

Ainda assim... *alguém* mandou aqueles delinquentes me interceptarem no beco. Alguém sabia onde eu ia cair.

Ninguém mais consegue prever o futuro, dissera Percy.

Mas não era bem assim.

— Ei, vocês dois.

Meg jogou fiapos de linha em nós. De onde ela estava tirando tanta linha? Percebi que vinha ignorando-a. Havia sido bom enquanto durou.

— Sim, desculpe, Meg — falei. — Sabe, o Oráculo de Delfos é um antigo...

— Não estou nem aí pra isso — disse ela. — São três bolhas brilhosas agora.

— O quê? — perguntou Percy.

Ela apontou para trás do carro.

— Olhem.

Costurando em meio ao trânsito e se aproximando de nós rapidamente havia três aparições cintilantes e vagamente humanoides, plumas oscilantes como fumaça de granada tocadas pelo rei Midas.

— Pelo menos uma vez na vida eu gostaria de fazer um trajeto tranquilo — resmungou Percy. — Se segurem. Vamos ter que cortar caminho.

A definição que Percy dava a *cortar caminho* era diferente da minha.

Eu imaginava que pegaríamos um atalho. Mas o que ele fez foi acelerar para a saída mais próxima da rodovia, atravessar o estacionamento de um shopping e passar pelo drive-thru de um restaurante mexicano sem pedir nada. Desviamos para uma área industrial de armazéns dilapidados, as aparições esfumaçadas ainda na nossa cola.

Os nós dos meus dedos ficaram brancos de tanto apertar o cinto de segurança.

— Seu plano é morrer em um acidente de trânsito só para fugir da luta? — perguntei.

— Ha-ha. — Percy virou o volante para a direita. Seguimos em disparada, os armazéns dando lugar a amontoados de prédios e centros comerciais abandonados. — Estou indo para a praia. Luto melhor perto da água.

— Por causa de Poseidon? — indagou Meg, agarrada à porta.

— É — concordou Percy. — Isso descreve praticamente minha vida: *por causa de Poseidon*.

Meg deu pulinhos de empolgação, o que me pareceu sem sentido, considerando que o carro já vinha pulando bastante.

— Você é tipo o Aquaman? — perguntou ela. — Vai fazer os peixes lutarem por você?

— Obrigado — disse Percy. — Ouvi pouquíssimas piadas do Aquaman na vida.

— Não era piada! — protestou Meg.

Olhei pela janela de trás. As três plumas cintilantes ainda estavam se aproximando. Uma delas passou por um homem de meia-idade atravessando a rua. O pedestre mortal desabou na mesma hora.

— Ah, eu conheço esses espíritos! — gritei. — Eles são... hã...

Meu cérebro ficou enevoado.

— O quê? — perguntou Percy. — São o quê?

— Esqueci! Eu *odeio* ser mortal! Quatro mil anos de conhecimento, todos os segredos do universo, um mar de sabedoria... perdidos, só porque não consigo guardar tudo nessa cabeça de xícara!

— Espere! — Percy fez o Prius voar por um cruzamento com a linha ferroviária.

Meg gritou quando sua cabeça bateu no teto do carro. Em seguida, começou a rir descontroladamente.

A paisagem se expandiu para um campo de verdade: terras cultivadas, vinhedos inertes, pomares de árvores sem folhas.

— Só mais ou menos um quilômetro até a praia — disse Percy. — Além do mais, estamos quase na fronteira do acampamento. Vamos conseguir. Vamos conseguir.

Na verdade, não conseguiríamos. Uma das nuvens de fumaça brilhante deu um golpe sujo, se materializando no asfalto bem na nossa frente.

Instintivamente, Percy desviou.

O Prius saiu da pista e atravessou uma cerca de arame farpado, invadindo um pomar. Percy conseguiu desviar de todas as árvores, mas o carro derrapou na lama gelada e foi parar entre dois troncos. Milagrosamente, os air bags não foram acionados.

Percy soltou o cinto de segurança.

— Vocês estão bem?

Meg empurrou a porta do passageiro.

— Não quer abrir. Me tira daqui!

Percy tentou abrir a porta dele também. Estava firmemente emperrada contra um pessegueiro.

— Aqui atrás — falei. — Pulem o banco!

Abri minha porta com um chute e cambaleei para fora do carro, as pernas parecendo amortecedores gastos.

As três figuras esfumaçadas tinham parado na entrada do pomar. Avançavam devagar, assumindo formas sólidas. Ganharam braços e pernas. Os rostos formaram olhos e bocas grandes e famintas.

Eu soube instintivamente que já tinha enfrentado esses espíritos antes. Não conseguia lembrar o que eram, mas eu os tinha dispersado muitas vezes, enviando-os para o esquecimento com o mesmo esforço que gastaria com um bando de mosquitos.

Infelizmente, eu não era mais um deus. Era um garoto de dezesseis anos em pânico. As palmas das minhas mãos estavam suando. Meus dentes estavam batendo. Meu único pensamento coerente era: CARACA!

Percy e Meg tentavam sair do Prius. Eles precisavam de tempo, o que significava que eu tinha que criar alguma interferência.

— PAREM! — gritei para os espíritos. — Sou o deus Apolo!

Para minha agradável surpresa, os três espíritos pararam. Ficaram no mesmo lugar, a uns dez metros de distância.

Ouvi Meg grunhir enquanto saía pelo banco de trás. Percy saiu depois dela.

Avancei na direção dos espíritos, a lama gelada estalando sob meus sapatos. Minha respiração soltava vapor no ar gelado. Levantei a mão em um antigo gesto de três dedos para afastar o mal.

— Nos deixem em paz ou sejam destruídos! — entoei para os espíritos. — BLOFIS!

As formas esfumaçadas tremeluziram. Minhas esperanças aumentaram. Esperei que elas se dissipassem ou fugissem de medo.

Mas na realidade elas se solidificaram em cadáveres sinistros com olhos amarelos. As roupas esfarrapadas, os membros cobertos de feridas abertas e bolhas escorrendo.

— Ah, não. — Meu pomo de adão despencou até o peito como uma bola de bilhar. — Lembrei agora.

Percy e Meg pararam ao meu lado. Com um chiado metálico, a caneta de Percy virou uma lâmina de bronze celestial cintilante.

— Lembrou o quê? — perguntou ele. — Como matar essas coisas?

— Não — respondi. — Lembrei o que eles são: *nosoi*, espíritos das chagas. E também... que eles não podem ser mortos.

7

Eles me perseguem
São espíritos do mal
Muito divertido, não?

— *NOSOI?* — **PERCY** posicionou os pés em postura de luta. — Sabe, eu vivo pensando: *Agora já matei todas as coisas que existem na mitologia grega.* Mas a lista parece não terminar nunca.

— Você ainda não me matou — observei.

— Não me provoque.

Os três *nosoi* estavam cada vez mais perto, as bocas cadavéricas escancaradas, as línguas para fora, os olhos brilhando com uma camada de muco amarelo.

— Essas criaturas *não* são mitos — falei. — Claro, a maioria dos mitos antigos não é mito. Exceto aquela história de como eu esfolei o sátiro Marsias vivo. Isso foi uma grande mentira.

Percy olhou para mim.

— Você fez o *quê*?

— Pessoal — disse Meg, pegando um galho seco no chão. — Podemos falar sobre isso depois?

O espírito do meio falou.

— Apoloooooooo... — A voz dele gorgolejava como a de uma foca com bronquite. — Vieeeeeemos paaaaara...

— Vou ter que interromper você agora. — Cruzei os braços e fingi indiferença arrogante. (Foi difícil, mas consegui.) — Vocês vieram se vingar de mim, né? — Eu olhei para os meus amigos semideuses. — Os *nosoi* são os espíritos das chagas. Quando *eu* nasci, espalhar doenças se tornou parte do *meu* trabalho. Eu uso flechas com pragas como varíola, pé de atleta, esse tipo de coisa, para destruir populações malcomportadas.

— Que horror — disse Meg.

— Alguém tem que fazer isso! — expliquei. — Melhor um deus regulado pelo Conselho do Olimpo e com as autorizações de saúde adequadas do que uma horda de espíritos incontroláveis como *esses*.

O espírito da esquerda gorgolejou:

— Estamos tentando ter um momeeeento aqui. Pare de interromper! Queremos ser livres, independeeeentes…

— É, é, eu sei. Vocês vão me destruir. Aí, vão espalhar todas as doenças conhecidas pelo mundo. Estão querendo fazer isso desde que Pandora abriu aquela caixa e deixou vocês escaparem, mas podem ir perdendo as esperanças, porque vou destruir vocês!

Talvez você esteja se perguntando como pude agir com tanta confiança e calma. Na verdade, eu estava apavorado. Meus instintos mortais de dezesseis anos estavam gritando *CORRA!* Meus joelhos batiam um no outro e meu olho direito estava com um tremor horrível. Mas o segredo ao lidar com os espíritos das chagas era falar ininterruptamente, para mostrar que está no comando e não tem medo deles. Eu achei que isso daria o tempo necessário para meus amigos semideuses bolarem um plano inteligente para me salvar. Realmente *esperava* que Meg e Percy estivessem pensando em um algum plano.

O espírito da direita mostrou os dentes podres.

— Com o que você vai destruir a gente? Onde está seu aaaarco?

— Aparentemente não está aqui — falei. — Mas será que não está mesmo? E se estiver escondido inteligentemente embaixo dessa camiseta do Led Zeppelin e eu esteja prestes a pegá-lo e disparar em vocês?

Os *nosoi* se remexeram com nervosismo.

— Você meeeente — disse o do meio.

Percy pigarreou.

— Hã, ei, Apolo…

Finalmente!, pensei.

— Eu sei o que você vai dizer — falei. — Você e Meg bolaram um plano sagaz para afastar esses espíritos enquanto eu corro para o acampamento. Odeio ver vocês se sacrificarem, mas...

— Não era isso que eu ia dizer. — Percy levantou a espada. — Eu ia perguntar o que acontece se eu fizer picadinho desses bafentos com bronze celestial.

O espírito do meio riu, os olhos amarelos brilhando.

— Uma espada é uma arma tão pequena. Não tem a poesiiiia de uma boa epidemia.

— É melhor parar por aí! — gritei. — Você não pode querer minhas doenças e minha poesia ao mesmo tempo!

— Você está certo — disse o espírito. — Chega de palaaaavras.

Os três cadáveres voltaram a se locomover. Eu estiquei os braços, torcendo para que os espíritos explodissem e virassem poeira. Nada aconteceu.

— Mas não é possível! — reclamei. — Como os semideuses conseguem fazer isso sem um botão de vitória automática?

Meg enfiou o galho no peito do espírito mais próximo. O galho ficou preso, e uma fumaça cintilante começou a girar ao redor da madeira.

— Solte! — ordenei. — Não deixe o *nosos* tocar em você!

Meg largou o galho e se afastou.

Enquanto isso, Percy Jackson partiu para a batalha. Ele golpeou com a espada, desviou das tentativas dos espíritos de pegá-lo, mas seus esforços foram inúteis. Sempre que a lâmina tocava nos *nosoi*, eles simplesmente se dissolviam em névoa cintilante e voltavam a se solidificar em outro lugar.

Um espírito tentou segurá-lo. Meg pegou um pêssego preto congelado no chão e o jogou com tanta força que atravessou a testa do espírito e o derrubou.

— A gente tem que correr — concluiu Meg.

— É. — Percy recuou na nossa direção. — Gostei dessa ideia.

Eu sabia que correr não ia ajudar. Se fosse possível correr dos espíritos das chagas, os europeus medievais teriam colocado seus melhores tênis de corrida e fugido da Peste Negra. (E, para deixar bem claro, eu não tive nada a ver com a Peste Negra. Eu tirei um século de folga para ficar relaxando na praia em Cabo e, quando voltei, descobri que os *nosoi* tinham se libertado, e um terço do continente estava morto. *Deuses*, eu fiquei tão irritado.)

Mas eu estava apavorado demais para discutir. Meg e Percy correram pelo pomar e eu fui atrás.

Percy apontou para uma série de colinas mais ou menos um quilômetro à frente.

— Ali é a fronteira ocidental do acampamento. Se a gente conseguir chegar lá...

Passamos por um tanque de irrigação preso a um trator. Com um movimento casual da mão, Percy fez a lateral do tanque rachar. Uma parede de água caiu em cima dos três *nosoi* que nos perseguiam.

— Isso foi bom. — Meg sorriu, saltitando com o vestido verde novo. — A gente vai conseguir!

Não, eu pensei, *não vai*.

Meu peito estava doendo. Minha respiração estava mais para um chiado áspero. Achei humilhante aqueles dois semideuses conseguirem bater papo enquanto corriam para salvar suas vidas, e eu, o imortal Apolo, só ofegava como um bagre.

— A gente não pode... — Eu engoli em seco. — Eles vão...

Antes que eu completasse a frase, três pilares cintilantes de fumaça surgiram do chão na nossa frente. Dois dos *nosoi* se solidificaram em cadáveres, um com um pêssego como se fosse um terceiro olho, o outro com um galho de árvore saindo do peito.

O terceiro espírito... Bem. Percy não o viu a tempo. Ele correu direto para a pluma de fumaça.

— Não respire! — alertei.

Os olhos de Percy saltaram como quem diz: *É sério?* Ele caiu de joelhos com as mãos no pescoço. Como filho de Poseidon, provavelmente conseguia respirar debaixo da água, mas prender a respiração por tempo indeterminado era uma coisa totalmente diferente.

Meg pegou outro pêssego murcho no chão, mas aquilo não ia ser de grande serventia contra as forças das trevas.

Tentei pensar em algo para ajudar Percy, porque ajudar é meu nome do meio, mas o *nosos* empalado pelo galho de árvore partiu para cima de mim. Eu me virei e corri, e dei de cara com uma árvore. Gostaria de dizer que foi tudo parte do meu plano, mas mesmo eu, com toda a minha habilidade poética, não sou capaz de achar algo de positivo nisso.

Caí de costas e vi pontinhos pretos dançando ao meu redor, com a imagem cadavérica do espírito das chagas me encarando do alto.

— Que doença fatal devo usar para matar o grande Apooooolo? — gargarejou o espírito. — Antraz? Talvez ebooooola...

— Cutícula malfeita — sugeri, tentando me arrastar para longe do meu agressor. — Tenho horror àquelas pelezinhas se soltando.

— Eu tenho a resposta! — gritou o espírito, me ignorando com grosseria. — Vamos tentar isso!

Ele se dissolveu em fumaça e se deitou em cima de mim como um cobertor cintilante.

8

Pêssegos no ar
Acho que vou desistir
Estou acabado

NÃO VOU DIZER QUE minha vida passou diante dos meus olhos.

Bem que eu queria. Teria levado vários meses e me dado tempo para pensar em um plano de fuga.

O que realmente passou diante dos meus olhos foram meus arrependimentos. Embora eu seja um ser perfeito e glorioso, tenho alguns. Lembrei-me daquele dia nos estúdios da Abbey Road, quando minha inveja me fez espalhar o rancor pelos corações de John e Paul e separar os Beatles. Lembrei de Aquiles caindo nas planícies de Troia, derrubado por um arqueiro vil graças à minha fúria.

Vi Jacinto, os ombros bronzeados e os cachos escuros brilhando ao sol. De pé na lateral do campo de arremesso de disco, ele abriu um sorriso brilhante para mim, provocando: *Nem você consegue lançar tão longe.*

Apenas observe, respondi. Lancei o disco e fiquei olhando, horrorizado, um vento repentino desviá-lo inexplicavelmente na direção do belo rosto de Jacinto.

E, claro, eu *a* vi, o outro amor da minha vida, a pele clara se transformando em casca de árvore, folhas verdes brotando do cabelo, os olhos enrijecendo em riachos de seiva.

Essas lembranças despertaram tanta dor que era de se imaginar que eu aceitaria de bom grado a névoa de peste cintilante caindo sobre mim.

Mas meu novo eu mortal se rebelou. Era jovem demais para morrer! Sequer tinha dado meu primeiro beijo! (Sim, meu catálogo divino de ex estava lotado de gente mais bonita do que a lista de convidados das festas das Kardashian, mas nenhuma delas me parecia real.)

Para ser totalmente sincero, preciso confessar outra coisa: todos os deuses temem a morte, mesmo quando *não* estamos presos em uma forma mortal.

Pode parecer bobeira. Somos imortais. Mas, como você viu, a imortalidade pode ser retirada de nós. (No meu caso, *três malditas vezes.*)

Os deuses sabem como é sumir. Sabem como é ser esquecido ao longo dos séculos. A ideia de deixar de existir nos apavora. Na verdade (bem, Zeus não gostaria que eu compartilhasse essa informação e, se você contar para alguém, vou negar que falei isto), nós, deuses, admiramos um pouco vocês, mortais. Vocês passam a vida toda sabendo que vão morrer. Por mais que tenham amigos e parentes, sua existência medíocre vai ser esquecida depressa. Como conseguem aguentar? Por que não estão correndo de um lado para outro, gritando e arrancando os cabelos? Sua coragem, devo admitir, é admirável.

Onde eu estava mesmo?

Ah, sim. Morrendo.

Rolei na lama, prendendo a respiração. Tentei afastar a nuvem de praga, mas não era tão fácil quanto esmagar uma mosca ou um mortal arrogante.

Tive um vislumbre de Meg fazendo um jogo mortal de pique-pega com o terceiro *nosos*, tentando manter um pessegueiro entre ela e o espírito. A menina gritou alguma coisa para mim, mas a voz parecia metálica e distante.

Em algum lugar no campo à minha esquerda, o chão tremeu. Um gêiser em miniatura entrou em erupção. Percy rastejou desesperadamente na direção dele. Enfiou o rosto na água, limpando-o da fumaça.

Minha visão começou a ficar turva.

Percy se levantou cambaleante. Arrancou a fonte do gêiser, um cano de irrigação, e direcionou a água para mim.

Normalmente, não gosto de ser encharcado. Toda vez que vou acampar com Ártemis, ela se diverte me acordando com um balde de água gelada. Mas, nesse caso, não me importei.

A água dispersou a fumaça, permitindo que eu rolasse para longe e respirasse. Ali perto, nossos dois inimigos gasosos reapareceram como cadáveres encharcados, os olhos amarelos brilhando de irritação.

Meg gritou de novo. Dessa vez, eu entendi o que ela disse.

— ABAIXA!

Achei falta de consideração, levando-se em conta que eu tinha acabado de me levantar. Por todo o pomar, os restos congelados e enegrecidos da colheita estavam começando a levitar.

Acredite em mim, em quatro mil anos já vi coisas muito estranhas. Já vi o rosto sonhador de Urano nas estrelas e Tifão descontar toda a sua fúria pela Terra. Já vi homens virarem cobra, formigas virarem homens e pessoas teoricamente racionais dançarem a Macarena.

Mas nunca antes tinha visto um levante de frutas congeladas.

Percy e eu nos deitamos no chão enquanto pêssegos voavam pelo pomar, ricocheteando nas árvores como bolas de sinuca, destroçando os corpos cadavéricos dos *nosoi*. Se eu estivesse de pé, teria morrido, mas Meg estava ali, inabalável e intacta, enquanto as frutas mortas e congeladas a rodeavam.

Os três *nosoi* desabaram, esburacados. Todas as frutas caíram no chão.

Percy olhou para cima, os olhos vermelhos e inchados.

— O gue agonteceu?

Ele parecia congestionado, o que significava que não havia escapado completamente ileso da nuvem de peste, mas ao menos não estava morto. Isso costumava ser um bom sinal.

— Não sei — admiti. — Meg, estamos em segurança?

Ela olhava impressionada para a carnificina de frutas, cadáveres destroçados e galhos de árvore quebrados.

— Eu... não sei direito.

— Gomo você fez isso? — Percy fungou.

A menina parecia horrorizada.

— Não fiz nada! Só sabia que ia acontecer.

Um dos cadáveres começou a se mexer. Levantou-se e se equilibrou nas pernas muito perfuradas.

— Feeeeez, *sim* — grunhiu o espírito. — Vocêêêê é forte, criança.

Os outros dois cadáveres se levantaram.

— Não o bastante — disse o segundo *nosos*. — Vamos acabar com vocês agora.

O terceiro mostrou os dentes podres.

— Seu guardião ficaria tããããão decepcionado.

Guardião? Talvez o espírito estivesse se referindo a mim. Em caso de dúvida, eu sempre presumia que a conversa era sobre mim.

Meg estava com cara de quem tinha levado um soco no estômago. O rosto ficou pálido. Os braços tremiam. Ela bateu o pé e gritou:

— NÃO!

Mais pêssegos giraram no ar. Dessa vez, as frutas se juntaram, dando origem a um demônio poeirento de frutose, até que, de pé na frente de Meg, havia uma criatura semelhante a uma criança pequena e gorducha usando apenas uma fralda de pano. Das costas saíam asas formadas por galhos frondosos. O rosto de bebê talvez tivesse sido fofo, não fossem os olhos verdes brilhantes e os dentes pontudos. A criatura rosnou e abocanhou o ar.

— Ah, dão. — Percy balançou a cabeça. — Odeio essas coisas.

Os três *nosoi* também não pareceram nada satisfeitos e começaram a se afastar do bebê rosnador.

— O q-que é isso? — perguntou Meg.

Fiquei encarando-a, atônito. Ela só podia ser a causa dessa aberração feita de frutas, mas estava tão chocada quanto nós. Infelizmente, se Meg não sabia como tinha invocado essa criatura, não saberia se livrar dela, e, assim como Percy Jackson, eu não era fã dos *karpoi*.

— É um espírito dos grãos — expliquei, tentando não deixar o pânico transparecer na voz. — Nunca vi um *karpos* de pêssegos antes, mas, se for tão cruel quanto os outros...

Eu estava prestes a dizer *estamos ferrados*, mas isso parecia ao mesmo tempo óbvio e deprimente.

O bebê pêssego se virou na direção dos *nosoi*. Por um momento, temi que eles fizessem alguma aliança infernal, um encontro do mal entre as doenças e as frutas.

O cadáver do meio, o que estava com o pêssego cravado na testa, recuou.

— Não interfira — avisou ele para o *karpos*. — Não vamos permitir...

O bebê pêssego se jogou no *nosos* e arrancou sua cabeça com uma mordida.

E não estou usando nenhuma figura de linguagem. A boca do *karpos* com dentes afiados se abriu em uma circunferência inacreditável e se fechou ao redor da cabeça do cadáver, arrancando-a com uma única mordida.

Ai, caraca... espero que você não esteja jantando enquanto lê isto.

Em questão de segundos, o *nosos* foi despedaçado e devorado.

Compreensivelmente, os outros dois *nosoi* recuaram, mas o *karpos* deu impulso e pulou, caindo bem no segundo cadáver e dilacerando-o até transformá-lo em mingau sabor peste.

O último espírito se dissolveu em fumaça cintilante e tentou sair voando, mas o bebê pêssego abriu as asas frondosas e começou a persegui-lo. Ele abriu a boca e inspirou a doença, mastigando e engolindo até cada filete de fumaça ter sumido.

Pousou na frente de Meg e arrotou. Os olhos verdes brilharam. Ele não parecia nem levemente doente, o que para mim não era nenhuma surpresa, pois doenças humanas não contaminam árvores frutíferas. Na verdade, mesmo depois de comer três *nosoi* inteiros, o sujeitinho ainda parecia faminto.

Ele uivou e bateu no pequeno peito.

— Pêssego!

Lentamente, Percy levantou a espada. O nariz ainda estava vermelho e escorrendo, e o rosto, inchado.

— Meg, *dão* se mexa — disse ele, fungando. — Eu vou...

— Não! — retrucou ela. — Não o machuque. — Meg colocou a mão com hesitação na cabecinha encaracolada da criatura e disse: — Você nos salvou. Obrigada.

Comecei a preparar mentalmente uma lista de ervas medicinais para regenerar membros arrancados, mas, para minha surpresa, o bebê pêssego não mordeu a mão de Meg. Só abraçou a perna dela e olhou para nós de cara feia, como nos desafiando a chegar perto.

— Pêssego — grunhiu ele.

— Ele gosta de você — comentou Percy. — Hã... por quê?

— Não sei — respondeu Meg. — Estou falando a verdade, não o invoquei!

Eu tinha certeza de que Meg o *invocara*, intencionalmente ou não. Também estava começando a suspeitar sobre a paternidade divina dela, além de ter algumas perguntas sobre esse "guardião" que os espíritos mencionaram, mas decidi que seria melhor interrogá-la quando não estivesse com um bebê zangado e carnívoro abraçando sua perna.

— Bem, seja qual for o caso — falei —, devemos nossas vidas ao *karpos*. Isso me traz à mente uma expressão que cunhei séculos atrás: Um pêssego por dia afasta os espíritos das chagas e traz alegria!

Percy espirrou.

— Achei que fossem maçãs que trouxessem alegrias.

O *karpos* sibilou.

— Ou pêssego — acrescentou Percy. — Com pêssego também dá certo.

— Pêssego — concordou o *karpos*.

Percy limpou o nariz.

— Sem querer criticar, mas por gue ele está bancando o Groot?

Meg franziu a testa.

— Groot?

— É, aguele personagem do filme... gue só fica dizendo a mesma coisa sem parar.

— Infelizmente, não vi o filme — respondi. — Mas o *karpos* parece ter um... vocabulário bem restrito.

— Talvez Pêssego seja o nome dele. — Meg acariciou o cabelo cacheado do *karpos*, o que despertou um ronronado demoníaco na garganta da criatura. — É assim que vou chamá-lo.

— Opa, você dão vai adotar essa... — Percy espirrou com tanta força que outro cano de irrigação explodiu atrás dele, gerando uma fileira de pequenos gêiseres. — Ugh. Doente.

— Você teve sorte — falei. — Seu truque com a água diluiu a força do espírito. Em vez de uma doença mortal, você pegou um resfriado.

— Odeio resfriados. — Seus olhos verdes pareciam estar afundando em um mar de sangue. — Nenhum de vocês dois ficou doente?

Meg balançou a cabeça.

— Eu tenho excelente constituição — afirmei. — Sem dúvida, foi o que me salvou.

— E eu ter tirado a fubaça da sua cara — acrescentou Percy.

— Bem, isso também.

Ele ficou me olhando como se esperasse alguma coisa. Depois de um momento constrangedor, me ocorreu que, se Percy fosse um deus, e eu, um adorador, ele talvez esperasse gratidão.

— Ah... obrigado — falei.

Ele assentiu.

— Tudo bem.

Relaxei um pouco. Se ele tivesse exigido um sacrifício, tipo de um touro branco ou um bezerro gordo, não sei bem o que faria.

— Podemos ir agora? — perguntou Meg.

— Excelente ideia — falei. — Mas temo que Percy não esteja em condição...

— Aguento levar vocês pelo resto do caminho — disse ele. — Se conseguirmos tirar meu carro daquelas duas árvores... — Ele olhou na direção do veículo e sua expressão ficou ainda mais infeliz. — Ai, Hades, dão...

Uma viatura de polícia estava parando no acostamento. Imaginei os olhos dos policiais acompanhando na lama as marcas de pneus que levavam a uma cerca derrubada e seguiam até o Toyota Prius azul enfiado entre dois pessegueiros. As luzes no alto da viatura piscavam.

— Que ótimo — murmurou Percy. — Se rebocarem o Prius, estou morto. Minha mãe e Paul *precisam* do carro.

— Vá falar com os policiais — sugeri. — Você não vai ter nenhuma utilidade para nós nesse estado mesmo.

— É, a gente se vira — disse Meg. — Você disse que o acampamento fica logo depois daquelas colinas, né?

— Certo, mas... — Percy fez uma careta, provavelmente tentando pensar direito mesmo com os sintomas do resfriado. — A maioria das pessoas entra no acampamento pelo leste, onde fica a Colina Meio-Sangue. A fronteira a oeste é mais selvagem, com colinas e bosques, tudo fortemente encantado. Se dão tomarem cuidado, podem se perder... — Ele espirrou de novo. — Ainda dão tenho certeza de que Apolo vai conseguir *entrar* sendo totalmente mortal.

— Eu vou entrar. — Tentei irradiar confiança. Não tinha escolha. Se não fosse para o Acampamento Meio-Sangue... Não. Eu já tinha sido atacado duas vezes no meu primeiro dia como mortal. Não havia plano B capaz de me manter vivo.

As portas da viatura se abriram.

— Vá — falei para Percy. — Vamos encontrar o caminho pelo bosque. Explique para a polícia que está doente e perdeu o controle do carro. Eles vão pegar leve com você.

Percy riu.

— Tá. A polícia me ama quase tanto quanto os professores. — Ele olhou para Meg. — Tem certeza de que está bem com o demônio bebê das frutas?

Pêssego rosnou.

— Estou ótima — jurou Meg. — Vá para casa. Descanse. Tome muitos líquidos.

Percy contorceu os lábios.

— Você está dizendo para um filho de Poseidon tomar muitos líquidos? Tudo bem, só tentem sobreviver até o fim de semana, tá? Vou ver se consigo ir até o acampamento dar uma olhada em vocês. Tomem cuidado e a... TCHIM!

Murmurando e aborrecido, ele colocou a tampa da caneta na espada e a transformou novamente em uma simples esferográfica. Era uma sábia precaução antes de se aproximar de agentes da lei. Desceu a colina, espirrando e fungando.

— Policial — chamou ele. — Com licença, aqui em cima. Você sabe me dizer para que lado fica Manhattan?

Meg se virou para mim.

— Pronto?

Eu estava encharcado e tremendo. Era o pior dia na história dos dias. Acabei preso a uma garota assustadora e um bebê pêssego ainda mais assustador. Não estava pronto para nada. Mas também queria desesperadamente chegar ao acampamento. Talvez encontrasse rostos conhecidos lá, talvez até adoradores felizes que me dariam uvas descascadas, Oreos e outras oferendas sagradas.

— Claro. Vamos.

O *karpos* Pêssego grunhiu. Indicou que o seguíssemos, depois correu na direção das colinas. Talvez soubesse o caminho. Talvez só quisesse nos conduzir para uma morte horrível.

Meg correu atrás dele, se pendurando nos galhos das árvores e dando estrelas na lama conforme foi se animando. Qualquer um pensaria que tínhamos acabado de sair de um belo piquenique e não de uma batalha com cadáveres contaminados por pragas.

Olhei para o céu.

— Tem certeza, Zeus? Ainda dá tempo de me dizer que tudo não passou de uma pegadinha elaborada e me chamar de volta para o Olimpo. Já aprendi minha lição. Juro.

As nuvens cinzentas de inverno não responderam. Com um suspiro, corri atrás de Meg e seu novo subordinado homicida.

9

Ando na floresta
Vozes me deixam maluco
Odeio espaguete

EU SUSPIREI DE ALÍVIO.

— Vai ser fácil.

Ok, eu disse a mesma coisa antes de lutar com Poseidon, e isso *não* foi nem um pouco fácil. Ainda assim, nosso caminho até o Acampamento Meio-Sangue não parecia ter muitos percalços. Só de conseguir *ver* o acampamento eu já estava feliz, pois normalmente ele ficava invisível aos olhos humanos. Já era alguma coisa.

De onde estávamos, no topo da colina, víamos o vale todo se estendendo abaixo de nós: mais ou menos oito quilômetros quadrados de bosques, campinas e uma plantação de morangos margeados pelo estuário de Long Island ao norte e por colinas dos outros três lados. Abaixo de nós, uma floresta densa de sempre-vivas cobria o terço ocidental do vale.

Mais à frente, a vegetação dava lugar às construções do Acampamento Meio-Sangue, que brilhavam na luz de inverno: o anfiteatro, a arena onde aconteciam as lutas de espada, o refeitório a céu aberto com as colunas brancas de mármore. Uma trirreme flutuava no lago de canoagem. Vinte chalés ocupavam a área verde ao redor da lareira, que exibia uma chama alegre.

Na beirada da plantação de morangos ficava a Casa Grande: uma construção vitoriana de quatro andares pintada de azul-claro com acabamento branco. Meu amigo Quíron devia estar lá dentro, provavelmente tomando chá junto à lareira. Eu finalmente encontraria um abrigo.

Meu olhar correu para uma das extremidades do vale. Ali, na colina mais alta, a Atena Partenos brilhava em toda a sua glória de ouro e alabastro. No passado, a enorme estátua decorou o Partenon, na Grécia. Agora, comandava o Acampamento Meio-Sangue, protegendo o vale de invasores. Mesmo de longe, eu conseguia sentir seu poder, como o zumbido subsônico de um motor vigoroso. Lá em cima, a nossa Olhos Cinzentos estava sempre atenta a qualquer ameaça, fazendo exatamente o que se esperaria dela: muito trabalho e zero diversão.

Eu teria escolhido uma estátua mais interessante. A minha, por exemplo. Mesmo assim, a visão do Acampamento Meio-Sangue era impressionante. Meu humor sempre melhorava quando eu deparava com aquele lugar, um pequeno lembrete dos bons e velhos tempos, quando os mortais sabiam construir templos e fazer sacrifícios adequados, com fogo e tal. Ah, tudo era melhor na Grécia Antiga! Quer dizer, exceto as pequenas melhorias que os humanos fizeram: a internet, o croissant de chocolate, a expectativa de vida maior.

O queixo de Meg caiu quando ela viu o acampamento.

— Como foi que eu nunca ouvi falar deste lugar? A gente precisa de ingresso para entrar?

Eu ri. Sempre apreciei a oportunidade de iluminar um mortal perdido.

— Sabe, Meg, o vale é camuflado por fronteiras mágicas. De fora, a maioria dos humanos não vê nada aqui além de campos sem graça. Se eles se aproximarem, vão dar meia-volta e começar a se afastar novamente. Acredite, eu tentei pedir uma pizza no acampamento uma vez. Foi bem irritante.

— Você pediu pizza?

— Deixa pra lá — falei. — Quanto aos ingressos... realmente, o acampamento não permite a entrada de qualquer um, mas hoje é seu dia de sorte. Eu conheço a gerência.

Pêssego grunhiu. Farejou o chão, mastigou um pouco de terra e cuspiu.

— Ele não gostou do sabor deste lugar — disse Meg.

— É, bem... — Eu franzi a testa ao observar o *karpos*. — Podemos tentar dar um pouco de adubo para ele quando chegarmos. Vou fazer com que os semideuses deixem o monstrinho entrar, mas ajudaria se ele não arrancasse a cabeça de ninguém com uma mordida, pelo menos não de cara.

Pêssego murmurou alguma coisa sobre pêssegos.

— Tem alguma coisa estranha — disse Meg, roendo a unha. — Esse bosque... Percy disse que era selvagem, encantado e tal.

Também tive a sensação de que algo estava errado, mas pensei que fosse devido ao pouco apreço que tenho por florestas. Por motivos que prefiro deixar de lado, eu as acho... lugares desconfortáveis. Mesmo assim, com nosso objetivo em vista, meu otimismo de sempre estava voltando.

— Não se preocupe — falei. — Você está viajando com um deus!

— Ex-deus.

— Eu agradeceria se você não ficasse repetindo isso. De qualquer modo, o pessoal do acampamento é muito simpático. Eles vão nos receber com lágrimas de alegria. E espere até você ver o vídeo de orientação!

— Vídeo?

— Eu mesmo dirigi! Agora, venha. O bosque não pode ser tão ruim assim.

O bosque era bem ruim.

Assim que adentramos suas sombras, as árvores pareceram se juntar ao nosso redor. Troncos fecharam passagem, bloquearam caminhos antigos e abriram novos. Raízes deslizavam pelo chão, criando uma pista de obstáculos com protuberâncias, nós e anéis. Era como tentar andar por uma tigela cheia de espaguete.

Pensar em espaguete me deixou com fome. Fazia poucas horas que eu tinha devorado a pasta de sete camadas e o sanduíche de Sally Jackson, mas meu estômago mortal já estava se contraindo e pedindo comida. Os sons eram bem irritantes, principalmente quando se estava atravessando um bosque escuro e assustador. Até o *karpos* Pêssego começava a parecer apetitoso para mim, me fazendo sonhar com tortas e sorvetes.

Como já disse, eu não era muito fã de bosques. Tentei me convencer de que as árvores não estavam me olhando, fazendo cara feia e sussurrando entre si. Eram só árvores. Mesmo que tivessem dríades ali, não podiam me responsabilizar por algo que aconteceu milhares de anos atrás em outro continente.

Por que não?, eu me perguntei. *Você ainda se responsabiliza.*

Eu disse a mim mesmo para calar a boca.

Andamos durante horas... bem mais tempo do que levaríamos normalmente para chegar à Casa Grande. Eu sempre me orientei pelo Sol, o que não é nenhuma surpresa, considerando que passei milênios dirigindo pelo céu, mas, sob a copa das árvores, a luz era difusa e as sombras confundiam.

Depois que passamos pela mesma rocha pela terceira vez, eu parei e admiti o óbvio.

— Não faço ideia de onde estamos.

Meg se sentou em um tronco caído. Sob a luz verde, ela mais do que nunca parecia uma dríade, apesar de os espíritos das árvores não costumarem usar tênis vermelhos e casacos de segunda mão.

— Você não tem habilidades de sobrevivência na selva? — perguntou ela. — Tipo leitura de musgo no tronco das árvores? Seguir trilhas?

— Minha irmã é quem gosta mais dessas coisas — falei.

— Talvez Pêssego possa ajudar. — Meg se virou para o *karpos*. — Ei, você consegue encontrar uma forma de sairmos da floresta?

Nos últimos quilômetros, o *karpos* ficara murmurando com nervosismo, olhando de um lado para outro. Ele farejou o ar, as narinas tremendo, e em seguida inclinou a cabeça.

Seu rosto ficou verde, e ele emitiu um latido perturbado e se dissolveu em um rodopio de folhas.

Meg se levantou.

— Para onde ele foi?

Observei o bosque. Pêssego foi inteligente; sentiu o perigo se aproximando e nos abandonou. Mas eu não queria dizer isso para Meg. Ela já estava gostando bastante do *karpos*. (Era ridículo se apegar a uma criatura pequena e perigosa. Se bem que nós, deuses, nos apegávamos a humanos, então quem era eu para julgar?)

— Talvez ele tenha ido dar uma investigada — cogitei. — Talvez a gente devesse...

APOLO.

A voz reverberou em minha cabeça, como se alguém tivesse instalado alto-falantes atrás dos meus olhos. Não era a voz da minha consciência. Minha consciência não era feminina nem falava tão alto, mas alguma coisa na voz daquela mulher era estranhamente familiar.

— O que foi? — perguntou Meg.

O ar ficou terrivelmente doce. As árvores me cercaram como uma planta carnívora diante de uma presa.

Uma gota de suor escorreu pelo meu rosto.

— A gente não pode ficar aqui. Obedeça-me, mortal.

— Oi? — disse Meg.

— Hã, eu quis dizer, venha!

Saímos em disparada, tropeçando em raízes, andando sem rumo por um labirinto de galhos e pedras. Chegamos a um riacho límpido em uma margem de cascalho. Eu continuei a toda, sem diminuir o ritmo. Entrei na água gelada e afundei até o tornozelo.

A voz falou de novo: *ME ENCONTRE.*

Dessa vez, foi tão alto que perfurou minha testa como se fosse uma estaca. Eu cambaleei e caí de joelhos.

— Ei! — Meg segurou meu braço. — Levante!

— Você não ouviu isso?

— Ouvi o quê?

A DESCIDA DO SOL, disse a voz. *O VERSO FINAL.*

Eu caí de cara na água.

— Apolo!

Meg me virou, a voz tensa e exasperada.

— Venha! Eu não consigo carregar você!

Mas ela tentou. Ela me arrastou pelo rio, xingando e me repreendendo, até que, com sua ajuda, consegui rastejar até a margem.

Eu me deitei de costas e fiquei olhando vidrado para a copa das árvores. Minhas roupas encharcadas estavam tão geladas que queimavam. Meu corpo reverberava como uma corda de guitarra.

Meg tirou meu casaco. O dela era pequeno demais para mim, mas ela cobriu meus ombros com o tecido quente e seco.

— Fique calmo — ordenou ela. — Não vá dar uma de maluco comigo.

Minha gargalhada soou áspera.

— Mas eu... eu vou...

O FOGO VAI ME CONSUMIR. VENHA LOGO!

A voz se estilhaçou em um coral de sussurros furiosos. Sombras foram ficando mais longas e escuras. Vapor subiu das minhas roupas, com cheiro do gás vulcânico de Delfos.

Parte de mim queria ficar em posição fetal e morrer. A outra parte queria se levantar e ir imediatamente atrás das vozes, encontrar sua fonte, mas eu desconfiava de que, se tentasse, minha sanidade se perderia para sempre.

Meg estava dizendo alguma coisa. Ela balançou meus ombros e ficou com o rosto bem perto do meu, de forma que meu reflexo desamparado me olhou de volta pelas lentes dos óculos estilo gatinho. Em seguida, ela me deu um tapa *com força*, e consegui decifrar a palavra:

— LEVANTA!

Não sei como, mas consegui. Então me inclinei para a frente e vomitei.

Eu não vomitava havia séculos. Tinha esquecido como era desagradável.

Momentos depois, estávamos correndo, com Meg carregando boa parte do meu peso. As vozes sussurravam e discutiam, rasgando pedacinhos da minha mente e os levando para a floresta. Em pouco tempo, não sobraria muita coisa.

Não havia sentido naquilo tudo. Daria na mesma se eu saísse andando sem rumo pela floresta, como um louco. A ideia me pareceu engraçada. Comecei a rir.

Meg me obrigou a continuar andando. Eu não conseguia entender o que ela dizia, mas seu tom era insistente e teimoso, tão raivoso que superava o medo que devia estar sentindo.

No estado mental alterado em que me encontrava, pensei ter visto as árvores se afastando, abrindo um caminho para fora da floresta. Vi uma fogueira ao longe e as campinas abertas do Acampamento Meio-Sangue.

Me ocorreu que Meg estava falando com as árvores, mandando que saíssem do caminho. A ideia era ridícula, e no momento pareceu hilária. A julgar pelo vapor subindo das minhas roupas, achei que estivesse com uma febre de mais de quarenta graus.

Eu estava rindo histericamente quando saímos cambaleando da floresta na direção da fogueira onde alguns adolescentes estavam sentados assando alguns marshmallows. Quando eles nos viram, se levantaram. De calças jeans e casacos pesados, com armas variadas junto ao corpo, eles eram o grupo mais sombrio de assadores de marshmallow que eu já tinha visto.

Eu sorri.

— Ah, oi! Sou eu, Apolo!

Meus olhos se reviraram e eu desmaiei.

10

Ônibus em chamas
Um filho mais velho que eu
Por favor, Zeus, pare

SONHEI QUE DIRIGIA A carruagem do Sol pelo céu. A capota estava abaixada. Eu seguia com calma, buzinando para aviões saírem do meu caminho, apreciando o cheiro da estratosfera fria e dançando ao som de minha música favorita: "Rise to the Sun", do Alabama Shakes.

Estava pensando em transformar o Maserati em um dos carros autônomos do Google. Queria pegar meu alaúde e tocar um solo de arrasar que deixaria Brittany Howard orgulhosa.

Foi quando uma mulher apareceu no banco do carona.

— Você tem que se apressar, cara.

Quase pulei do Sol. Minha passageira estava vestida como uma antiga rainha líbia. (Claro que eu sabia como era uma rainha líbia. Já namorei algumas.) O vestido com estampa de flores vermelhas, pretas e douradas esvoaçava. No cabelo escuro e comprido havia uma tiara que parecia uma pequena escada curva: dois suportes dourados com degraus prateados. O rosto era maduro e imponente, do jeito que uma rainha benevolente deve ser.

Portanto, definitivamente não se tratava de Hera. Além do mais, Hera jamais sorriria para mim de forma tão gentil. E... aquela mulher usava um grande símbolo da paz no pescoço, feito de metal, o que não fazia o estilo de Hera.

Mesmo assim eu sentia que a conhecia. Apesar do jeitão hippie-coroa, era tão linda que achei que talvez fôssemos parentes.

— Quem é você? — perguntei.

Os olhos dela brilharam em um tom perigoso de dourado, como os de um predador.

— Siga as vozes.

Um caroço se formou na minha garganta. Tentei pensar, mas parecia que meu cérebro tinha sido batido em um liquidificador.

— Ouvi você no bosque... Você estava... estava dizendo uma profecia?

— Encontre o portão. — Ela segurou meu pulso. — Você tem que encontrar primeiro, sacou?

— Mas...

A mulher explodiu em chamas. Puxei meu pulso chamuscado e segurei o volante quando a carruagem do Sol mergulhou de frente. O Maserati se transformou em um ônibus escolar, um modelo que eu só usava quando tinha que transportar muita gente. A cabine se encheu de fumaça.

Em algum lugar atrás de mim, uma voz nasalada disse:

— Não deixe de encontrar o portão.

Olhei pelo retrovisor. Em meio à fumaça, vi um homem corpulento de terno roxo. Estava sentado nos fundos, onde os bagunceiros normalmente ficam. Hermes gostava daquele lugar, mas o homem não era Hermes.

Ele tinha rosto fino, nariz grande demais e uma barba que cobria a papada como uma tira de capacete. O cabelo era encaracolado e escuro feito o meu, mas não era tão estilosamente desgrenhado nem exuberante. O lábio se curvou como se ele tivesse sentido um cheiro ruim. Talvez fossem os bancos do ônibus em chamas.

— Quem é você? — gritei, tentando desesperadamente puxar a carruagem para interromper o mergulho. — Por que está no meu ônibus?

O homem sorriu, o que deixou seu rosto ainda mais feio.

— Meu próprio ancestral não me reconhece? Estou magoado!

Tentei me lembrar dele. Meu maldito cérebro mortal era pequeno demais, inflexível demais. Desfez-se de quatro mil anos de lembranças como se não prestassem.

— Eu... não — falei. — Lamento.

O homem riu enquanto chamas lambiam suas mangas roxas.

— *Ainda* não, mas logo vai lamentar. Encontre o portão para mim. Me leve ao oráculo. Vou gostar de queimá-lo!

O fogo me consumiu enquanto a carruagem do Sol despencava. Segurei o volante e olhei horrorizado o rosto enorme surgir diante do para-brisa. Era o rosto do homem de roxo, moldado em um pedaço de bronze maior do que o ônibus. Conforme caíamos, as feições mudaram e se tornaram as minhas próprias.

E então, eu acordei, tremendo e suando.

— Calma. — Alguém tocou meu ombro. — Não tente se sentar.

Naturalmente, eu tentei me sentar.

Meu cuidador era um jovem mais ou menos da minha idade (minha idade *mortal*), com cabelo louro desgrenhado e olhos azuis. Usava uniforme de médico com um casaco de esqui aberto, as palavras OKEMO MOUNTAIN bordadas no bolso. O rosto trazia um bronzeado de esquiador. Eu tinha a sensação de que o conhecia de algum lugar. (O que vinha acontecendo com muita frequência desde que caí do Olimpo.)

Estava deitado em um colchão no meio de um chalé. Dos dois lados, havia beliches encostadas nas paredes e vigas de cedro no teto. As paredes eram brancas e vazias, exceto por alguns ganchos para casacos e armas.

Poderia ter sido uma moradia modesta em quase qualquer era: Atenas Antiga, França medieval, fazendas de Iowa. Tinha cheiro de roupa de cama limpa e sálvia seca. As únicas decorações eram alguns vasos no peitoril da janela, onde alegres flores amarelas desabrochavam apesar do frio lá fora.

— Essas flores... — Minha voz estava rouca, como se eu tivesse inalado a fumaça do meu sonho. — São de Delos, minha ilha sagrada.

— São — disse o jovem. — Elas só crescem dentro e ao redor do chalé 7, o *seu* chalé. Sabe quem eu sou?

Observei o rosto dele. A paz em seus olhos, o sorriso tranquilo nos lábios, os cachos que o cabelo formava ao redor das orelhas... Eu tinha uma vaga lembrança de uma mulher, uma cantora de country alternativo chamada Naomi Solace, que conheci em Austin. Corei ao pensar nela mesmo depois de tanto tempo. Para meu eu adolescente, o romance que tivemos parecia algo visto em um filme muito tempo atrás, um filme proibido para minha idade.

Mas esse garoto sem dúvida era filho de Naomi.

O que queria dizer que também era *meu* filho.

O que era muito, muito estranho.

— Você é Will Solace — falei. — Meu, hã...

— É — concordou Will. — Que esquisito.

Meu lobo frontal deu uma volta de cento e oitenta graus no meu crânio. Meu corpo tombou para o lado.

— Opa, calma. — Will me segurou. — Tentei curá-lo, mas, sinceramente, não entendo o que há de errado. Você tem sangue, não icor. Está se recuperando rapidamente dos ferimentos, mas seus sinais vitais são completamente humanos.

— Não me lembre disso.

— Ah, bem... — Ele colocou a mão na minha testa e franziu a dele, concentrado. Os dedos tremeram de leve. — Eu não *sabia* nada disso até tentar dar néctar a você. Seus lábios começaram a fumegar. Eu quase matei você.

— Ah... — Passei a língua no lábio inferior, que parecia pesado e dormente. Eu me perguntei se isso explicava meu sonho com fumaça e fogo. Esperava que sim. — Acho que Meg se esqueceu de contar para vocês sobre minha condição.

— Parece que sim. — Will segurou meu punho e verificou os batimentos. — Você parece ter mais ou menos a minha idade, uns quinze anos. Seus batimentos cardíacos voltaram ao normal. As costelas estão cicatrizando. O nariz está inchado, mas não quebrado.

— E estou com acne — lamentei. — E banhas.

Will inclinou a cabeça.

— Você virou mortal e é com *isso* que está preocupado?

— Tem razão. Perdi meus poderes. Estou mais fraco até do que vocês, insignificantes semideuses!

— Nossa, obrigado...

Tive a impressão de que ele quase disse *pai*, mas conseguiu se controlar.

Era difícil pensar naquele jovem como meu filho. Ele tinha uma postura tão altiva, era tão modesto, tão sem acne. Também não parecia admirado na minha presença. Na verdade, o canto de sua boca começou a tremer.

— Você... Você está achando graça? — perguntei.

Will deu de ombros.

— Ah, ou eu acho graça ou surto. Meu pai, o deus Apolo, é um garoto de quinze anos...

— *Dezesseis* — corrigi. — Acho que tenho dezesseis.

— Um garoto mortal de dezesseis anos, deitado em um colchão no meu chalé, e, mesmo com todas as artes da cura que domino, e que herdei de *você*, ainda não consegui descobrir como curá-lo.

— Não há cura para isso — falei, infeliz. — Fui exilado do Olimpo. Meu destino está amarrado a uma garota chamada Meg. Não poderia ser pior!

O garoto riu, o que achei muita audácia de sua parte.

— Meg parece legal. Ela já enfiou os dedos nos olhos de Connor Stoll e deu um chute na virilha de Sherman Yang.

— Ela fez *o quê*?

— Ela vai se adaptar bem aqui. Está esperando você lá fora, junto com a maioria dos campistas. — O sorriso de Will desapareceu. — Só para você não se assustar, saiba que estão fazendo muitas perguntas. Todos querem saber se sua chegada, sua situação *mortal*, tem alguma coisa a ver com o que está acontecendo no acampamento.

Franzi a testa.

— O que está acontecendo no acampamento?

A porta do chalé se abriu. Outros dois semideuses entraram. Um era um garoto alto de uns treze anos, com pele bronzeada e trancinhas rastafári parecendo espirais de DNA. De casaco de lã e calça jeans pretos, parecia ter saído do convés de uma embarcação do século XVIII. A outra recém-chegada era uma garota bem nova de roupa camuflada verde. Trazia uma aljava cheia no ombro, e o cabelo ruivo curto tinha uma mecha verde-clara, que destoava da roupa camuflada.

Eu sorri, feliz por conseguir me lembrar dos nomes deles.

— Austin — falei. — E Kayla, não é?

Em vez de caírem de joelhos e balbuciarem com gratidão, eles se entreolharam, nervosos.

— Então é mesmo você — disse Kayla.

Austin franziu a testa.

— Meg nos contou que você levou uma surra de uns delinquentes. Ela disse que você não tinha poderes e que ficou histérico na floresta.

Minha boca estava com gosto de estofamento queimado de ônibus escolar.

— Meg fala demais.

— Mas você é mortal? — perguntou Kayla. — Tipo, completamente mortal? Isso quer dizer que vou perder minhas habilidades com o arco? Não posso nem me qualificar para as Olimpíadas enquanto não fizer dezesseis anos!

— E, se eu perder minha música... — Austin balançou a cabeça. — Não, cara, isso não está certo. Meu último vídeo teve, tipo, umas quinhentas mil visualizações em uma semana. O que eu vou fazer?

Meu coração se aqueceu ao ver que meus filhos tinham as prioridades certas: habilidade, imagem, visualizações no YouTube. Digam o que quiserem sobre os deuses serem pais ausentes; nossos filhos herdam muitas das melhores características da nossa personalidade.

— Meus problemas não devem afetar vocês — prometi. — Se Zeus saísse por aí arrancando meus poderes divinos retroativamente de todos os meus descendentes, metade das faculdades de medicina do país ficariam vazias. O Rock and Roll Hall of Fame desapareceria. A indústria do tarô entraria em crise da noite para o dia!

Os ombros de Austin relaxaram.

— Que alívio.

— Então, se você morrer enquanto ainda for mortal — disse Kayla —, nós não vamos desaparecer?

— Pessoal — interrompeu Will —, por que vocês não correm até a Casa Grande e dizem para Quíron que nosso... nosso *paciente* está consciente? Vou levá-lo em um minuto. E, há, vejam se conseguem dispersar a multidão lá fora, tá? Não quero todo mundo avançando no Apolo ao mesmo tempo.

Kayla e Austin assentiram com sabedoria. Sendo meus filhos, eles sem dúvida entendiam a importância de controlar os paparazzi.

Assim que eles saíram, Will abriu um sorriso, como se pedisse desculpas.

— Eles estão em choque. Todos estamos. Vai demorar um tempo para nos acostumarmos a... seja lá o que isso for.

— Você não parece chocado.

Will riu baixinho.

— Estou apavorado. Mas esta é uma coisa que se aprende como conselheiro-chefe: você tem que segurar a onda por todo mundo. Vamos levantar.

Não foi fácil. Eu caí duas vezes. Minha cabeça girava e meus olhos pareciam estar sendo assados em um micro-ondas. Os sonhos recentes continuavam fervilhando no meu cérebro como silte de rio, enlameando meus pensamentos: a mulher com a coroa e o símbolo da paz, o homem de terno roxo. *Me leve ao oráculo. Vou gostar de queimá-lo!*

O chalé começou a ficar abafado. Eu estava ansioso para respirar um pouco de ar fresco.

Uma coisa com a qual minha irmã Ártemis e eu concordamos: tudo é melhor feito a céu aberto do que em um lugar fechado. Música fica melhor tocada embaixo do domo do céu. Poesia deve ser compartilhada na ágora. A arqueria é mais fácil ao ar livre, como posso atestar depois daquela vez em que experimentei treino com alvos na sala do trono do meu pai. E dirigir o sol... bem, isso também não é um esporte de locais fechados.

Apoiando-me em Will, eu saí. Kayla e Austin tinham conseguido afastar as pessoas. A única que ainda me esperava, ah, que alegria e que felicidade, era minha jovem senhora, Meg, que aparentemente tinha ganhado fama de Chutadora de Virilhas McCaffrey do acampamento.

Ela ainda estava usando o vestido verde herdado de Sally Jackson, que ficara um pouco mais sujo. A calça legging estava rasgada. No bíceps, uma fileira de curativos fechava um corte feio que ela deve ter sofrido no bosque.

Meg olhou para mim, fez uma careta e deu a língua.

— Você está *eca*.

— E você, Meg — falei —, continua encantadora, como sempre.

Ela ajeitou os óculos até estarem tortos a ponto de serem irritantes.

— Achei que você fosse morrer.

— Fico feliz em decepcioná-la.

— Que nada. — Ela deu de ombros. — Você ainda me deve um ano de serviços. Estamos unidos, quer você goste ou não!

Suspirei. Era tão maravilhoso estar novamente na companhia de Meg.

— Acho que preciso agradecer... — Eu tinha uma lembrança enevoada do meu delírio na floresta, de Meg me carregando, da impressão de que as árvores se abriam diante de nós. — Como você nos tirou da floresta?

Ela ficou na defensiva.

— Sei lá. Sorte. — Ela apontou com o polegar para Will Solace. — Pelo que ele andou me contando, que bom que saímos antes do anoitecer.

— Por quê?

Will abriu a boca para responder, mas aparentemente pensou melhor.

— Acho que é melhor deixar Quíron explicar. Venha.

Eu raramente visitava o Acampamento Meio-Sangue no inverno. Já fazia três anos desde a última vez, quando uma garota chamada Thalia Grace derrubou meu ônibus no lago de canoagem.

Eu já esperava que o acampamento estivesse um pouco vazio. Sabia que a maioria dos semideuses só ia durante o verão, e apenas uma pequena porção ficava o ano inteiro, os que por vários motivos achavam o acampamento o único lugar seguro para morar.

Mesmo assim, fiquei surpreso com a pouquíssima quantidade de semideuses que vi. Se o chalé 7 servia como parâmetro, cada chalé tinha camas para uns vinte campistas. Isso significava uma capacidade máxima de quatrocentos semideuses, o bastante para várias falanges ou uma festa incrível em um iate.

Mas, quando andamos pelo acampamento, não vi mais que uma dúzia de pessoas. O dia estava escurecendo, e uma garota solitária subia pela parede de escalada enquanto lava escorria pelos dois lados. No lago, um trio verificava as amarras de uma trirreme.

Alguns campistas inventaram desculpas para ficar do lado de fora e me admirar. Perto da lareira, um jovem polia o escudo e me olhava pelo reflexo na superfície. Outro sujeito me olhava de cara feia enquanto emendava arame farpado em frente ao chalé de Ares. Pelo jeito estranho como estava andando, concluí que era o Sherman Yang da virilha recém-chutada.

Na entrada do chalé de Hermes, duas garotas deram risadinhas e cochicharam quando passei. Normalmente, esse tipo de atenção não me afetaria. Meu magnetismo era compreensivelmente irresistível. Mas meu rosto ficou corado. Eu, o modelo masculino de romance, reduzido a um garoto atrapalhado e inexperiente!

Eu teria praguejado os céus por essa injustiça, mas isso seria superconstrangedor.

Seguimos pelos campos de morango. No alto da Colina Meio-Sangue, o Velocino de Ouro cintilava no galho mais baixo de um pinheiro alto. Vapores subiam da cabeça de Peleu, o dragão guardião encolhido na base do tronco. Ao lado da árvore, a Atena Partenos estava em um tom vermelho-fúria no pôr do sol. Ou talvez só não estivesse feliz em me ver. (Atena nunca superou nosso desentendimento na Guerra de Troia.)

Na metade da lateral da colina, vi a caverna do oráculo, a entrada protegida por uma cortina vinho pesada. As tochas dos dois lados estavam apagadas, normalmente sinal de que minha profetisa, Rachel Dare, não estava presente. Eu não sabia se deveria ficar decepcionado ou aliviado.

Mesmo quando não estava canalizando profecias, Rachel era uma jovem sábia. Eu tinha esperanças de consultá-la sobre meus problemas. Por outro lado, como seu poder profético aparentemente tinha parado de funcionar (acho que *ligeiramente* por minha culpa), eu não sabia se Rachel ia querer me ver. Ela esperaria respostas do Chefão, e embora eu seja o inventor e maior entusiasta do *mansplaining*, prática em que os homens insistem em explicar qualquer assunto às mulheres, não tinha respostas para dar a ela.

O sonho do ônibus não saía da minha cabeça: a riponga com a coroa exigindo que eu encontrasse o portão, o homem feio de terno roxo ameaçando botar fogo no oráculo.

Bem... a caverna ficava bem ali. Eu não sabia por que a mulher de coroa sentia tanta dificuldade de encontrá-la nem por que o homem feio estaria interessado em queimar o "portão" dele, que não passava de uma cortina cor de vinho.

A não ser que o sonho estivesse se referindo a alguma outra coisa que não o Oráculo de Delfos...

Massageei as têmporas, que latejavam. Fiquei procurando lembranças que não estavam lá, tentando mergulhar no meu amplo lago de conhecimento e descobrindo que tinha sido reduzido a uma piscininha de plástico. Não dá para fazer muito com um cérebro do tamanho de uma piscininha de plástico.

Na varanda da Casa Grande, um jovem de cabelo escuro estava nos esperando. Ele usava calça preta surrada, uma camiseta dos Ramones (ganhou pontos pelo gosto musical) e uma jaqueta de couro preta. Na cintura havia uma espada de ferro estígio pendurada.

— Eu me lembro de você — falei. — É Nicholas, filho de Hades?

— Nico di Angelo. — Ele me observou, os olhos penetrantes e sem cor, como vidro quebrado. — Então é verdade. Você está totalmente mortal. Há uma aura de morte ao seu redor, grandes possibilidades de morte.

Meg soltou uma risada debochada.

— Parece uma previsão do tempo.

Não achei graça. Ficar cara a cara com o filho de Hades fez com que eu me lembrasse dos muitos mortais que mandei para o Mundo Inferior com minhas flechas infectadas de peste. Sempre me parecera uma diversão boa e justa: distribuir punições muito merecidas por feitos cruéis. Mas estava começando a compreender o pavor nos olhos das minhas vítimas. Eu não queria uma aura de morte. E não queria ser julgado pelo pai de Nico di Angelo.

Will colocou a mão no ombro de Nico.

— Nico, precisamos ter outra conversa sobre como interagir com as pessoas.

— Ei, só estou constatando o óbvio. Se este *for* Apolo e ele morrer, estamos todos encrencados.

Will se virou para mim.

— Peço desculpas pelo meu namorado.

— Você pode não... — pediu Nico, revirando os olhos.

— Você prefere *pessoa especial*? — perguntou Will. — *Alma gêmea*?

— Alma *geniosa*, no seu caso — resmungou Nico.

— Ah, você vai me pagar por isso.

Meg limpou o nariz escorrendo.

— Vocês brigam muito. Achei que estivéssemos indo ver um centauro.

— E aqui estou eu.

A porta de tela se abriu. Quíron saiu trotando, se abaixando para não encostar no batente.

Da cintura para cima, ele parecia o professor que muitas vezes fingia ser no mundo mortal. O paletó marrom de lã tinha remendos nos cotovelos. A camisa xadrez não combinava com a gravata verde. A barba era bem aparada, mas o cabelo não estava adequado nem para um ninho de ratos.

Da cintura para baixo, era um cavalo branco.

Meu velho amigo sorriu, embora os olhos estivessem agitados e distraídos.

— Apolo, que bom que você está aqui. Nós precisamos conversar sobre os desaparecimentos.

11

Veja seus spams
Talvez haja profecias
Não? Então tchau, tchau

MEG FICOU BOQUIABERTA.

— Ele... Ele é *mesmo* um centauro.

— Que percepção! — falei. — Será que foi a parte inferior do corpo de cavalo que o entregou?

Ela me deu um soco no braço.

— Quíron, esta é Meg McCaffrey, minha nova senhora e atual fonte de irritação — apresentei os dois. — Você estava falando alguma coisa a respeito de desaparecimentos?

O rabo de Quíron tremeu. Os cascos bateram nas tábuas da varanda.

Ele era imortal, mas a idade visível parecia variar de século para século. Eu não me lembrava do bigode dele ser tão grisalho, nem das linhas ao redor dos olhos serem tão pronunciadas. O que quer que estivesse acontecendo no acampamento também não devia estar ajudando muito em sua vitalidade.

— Bem-vinda, Meg. — Quíron tentou usar um tom simpático, o que achei bem heroico, considerando que... bem, *Meg*. — Soube que você demonstrou muita coragem na floresta. Trouxe Apolo até aqui apesar dos muitos perigos. Fico feliz de ter você no Acampamento Meio-Sangue.

— Obrigada — disse Meg. — Você é muito alto. Não bate com a cabeça nos lustres?

Quíron riu.

— Às vezes. Quando quero ficar mais próximo do tamanho humano, uso uma cadeira de rodas mágica que me permite compactar minha parte inferior em... Na verdade, isso não é importante agora.

— Desaparecimentos — falei. — O que desapareceu?

— Não *o que*, mas *quem* — disse Quíron. — Vamos conversar lá dentro. Will, Nico, vocês podem dizer para os outros que vamos nos reunir para o jantar em uma hora? Vou atualizar todo mundo dos últimos acontecimentos. Enquanto isso, não quero ninguém andando pelo acampamento sozinho. Estejam sempre acompanhados.

— Entendido. — Will olhou para Nico. — Quer ser meu acompanhante?

— Você é tão bobo — retrucou Nico.

Os dois saíram andando e implicando um com o outro.

A essa altura, você pode estar se perguntando como me senti ao ver meu filho com Nico di Angelo. Admito que não compreendi a atração de Will por um filho de Hades, mas se o tipo sombrio e agourento era o que fazia Will feliz...

Ah. Talvez alguns de vocês estejam se perguntando como me senti ao vê-lo com um namorado e não com uma namorada. Se for isso, *façam-me o favor*. Nós deuses não nos prendemos a essas coisas. Eu mesmo tive... vamos ver, trinta e três namoradas e onze namorados mortais? Já perdi a conta. Meus dois maiores amores foram, claro, Dafne e Jacinto, mas quando se é um deus tão popular quanto eu...

Espere. Eu contei de quem gostava? Contei, né? Deuses do Olimpo, esqueçam que mencionei o nome deles! Estou tão constrangido. Por favor, não digam nada. Nessa forma mortal, eu nunca me apaixonei por *ninguém*!

Estou tão confuso.

Quíron nos levou até a sala, onde sofás confortáveis de couro formavam um V virado para a lareira de pedra. Acima, uma cabeça empalhada de leopardo roncava com satisfação.

— Está vivo? — perguntou Meg.

— Bastante. — Quíron trotou até a cadeira de rodas. — Este é Seymour. Se falarmos baixo, talvez ele não acorde.

Na mesma hora Meg começou a explorar a sala, obviamente procurando pequenos objetos para jogar no leopardo e acordá-lo.

Quíron se sentou na cadeira de rodas. Colocou as pernas traseiras no compartimento falso do assento e depois recuou, compactando magicamente a traseira equina até parecer um homem sentado. Para completar a ilusão, painéis móveis na frente se fecharam, dando a ele pernas humanas falsas. Normalmente, essas pernas usavam calça de brim e mocassins para incrementar o disfarce de professor, mas hoje parecia que Quíron estava testando um visual diferente.

— Essa é nova — falei.

Quíron olhou para as pernas femininas bem torneadas usando meia-arrastão e sapatos de salto com lantejoulas. Ele soltou um suspiro.

— Estou vendo que o chalé de Hermes andou assistindo *Rocky Horror Picture Show* de novo. Vou precisar ter uma conversinha com eles.

Rocky Horror Picture Show me trouxe lembranças felizes. Eu fazia cosplay de Rocky nas apresentações da meia-noite, porque, naturalmente, o físico perfeito do personagem era baseado no meu.

— Me deixe adivinhar — pedi. — Obra de Connor e Travis Stoll?

De uma cesta próxima, Quíron pegou um cobertor de flanela e cobriu as pernas falsas, embora os sapatos vermelhos continuassem aparecendo.

— Na verdade, Travis foi para a faculdade, o que deixou Connor bem mais sossegado.

Meg olhou para nós do velho fliperama de Pac-Man.

— Eu enfiei os dedos nos olhos desse tal de Connor.

Quíron fez uma careta.

— Que legal, querida... De qualquer modo, temos Julia Feingold e Alice Miyazawa agora. Elas vêm fazendo pegadinhas ultimamente. Você vai conhecer as duas logo, logo.

Eu me lembrei das garotas que estavam rindo para mim em frente à entrada do chalé de Hermes. Senti meu rosto corando de novo.

Quíron indicou o sofá.

— Por favor, sente-se.

Meg largou o Pac-Man (depois de dedicar vinte segundos ao jogo) e começou a escalar a parede. Parreiras adormecidas enfeitavam a área de jantar, sem dúvida trabalho do meu velho amigo Dioniso. Meg subiu em um dos troncos mais grossos para tentar alcançar o lustre de cabelo de górgona.

— Hã, Meg — falei —, que tal você assistir ao filme de orientação enquanto Quíron e eu conversamos?

— Já sei tudo — respondeu ela. — Conversei com o pessoal enquanto você estava desmaiado. "Lugar seguro para semideuses modernos." Blá-blá-blá.

— Ah, mas o filme é muito bom — insisti. — O orçamento foi bem apertado, lá em 1950, mas alguns planos de câmera são revolucionários. Você devia mesmo...

A parreira se soltou da parede e Meg caiu. Levantou-se totalmente ilesa e logo avistou um prato de biscoitos na bancada.

— São de graça?

— São, criança — respondeu Quíron. — Traga o chá também, por favor.

Então era isso. Estávamos presos com Meg, que passou as pernas por cima do braço do sofá, atacou os biscoitos e jogou farelos na cabeça roncante de Seymour quando Quíron não estava olhando.

O centauro me serviu uma xícara de Darjeeling.

— Peço desculpas pelo sr. D não estar aqui para receber vocês.

— Sr. D? — perguntou Meg.

— Dioniso — expliquei. — O deus do vinho. E diretor do acampamento.

Quíron me passou a xícara de chá.

— Depois da batalha com Gaia, achei que o sr. D fosse voltar para o acampamento, mas ele não voltou. Espero que esteja bem.

O velho centauro olhou para mim com expectativa, mas eu não tinha nada para contar. Os últimos seis meses eram um vazio completo; eu não fazia ideia do que os outros olimpianos estavam fazendo.

— Não sei de nada — admiti. Foram poucas as vezes em que pronunciei essas palavras nos últimos quatro milênios. O gosto delas era ruim. Eu tomei um gole de chá, mas também estava amargo. — Estou meio por fora das notícias. Esperava que você pudesse me atualizar dos últimos acontecimentos.

Quíron não conseguiu disfarçar a decepção.

— Entendo...

Percebi que ele estava atrás de ajuda e orientação, o mesmo que eu buscava *nele*. Como deus, eu estava acostumado a seres inferiores contando comigo, rezando para isso ou pedindo aquilo. Mas, agora que eu era mortal, essa expectativa toda em cima de mim era meio apavorante.

— Me diga: qual é sua crise? — perguntei. — Você está com a mesma cara que Cassandra fez em Troia e Jim Bowie no Álamo, como se estivesse cercado ou algo assim.

Quíron não reclamou da comparação. Ele fechou as mãos ao redor da xícara de chá.

— Você sabe que, durante a guerra com Gaia, o Oráculo de Delfos parou de receber profecias. Na verdade, todos os métodos conhecidos de adivinhação do futuro subitamente falharam.

— Porque a caverna original de Delfos foi sitiada — falei, com um suspiro, tentando não me sentir injustiçado.

Meg jogou uma gota de chocolate no nariz do leopardo Seymour.

— O Oráculo de Delfos. Percy mencionou isso.

— Percy Jackson? — Quíron se empertigou. — Percy estava com você?

— Por um tempo. — Contei a ele sobre a batalha no pomar de pêssegos e que Percy voltou para Nova York. — Ele disse que apareceria por aqui neste fim de semana, se pudesse.

Quíron pareceu frustrado, como se minha companhia por si só não bastasse. Dá para acreditar numa coisa dessas?

— De qualquer modo — prosseguiu —, nós esperávamos que, quando a guerra acabasse, o oráculo voltasse a funcionar. Como nada aconteceu... Rachel ficou preocupada.

— Quem é Rachel? — perguntou Meg.

— Rachel Dare — respondi. — O oráculo.

— Eu achava que o oráculo era um lugar.

— E é.

— Então Rachel é um lugar e ele parou de funcionar?

Se eu ainda fosse um deus, transformaria Meg em um lagarto de barriga azul e a soltaria na natureza, e ela nunca mais seria vista. Esse pensamento me acalmou.

— Delfos era um lugar na Grécia — expliquei. — Uma caverna cheia de vapores vulcânicos, aonde as pessoas iam para receber orientação da minha sacerdotisa, Pítia.

— *Pítia*. — Meg riu. — Que palavra engraçada.

— É. Ha-ha. Então o Oráculo é ao mesmo tempo um lugar e uma pessoa. Quando os deuses gregos se mudaram para os Estados Unidos em... quando foi, Quíron? 1860?

Quíron balançou a mão.

— Mais ou menos.

— Eu trouxe o oráculo comigo para que ele continuasse proferindo profecias em meu nome. O poder foi passado de sacerdotisa a sacerdotisa ao longo dos anos. Rachel Dare é o oráculo atual.

Meg então foi até o prato com biscoitos e pegou o único Oreo, que eu estava louco para comer.

— Hã, entendi — disse ela. — Posso ver aquele filme agora?

— Não — falei, rispidamente. — Continuando. Eu tomei posse do Oráculo de Delfos depois de matar um monstro chamado Píton, que morava nas profundezas da caverna.

— Píton, como a cobra — disse Meg.

— Sim e não. A cobra ganhou esse nome depois do monstro Píton, que também é meio sorrateiro, mas também bem maior e mais assustador, além de adorar devorar garotinhas tagarelas. De qualquer modo, em agosto, enquanto eu estava... indisposto, minha antiga inimiga Píton foi libertada do Tártaro. Ela voltou a controlar a caverna de Delfos. Foi por isso que o oráculo parou de funcionar.

— Mas, se o oráculo fica nos Estados Unidos agora, que importância tem uma cobra monstruosa tomar de volta a antiga caverna?

Essa foi a frase mais longa que já saiu da boca de Meg. Ela deve ter falado só para me irritar, aposto.

— É muita coisa para explicar — falei. — Você vai ter que...

— Meg. — Quíron lançou para ela um dos seus sorrisos tolerantes e heroicos. — O local original do oráculo é como a raiz mais profunda de uma árvore. Os galhos e as folhas das profecias podem se esticar pelo mundo, e Rachel Dare pode ser nosso galho mais alto, mas, se a raiz mais profunda for estrangulada, a árvore toda é afetada. Com Píton de volta à antiga toca, o espírito do oráculo foi completamente bloqueado.

— Ah. — Meg fez uma careta para mim. — Por que você não falou logo?

Antes que eu pudesse estrangulá-la como a raiz irritante que ela era, Quíron encheu minha xícara de chá.

— O maior problema — disse ele — é que não temos outra fonte de profecias.

— E daí? — perguntou Meg. — Agora vocês não sabem o futuro. Ninguém sabe o futuro.

— *E daí? E daí?* — gritei. — Meg McCaffrey, as profecias são os catalisadores de todos os eventos importantes, toda missão ou batalha, desastre ou milagre, nascimento ou morte. As profecias não apenas dizem o futuro. Elas o modelam! Elas *permitem* que o futuro aconteça.

— Não entendi.

Quíron limpou a garganta.

— Imagine que profecias são sementes de flores. Com as sementes certas, você pode criar o jardim que desejar. Sem sementes, nenhum crescimento é possível.

— Ah. — Meg assentiu. — Isso seria horrível.

Achei estranho que Meg, uma menina de rua e guerreira do lixo, entendesse tão bem metáforas de jardinagem, mas Quíron era um excelente professor. Ele captou alguma coisa na garota... uma impressão que lá no fundo eu também tive. Eu torcia para estar errado, mas, com a minha sorte, eu devia estar certo. Normalmente, estava.

— E onde está Rachel Dare? — perguntei. — Talvez, se eu falasse com ela...?

Quíron colocou sua xícara na mesa.

— Rachel disse que nos visitaria nas férias de inverno, mas não apareceu até agora. Pode não significar nada, mas...

Eu me inclinei para a frente. Não seria a primeira vez que Rachel Dare se atrasava. Ela era artística, imprevisível, impulsiva e tinha aversão a regras, qualidades que eu admirava muito. Mas não era do seu feitio simplesmente não dar as caras.

— Ou...? — perguntei.

— Ou pode ser parte do problema maior — disse Quíron. — As profecias não são as únicas coisas que pararam de funcionar. As viagens e a comunicação ficaram difíceis nos últimos meses. Não temos notícias de nossos amigos no Acampamento Júpiter há semanas. Nenhum semideus novo chegou. Também não recebemos nenhuma informação dos sátiros. As mensagens de Íris não funcionam mais.

— As o quê de Íris? — perguntou Meg.

— Uma forma de comunicação controlada pela deusa do arco-íris — expliquei. — Íris sempre foi volúvel...

— Só que as comunicações humanas normais também estão com defeito — disse Quíron. — Claro, os telefones sempre foram perigosos para semideuses...

— É, atraem monstros — concordou Meg. — Não uso um telefone há uma *eternidade*.

— Muito sábio da sua parte — disse Quíron. — Recentemente nossos telefones pararam de funcionar. Celulares, fixos, internet... tudo. Até a forma arcaica de comunicação conhecida como *e-mail* está estranhamente ineficaz. As mensagens simplesmente não chegam.

— Você olhou na pasta de spam? — perguntei.

— Acho que é mais complicado do que isso — disse Quíron. — Estamos sem comunicação com o mundo externo. O acampamento está vazio e isolado. Vocês são os primeiros a chegar em quase dois meses.

Eu franzi a testa.

— Percy Jackson não mencionou nada disso.

— Duvido que Percy saiba — disse Quíron. — Ele anda ocupado com a escola. O inverno costuma ser nossa época mais tranquila. No começo, pensei que as falhas de comunicação não passassem de um acaso inconveniente. Mas, então, os desaparecimentos começaram...

Na lareira, um pedaço de madeira estalou. Eu posso ou não ter dado um pulo.

— Os desaparecimentos, sim. — Sequei gotas de chá da calça e tentei ignorar as risadinhas de Meg. — Fale mais sobre isso.

— Foram três no último mês — disse Quíron. — Primeiro foi Cecil Markowitz, do chalé de Hermes. A cama dele amanheceu vazia, simples assim. Ele não disse nada sobre querer ir embora. Ninguém o viu sair. E, nas últimas semanas, ninguém o viu nem teve notícias dele.

— Os filhos de Hermes têm fama de serem sorrateiros — falei.

— Foi o que pensamos a princípio — disse Quíron. — Mas, uma semana depois, Ellis Wakefield desapareceu do chalé de Ares. Mesma história: cama vazia, nenhum sinal de que ele tinha ido embora por vontade própria *nem que foi...* hã, levado. Ellis era um jovem impetuoso. Não estranharia se ele tivesse saído do acampamento atrás de alguma aventura inconsequente, mas aquilo me deixou aflito. E então, hoje de manhã, percebemos que uma terceira campista havia sumido: Miranda Gardiner, chefe do chalé de Deméter. Foi a pior notícia de todas.

Meg tirou as pernas de cima do braço do sofá.

— Por que a pior?

— Miranda é uma das nossas conselheiras-chefes — explicou Quíron. — Ela jamais partiria sem avisar. É inteligente demais para ser enganada e poderosa demais para ser obrigada a fazer qualquer coisa. Mas algo aconteceu com ela... algo que não sei explicar.

O velho centauro me encarou.

— Tem alguma coisa muito errada, Apolo. Esses problemas podem não ser tão alarmantes quanto a ascensão de Cronos ou o despertar de Gaia, mas, por um lado, eu os acho bem mais inquietantes, porque nunca vi nada assim antes.

Relembrei meu sonho do ônibus do Sol em chamas. Pensei nas vozes que ouvi na floresta, pedindo para que eu as encontrasse.

— Esses semideuses... — falei. — Antes de desaparecerem, eles apresentaram algum comportamento estranho? Relataram... terem ouvido vozes?

Quíron arqueou uma sobrancelha.

— Não que eu saiba. Por quê?

Achei melhor parar por aí. Eu não queria fazer um alvoroço antes de saber o que estávamos enfrentando. Quando mortais entram em pânico, as coisas podem ficar bem feias, principalmente se esperam que *eu* resolva o problema.

Além do mais, admito que estava um pouco impaciente, porque nem sequer havíamos tratado dos verdadeiros problemas: *os meus*.

— Creio que nossa prioridade agora é dirigir todos os recursos do acampamento para me ajudar a recuperar meu estado divino. Depois, eu posso ajudar vocês com essas outras questões.

Quíron coçou a barba.

— Mas e se os problemas estiverem interligados, meu amigo? E se o único jeito de você voltar ao Olimpo for recuperar o Oráculo de Delfos, libertando assim o poder da profecia? E se Delfos for a chave de tudo?

Eu havia esquecido a tendência de Quíron de chegar a conclusões óbvias e lógicas nas quais eu evitava pensar. Era um hábito irritante.

— No meu estado atual, isso é impossível. — Apontei para Meg. — No momento, meu trabalho é servir a essa semideusa, provavelmente por um ano. Depois que eu tiver realizado as tarefas que ela determinar para mim, Zeus vai julgar se minha sentença foi cumprida, e vou poder voltar a ser um deus.

Meg pegou mais um biscoito.

— Eu poderia ordenar que você fosse para esse tal de Delfos.

— Não! — Minha voz falhou no meio do grito. — Você tem que me designar tarefas *fáceis*, como criar uma banda de rock ou ficar à toa, curtir um ócio. É, ficar à toa é uma boa pedida.

Meg não pareceu convencida.

— Ficar à toa não é uma tarefa.

— É, se você fizer direito. O Acampamento Meio-Sangue pode me proteger enquanto fico à toa. Depois que meu ano de servidão acabar, vou me tornar deus. *Então* podemos falar sobre como recuperar Delfos.

De preferência, pensei, fazendo com que alguns semideuses realizem a tarefa por mim.

— Apolo — disse Quíron —, se os semideuses continuarem desaparecendo, a gente talvez não tenha nem um ano. Talvez não tenhamos força para proteger você. E, me perdoe a sinceridade, mas Delfos é *sua* responsabilidade.

Levantei as mãos, indignado.

— Não fui *eu* que abri as Portas da Morte e deixei Píton sair! Culpe Gaia! Culpe Zeus pela negligência! Quando os gigantes começaram a despertar, eu tracei um *Plano de Ação de Vinte Passos para Proteger Apolo e Também Vocês, Outros Deuses*, mas ele nem leu!

Meg jogou metade do biscoito na cabeça de Seymour.

— Eu ainda acho que é tudo culpa sua — disse ela. — Ei, olhe! Ele acordou!

Claro, como se o leopardo tivesse decidido acordar sozinho, e não levado uma biscoitada no olho.

— *RARR!* — reclamou Seymour.

Quíron empurrou a cadeira de rodas para longe da mesa.

— Minha querida, naquele pote acima da lareira você vai encontrar salsichas. Por que você não dá o jantar dele? Apolo e eu vamos esperar na varanda.

Saímos da sala e deixamos Meg lá, feliz, jogando petiscos na boca de Seymour.

Quando Quíron e eu chegamos à varanda, ele se virou para mim.

— Ela é uma semideusa interessante.

— *Interessante* é um termo tão isento.

— Ela convocou mesmo um *karpos*?

— Bem... o espírito apareceu quando ela estava com problemas. Se ela o chamou conscientemente, não sei. Ela o batizou de Pêssego.

Quíron coçou a barba.

— Não vejo um semideus com poder para convocar espíritos dos grãos há muito tempo. Sabe o que isso significa?

Meus pés começaram a tremer.

— Tenho minhas desconfianças. Estou tentando ser otimista.

— Ela guiou você para fora da floresta — observou Quíron. — Sem ela...

— Sim — falei. — Nem me lembre.

Eu já vira aquele olhar perspicaz nos olhos de Quíron antes, quando ele avaliara a técnica de Aquiles com a espada e a de Ajax com a lança. Era a expressão de um treinador experiente recrutando novos talentos. Eu nunca imaginei que o centauro fosse olhar para *mim* dessa forma, como se eu tivesse que provar alguma coisa para ele, como se minhas capacidades estivessem sendo testadas. Eu me senti tão... tão *objetificado*.

— Me conte — disse Quíron —, o que você ouviu na floresta?

Xinguei silenciosamente minha boca enorme. Eu não devia ter perguntado se os semideuses desaparecidos tinham ouvido alguma coisa estranha.

Decidi que não adiantava mais fazer segredo. Quíron era mais sagaz do que qualquer centauro comum. Contei para ele o que vivi na floresta e, depois, em meu sonho.

Ele se empertigou todo, e suas mãos se fecharam sobre o cobertor, fazendo com que o tecido subisse e deixando ainda mais à mostra os sapatos de salto com lantejoulas vermelhas. Quíron parecia tão preocupado quanto um homem usando meia-arrastão pode parecer.

— Vamos ter que pedir aos campistas para ficarem longe da floresta — decidiu ele. — Não sei o que está acontecendo, mas estou convencido de que *deve* ter algo a ver com Delfos e sua atual... hã, situação. O oráculo precisa ser libertado do monstro Píton. Temos que encontrar um jeito.

E com "temos que encontrar um jeito" ele quis dizer: *eu* tinha que encontrar um jeito.

Quíron deve ter percebido a expressão desolada em meu rosto.

— Vamos lá, velho amigo — disse ele. — Você já fez isso antes. Talvez não seja mais um deus, mas matou Píton da primeira vez com os pés nas costas! Centenas de livros de história veneram a facilidade com que você derrotou o inimigo.

— É... — murmurei. — Centenas de livros de história.

Relembrei algumas dessas histórias: eu matei Píton sem nem suar. Eu voei até a boca da caverna, chamei o monstro, soltei uma flecha e *BUM!*, a cobra gigante estava morta. Tornei-me senhor de Delfos e todos viveram felizes para sempre.

Como chegaram à conclusão de que destruí Píton tão rapidamente?

Tá, admito... eu mesmo espalhei essa história. Mas a verdade era um pouco diferente. Séculos se passaram depois dessa batalha, e eu ainda tinha pesadelos com meu antigo inimigo.

Finalmente minha memória imperfeita serviu para alguma coisa. Eu não lembrava todos os detalhes horripilantes de minha luta contra Píton, mas *sabia* que não tinha sido moleza. Eu precisei de toda a minha força divina e do arco mais mortal do mundo.

Quais seriam minhas chances como um mortal de dezesseis anos com acne, roupas usadas e um nome como Lester Papadopoulos? Eu não ia até a Grécia para morrer, não mesmo, principalmente não sem minha carruagem do Sol e sem minha capacidade de teletransporte. Lamento, mas deuses *não* voam em aviões comerciais.

Tentei pensar em como explicar isso para Quíron de uma forma calma e diplomática que não envolvesse bater os pés e gritar. Fui salvo desse esforço pelo som de uma trombeta de concha ao longe.

— O jantar está servido. — O centauro forçou um sorriso. — Vamos conversar mais depois, certo? Agora, é hora de comemorar sua chegada.

12

Ó, cachorro-quente
Com refri e batata frita
Não tenho nada mesmo

EU NÃO ESTAVA NO clima de comemorar.

Principalmente sentado a uma mesa de piquenique comendo comida mortal. Com mortais.

O pavilhão de refeições era bem agradável. Até no inverno as fronteiras mágicas do acampamento nos protegiam do pior dos elementos. Sentado ao ar livre no calor das tochas e braseiros, só senti um friozinho. O Estreito de Long Island cintilava ao luar. (Oi, Ártemis. Nem precisa se dar ao trabalho de me cumprimentar.) Na Colina Meio-Sangue, a Atena Partenos brilhava como a maior luz noturna do mundo. Nem a floresta parecia muito assustadora, com os pinheiros envoltos em uma leve névoa prateada.

Meu jantar, no entanto, não estava nada poético. Era cachorro-quente, batata frita e um líquido escuro que me disseram ser um refrigerante chamado Coca--Cola. Eu não sabia por que os humanos consumiam uma bebida feita de cola nem com que tipo de cola era produzida, mas era a parte mais gostosa da refeição, o que foi desconcertante.

Sentei à mesa do chalé de Apolo com meus filhos Austin, Kayla e Will, e também Nico di Angelo. Eu não via diferença alguma entre a minha mesa e as dos outros deuses. A minha deveria ser mais brilhante e elegante. Deveria tocar música ou recitar poesia. Mas era só um pedaço de pedra com um banco de cada lado. Achei o assento desconfortável, embora minha prole não parecesse se importar.

Austin e Kayla me encheram de perguntas sobre o Olimpo, a guerra com Gaia e a sensação de ser um deus e depois virar humano. Eu sabia que eles não queriam ser grosseiros. Por serem meus filhos, tinham uma tendência natural para a mais pura delicadeza. No entanto, as perguntas eram um lembrete doloroso do meu status decadente.

Além disso, com o passar das horas, eu ia me esquecendo cada vez mais da minha vida divina. Era alarmante a velocidade com que meus neurônios cosmicamente perfeitos se deterioravam. Antes, cada lembrança era como um arquivo de áudio em alta definição. Depois elas passavam para cilindros fonográficos, feitos de cera. E, acredite, eu me lembro dos cilindros fonográficos. Eles não duravam muito na carruagem do Sol.

Will e Nico estavam sentados lado a lado, fazendo brincadeirinhas bobas. Eles eram um casal tão fofo que acabei me sentindo desolado. Vê-los juntos despertou as lembranças dos poucos meses dourados que passei com Jacinto antes do ciúme, antes do acidente horrível...

— Nico — falei, por fim —, você não devia estar sentado à mesa de Hades?

Ele deu de ombros.

— Tecnicamente, sim. Mas, se eu me sento sozinho lá, coisas estranhas acontecem. Rachaduras se abrem no chão e zumbis começam a sair e andar por aí. É um problema de humor. Não consigo controlar. Foi o que falei para Quíron.

— E isso é verdade? — perguntei.

Nico deu um sorrisinho.

— Tenho atestado do meu médico.

Will levantou a mão.

— Que sou eu.

— Quíron decidiu que não valia a pena discutir — acrescentou Nico. — Quando eu me sento com outras pessoas, como... ah, esse pessoal aqui, por exemplo... os zumbis não aparecem. Todo mundo fica feliz.

Will assentiu serenamente.

— É a coisa mais estranha do mundo. Não que Nico fosse usar seus poderes para conseguir o que quer.

— Claro que não — concordou Nico.

Olhei para o outro lado do pavilhão de refeições. Como era tradição no acampamento, Meg tinha sido colocada com os filhos de Hermes, pois sua paternidade divina ainda não fora determinada. Ela não pareceu se importar. Estava ocupada recriando o Concurso de Comilança de Cachorros-Quentes de Coney Island sozinha. As outras duas garotas, Julia e Alice, olhavam para ela com uma mistura de fascinação e horror.

À sua frente na mesa estava sentado um garoto magrelo e mais velho, de cabelo castanho crespo: Connor Stoll, deduzi, embora jamais fosse ser capaz de diferenciá-lo do irmão mais velho, Travis. Apesar da escuridão, Connor estava de óculos de sol, sem dúvida para proteger os olhos de um novo cutucão. Também reparei que ele foi sábio o bastante para manter as mãos longe da boca de Meg.

No pavilhão todo, contei dezenove campistas. A maioria estava sozinha em sua respectiva mesa: Sherman Yang representando Ares; uma garota que eu não conhecia representando Afrodite; outra garota representando Deméter. À mesa do chalé de Nice, duas meninas de cabelo escuro que evidentemente eram gêmeas estavam conversando curvadas sobre um mapa. O próprio Quíron, mais uma vez em forma de centauro, estava à mesa principal, tomando Coca-Cola enquanto conversava com dois sátiros que pareciam cabisbaixos. Os homens-bode ficavam me olhando, depois comiam os talheres, como os sátiros costumam fazer quando estão nervosos. Seis dríades lindas andavam entre as mesas, oferecendo comidas e bebidas, mas eu estava tão preocupado que mal consegui apreciar totalmente a beleza delas. Mais trágico ainda: eu me sentia constrangido demais para flertar com elas. O que havia de *errado* comigo?

Observei os campistas na esperança de conseguir identificar servos em potencial... quer dizer, novos amigos. Os deuses sempre gostam de manter alguns semideuses veteranos e fortes por perto para mandá-los para batalhas e missões perigosas ou para tirar as bolinhas das nossas togas. Infelizmente, ninguém no jantar se destacou como um possível subordinado. Eu desejava um grupo maior de talentos.

— Onde estão... os outros? — perguntei a Will.

Tive vontade de dizer *a galerinha popular*, mas achei que podia ser mal interpretado.

Will deu uma mordida em sua pizza.

— Você está procurando alguém específico?

— As pessoas que partiram naquela missão de barco, por exemplo.

Will e Nico trocaram um olhar que talvez significasse *Lá vamos nós*. Acho que já responderam muitas perguntas sobre os sete semideuses lendários que lutaram lado a lado com os deuses contra os gigantes de Gaia. Doía em mim nunca mais ter visto aqueles heróis. Depois de qualquer grande batalha, eu gostava de tirar uma foto em grupo — e de conseguir direitos exclusivos para compor baladas épicas sobre a exploração deles.

— Bem — começou Nico —, você viu Percy. Ele e Annabeth estão fazendo o último ano do ensino médio em Nova York. Hazel e Frank estão no Acampamento Júpiter, na Décima Segunda Legião.

— Ah, sim.

Tentei formar uma imagem mental clara do Acampamento Júpiter, a enclave romana perto de Berkeley, Califórnia, mas os detalhes eram obscuros. Só conseguia me lembrar das conversas com Octavian, do jeito como ele virou minha cabeça com seus elogios e promessas. Aquele garoto burro... era culpa dele eu ter vindo parar aqui.

Uma voz sussurrou no fundo da minha mente. Dessa vez, achei que podia ser minha consciência. *Quem foi o burro? Não foi Octavian.*

— Cala a boca — murmurei.

— O quê? — perguntou Nico.

— Nada. Continuem.

— Jason e Piper ficarão em Los Angeles com o pai de Piper durante o ano letivo. Eles levaram o treinador Hedge, Mellie e o pequeno Chuck junto.

— Aham. — Eu não reconheci esses últimos três nomes, então concluí que não deviam ser importantes. — E o sétimo herói... Leo Valdez?

Nico ergueu as sobrancelhas.

— Você se lembra do nome dele?

— Claro! Ele inventou o Valdezinator. Ah, que instrumento musical! Mal tive tempo de dominar as escalas principais antes de Zeus me fritar no Partenon. Se alguém pudesse me ajudar, esse alguém seria Leo Valdez.

A expressão de Nico se contraiu de irritação.

— Ah, o Leo não está aqui. Ele morreu. Depois, voltou à vida. E, se eu voltar a vê-lo, vou matá-lo de novo.

Will deu uma cotovelada nele.

— Não vai, não. — Ele se virou para mim. — Durante a luta com Gaia, Leo e seu dragão de bronze, Festus, desapareceram em uma grande explosão no ar.

Senti um arrepio. Depois de tantos séculos dirigindo a carruagem do Sol, o termo *grande explosão no ar* não me fazia muito bem.

Tentei me lembrar da última vez que vi Leo Valdez em Delos, quando trocou o Valdezinator por informações.

— Ele estava em busca da cura do médico — lembrei —, o jeito de trazer alguém de volta à vida. Será que aquele tempo todo ele já vinha planejando se sacrificar?

— É — disse Will. — Ele se livrou de Gaia na explosão, mas todos concluímos que também morreu.

— Porque morreu mesmo — acrescentou Nico.

— Aí, alguns dias depois — continuou Will —, um pergaminho chegou voando no acampamento...

— Ele ainda está comigo. — Nico remexeu nos bolsos da jaqueta de couro. — Olho para isso sempre que quero sentir raiva.

Ele pegou um rolo de pergaminho. Assim que o abriu na mesa, um holograma cintilante surgiu na superfície: Leo Valdez, com a mesma cara de travesso de sempre, o cabelo escuro espetado, o sorriso malicioso e a estatura diminuta. (Claro, o holograma só tinha oito centímetros, mas mesmo na vida real Leo não era muito mais imponente.) A calça jeans, a camisa azul e o cinto de ferramentas estavam manchados de óleo lubrificante.

— Oi, pessoal! — Leo abriu os braços. — Peço desculpas por ir embora assim. A má notícia: eu morri. A boa notícia: eu voltei! Tive que salvar Calipso. Estamos bem agora. Vamos levar Festus para... — A imagem tremulou, como uma chama em uma brisa forte, interrompendo a voz de Leo. — Voltamos assim que... — Estática. — Façam tacos quando... — Mais estática. — *¡Vaya con queso!* Amo vocês!

A imagem sumiu.

— É tudo o que sabemos — reclamou Nico. — E isso foi em agosto. Não temos ideia do que ele estava planejando, de onde está agora nem se continua bem.

Jason e Piper passaram o mês de setembro quase inteiro procurando por ele, até que finalmente Quíron insistiu para que fossem para a escola.

— Bem — falei —, parece que Leo estava planejando fazer tacos. Talvez isso tenha demorado mais do que ele previa. E *vaya con queso*... Acredito que esteja nos dizendo para escolher o de queijo, o que sempre é um conselho sábio.

Isso não pareceu tranquilizar Nico.

— Não gosto de ficar no escuro — murmurou ele.

Era uma reclamação estranha para um filho de Hades, mas entendi o que ele quis dizer. Eu também estava curioso para saber o destino de Leo Valdez. Antigamente, poderia ter adivinhado o paradeiro dele com a mesma facilidade com que você checa o Facebook, mas na minha atual condição tudo o que eu podia fazer era olhar para o céu e me perguntar quando um semideus travesso com um dragão de bronze e um prato de tacos poderia aparecer.

E, se Calipso estava envolvida... as coisas ficavam mais complicadas. A feiticeira e eu tínhamos uma história conturbada, mas até *eu* precisava admitir que ela era encantadora. Se havia capturado o coração de Leo, era totalmente possível que ele tivesse feito um desvio de rota. Afinal, Odisseu passou sete anos com ela antes de voltar para casa.

Qualquer que fosse o caso, parecia improvável que Valdez retornasse a tempo de me ajudar. Minha missão de dominar os acordes do Valdezinator teria que esperar.

Kayla e Austin estavam muito quietos, acompanhando nossa conversa com surpresa e espanto. (Minhas palavras têm esse efeito nas pessoas.)

Kayla chegou perto de mim.

— O que vocês conversaram na Casa Grande? Quíron contou sobre os desaparecimentos...?

— Contou. — Tentei não olhar na direção da floresta. — Nós discutimos a situação.

— E? — Austin espalmou a mão na mesa. — O que está acontecendo?

Eu não queria falar sobre aquilo. Não queria que eles percebessem meu medo.

Desejei que minha cabeça parasse de latejar. No Olimpo, esse tipo de dor era bem mais fácil de curar. Hefesto simplesmente abria o crânio da pessoa e extraía o deus ou deusa recém-nascido que estava batucando lá dentro. No mundo real, minhas opções eram bem mais limitadas.

— Preciso de mais tempo para pensar — falei. — Talvez de manhã eu tenha alguns dos meus poderes divinos de volta.

Austin se inclinou para a frente. À luz das tochas, as trancinhas dele pareciam girar como novas hélices de DNA.

— É assim que funciona? Sua força volta com o tempo?

— Eu... eu acho que sim.

Tentei me lembrar dos anos de servidão a Admeto e Laomedonte, mas mal consegui conjurar os nomes e rostos deles. Minha memória cada vez mais falha me apavorava. Fazia cada momento do presente aumentar em tamanho e importância, me recordando que o tempo para os mortais era limitado.

— Tenho que ficar mais forte — concluí. — *Preciso*.

Kayla apertou minha mão. Os dedos de arqueira eram ásperos e calejados.

— Está tudo bem, Apolo... pai. Vamos ajudar você.

Austin assentiu.

— Kayla tem razão. Estamos nisso juntos. Ela vai atirar em qualquer um que lhe causar problemas. E vamos amaldiçoá-lo tanto que ele só vai conseguir falar em rimas por semanas.

Meus olhos lacrimejaram. Não muito tempo antes (de manhã, por exemplo), a ideia de aqueles jovens semideuses serem capazes de me ajudar teria me parecido ridícula. Mas a gentileza deles me emocionou mais do que o sacrifício de cem touros. Eu não conseguia me lembrar da última vez que alguém se importara tanto comigo a ponto de amaldiçoar meus inimigos para que só falassem em rimas.

— Obrigado — consegui dizer.

Não pude acrescentar *meus filhos*. Não pareceu certo. Esses semideuses eram meus protetores e minha família, mas, no momento, eu não podia pensar em mim mesmo como pai deles. Um pai devia fazer mais; um pai devia dar para os filhos mais do que recebe. Preciso admitir que essa era uma ideia nova para mim. E isso fez com que eu me sentisse ainda pior.

— Ei... — Will bateu no meu ombro. — Não é tão ruim assim. Pelo menos, com todo mundo em alerta, talvez não tenhamos que fazer a corrida de obstáculos de Harley amanhã.

Kayla murmurou um xingamento em grego antigo. Se eu fosse mesmo um *bom* pai divino, teria lavado a boca da minha filha com azeite de oliva.

— Eu tinha esquecido — disse ela. — Vão *ter* que cancelar, não vão?

Franzi a testa.

— Que corrida de obstáculos? Quíron não mencionou nada.

Tive vontade de protestar que meu dia todo foi uma corrida cheia de obstáculos. Eles não podiam estar esperando que eu fizesse as atividades do acampamento também. Antes que eu pudesse dizer isso, um dos sátiros soprou uma trombeta de concha à mesa principal.

Quíron levantou os braços, chamando atenção.

— Campistas! — A voz dele preencheu o pavilhão. Ele conseguia ser bem impressionante quando queria. — Tenho alguns anúncios, inclusive notícias sobre a corrida de três pernas da morte de amanhã!

13

Corrida da morte
Mas que palavras terríveis
Ah, deuses. Meg, não!

ERA TUDO CULPA DE HARLEY.

Depois de falar do desaparecimento de Miranda Gardiner ("Como precaução, fiquem longe da floresta até conseguirmos mais informações"), Quíron chamou o jovem filho de Hefesto para explicar como a corrida de três pernas da morte funcionaria. Logo ficou claro que Harley havia arquitetado o projeto todo. E, sério, a ideia era tão apavorante que só podia ter surgido da mente de um garoto de oito anos.

Confesso que me perdi nos detalhes depois que ele mencionou os frisbees de serra elétrica explosivos.

— E eles vão fazer tipo ZUM! — Harley deu pulinhos de empolgação. — E depois BUZZ! E POW! — Representou todo tipo de caos com as mãos. — Vocês vão ter que ser bem rápidos, ou vão morrer. Vai ser incrível!

Os outros campistas resmungaram e se remexeram nos bancos.

Quíron levantou a mão pedindo silêncio.

— Sei que tivemos problemas na última vez — disse ele —, mas felizmente nossos curandeiros do chalé de Apolo conseguiram prender de volta os braços de Paulo.

Em uma mesa no fundo, um adolescente musculoso se levantou e começou a falar no que presumi ser português. Ele usava uma regata branca exibindo o peitoral moreno, e consegui ver cicatrizes claras ao redor dos bíceps. Disparando xingamentos, ele apontou para Harley, para o chalé de Apolo e para todo mundo, praticamente.

— Ah, obrigado, Paulo — disse Quíron, perplexo. — Estou feliz por você estar se sentindo melhor.

Austin se inclinou para mim e sussurrou:

— Paulo compreende inglês bem, mas só fala português. Pelo menos, é o que alega. Nenhum de nós consegue entender uma palavra do que ele diz.

Eu também não entendia português. Havia anos que Atena insistia que o monte Olimpo podia migrar para o Brasil algum dia e que deveríamos estar preparados para essa possibilidade. Ela até comprou DVDs do Berlitz Idiomas para todos os deuses como presente de Saturnália, mas o que Atena sabe?

— Ele parece agitado — comentei.

Will deu de ombros.

— Paulo tem sorte de cicatrizar rápido, porque é filho de Hebe, a deusa da juventude e tal.

— Você não para de olhar — comentou Nico.

— Não estou olhando — disse Will. — Só estou avaliando como a cirurgia nos braços dele foi bem-sucedida.

— Humpf.

Paulo finalmente se sentou. Quíron citou uma longa lista de outros ferimentos que eles sofreram durante a primeira corrida de três pernas da morte, e acrescentou que esperava evitá-los desta vez: queimaduras de segundo grau, tímpanos perfurados, uma distensão da virilha e dois casos de dança irlandesa crônica.

O semideus solitário à mesa de Atena levantou a mão.

— Quíron, vou falar só uma coisinha... Três campistas desapareceram. Tem certeza de que fazer uma corrida de obstáculos perigosa é uma boa ideia?

Quíron deu um sorriso sofrido.

— Excelente pergunta, Malcolm. Mas essa corrida não vai levar vocês para a floresta, que acreditamos ser a área mais perigosa. Os sátiros, as dríades e eu vamos continuar investigando os desaparecimentos. Não descansaremos enquanto nossos campistas desaparecidos não forem encontrados. Mas, nesse meio-tempo, essa corrida de três pernas vai ajudar vocês a trabalharem melhor em equipe. Também expandirá nossa compreensão do Labirinto.

A palavra me acertou na cara como o cecê de Ares. Eu me virei para Austin.

— Labirinto? Ele está falando do Labirinto de *Dédalo*?

Austin assentiu, os dedos mexendo nas contas de cerâmica no pescoço. Tive uma lembrança repentina da mãe dele, Latricia, mexendo em seu colar de conchas quando dava aulas em Oberlin. Até *eu* aprendi coisas nas aulas de teoria da música de Latricia Lake, apesar de achá-la tão linda a ponto de me distrair de tudo.

— Durante a guerra com Gaia — disse Austin —, o Labirinto reabriu. Estamos tentando mapeá-lo desde então.

— Isso é impossível — falei. — É loucura. O Labirinto é uma criação reconhecidamente malévola! Não pode ser mapeado, não se pode confiar nele.

Como sempre, só consegui acesso a trechos aleatórios das minhas lembranças, mas tinha quase certeza de que estava falando a verdade. Eu me lembrava de Dédalo. Muito tempo antes, o rei de Creta mandou que ele construísse um labirinto para prender o monstruoso Minotauro. Mas, ah, não, um simples labirinto não era *bom* o bastante para um inventor brilhante como Dédalo. Ele tinha que fazer seu Labirinto autoconsciente e mutável. Ao longo dos séculos, ele se expandiu por baixo da superfície do planeta como um sistema invasivo de raízes.

Esses inventores brilhantes e estúpidos.

— É diferente agora — explicou Austin. — Desde que Dédalo morreu... Não sei. É difícil descrever. Não parece tão mau. Nem tão letal.

— Ah, isso me deixa mais tranquilo. Então é claro que vocês decidiram fazer a corrida de três pernas nele.

Will tossiu.

— Outra coisa, pai... Ninguém quer decepcionar Harley.

Olhei para a mesa principal. Quíron ainda discursava sobre as virtudes do trabalho em equipe enquanto Harley dava pulinhos ao seu lado. Eu conseguia entender por que os outros campistas talvez quisessem adotar o garoto como mascote não oficial. Ele era um pirralhinho fofo, mesmo sendo assustadoramente forte para uma criança de oito anos. O sorriso era contagiante. Seu entusiasmo pareceu melhorar o humor do grupo todo. Mesmo assim, reconheci o brilho de loucura nos olhos dele. Era a mesma expressão que o pai, Hefesto, fazia sempre que inventava algum autômato que mais tarde ficaria louco e começaria a destruir cidades.

— Além disso — dizia Quíron —, lembrem que nenhum dos desaparecimentos infelizes tem relação com o Labirinto. Fiquem com seus companheiros e provavelmente estarão seguros... pelo menos, tão seguros quanto é possível estar em uma corrida de três pernas da morte.

— É — disse Harley. — Ninguém nem *morreu* ainda.

Ele pareceu decepcionado, como se quisesse que nos esforçássemos mais.

— Diante de uma crise — prosseguiu Quíron —, é importante continuar com as atividades regulares. Temos que ficar alertas e na melhor forma possível. Nossos campistas desaparecidos não esperariam menos de nós. Agora, quanto às equipes de corrida, vocês vão poder escolher seus parceiros...

Em seguida, os campistas começaram a correr uns para cima dos outros tentando agarrar seus companheiros preferidos. Parecia um ataque de piranhas. Antes que eu pudesse avaliar minhas opções, Meg McCaffrey apontou para mim do outro lado do pavilhão, a expressão igual à do tio Sam no pôster do recrutamento.

Claro, pensei. *Por que minha sorte melhoraria agora?*

Quíron bateu o casco no chão.

— Chega, pessoal, sosseguem! A corrida vai ser amanhã à tarde. Obrigado, Harley, pela dedicação nas... hã, inúmeras surpresas letais.

— BLAM! — Harley voltou correndo para a mesa de Hefesto e se juntou à irmã mais velha, Nyssa.

— Isso nos leva à outra notícia — disse Quíron. — Como vocês devem saber, estamos com dois recém-chegados especiais. Primeiro, deem as boas-vindas ao deus Apolo!

Normalmente, essa seria a deixa para que eu me levantasse, abrisse os braços e sorrisse enquanto uma luz radiante brilhasse ao meu redor. A multidão adoradora aplaudiria e jogaria flores e bombons de chocolate aos meus pés.

Dessa vez, não recebi aplausos, só olhares nervosos. Tive um impulso estranho e nada característico de afundar um pouco mais na cadeira e puxar o casaco por cima da cabeça. Precisei fazer um esforço heroico para me controlar.

Com dificuldade, Quíron sustentou o sorriso.

— Sei que isso é incomum — disse ele —, mas os deuses se tornam, *sim*, mortais de tempos em tempos. Vocês não deveriam ficar tão assustados. A presença de Apolo entre nós pode ser um bom presságio, uma chance para... — Ele pareceu perder o fio da meada do próprio argumento. — Ah... fazermos uma coisa boa. Tenho certeza de que o melhor caminho a seguir vai ficar claro com o tempo. Agora, por favor, façam Apolo se sentir em casa. Tratem-no como qualquer outro novo campista.

À mesa de Hermes, Connor Stoll levantou a mão.

— Isso quer dizer que o Chalé de Ares vai poder enfiar a cabeça dele em uma privada?

À mesa de Ares, Sherman Yang soltou uma risada debochada.

— Nós não fazemos isso com todo mundo, Connor. Só com os novatos que merecem.

Sherman olhou para Meg, que obviamente estava terminando seu último cachorro-quente. Os cantos da boca dela estavam cobertos de mostarda.

Connor Stoll sorriu para Sherman. Se eu o conhecesse, diria que aquele era um olhar de conspiração. Foi nessa hora que reparei na mochila aberta aos pés de Connor. Escapando da mochila havia algo semelhante a uma rede.

Então a ficha caiu: os dois garotos que Meg havia humilhado estavam se preparando para a vingança. Eu não precisava ser Nêmesis para entender a atração da vingança. Ainda assim... senti uma vontade estranha de avisar Meg.

Tentei fazer contato visual, mas ela continuava concentrada no jantar.

— Obrigado, Sherman — continuou Quíron. — É bom saber que você não vai dar um banho de privada no deus da arqueria. Quanto ao resto de vocês, vamos mantê-los avisados sobre a situação do nosso convidado. Estou mandando dois dos nossos melhores sátiros, Millard e Herbert — ele indicou os dois sátiros à esquerda —, para entregar em mãos uma mensagem para Rachel Dare em Nova York. Com sorte, ela também vai poder se juntar a nós em breve e ajudar a determinar qual a melhor forma de ajudarmos Apolo.

Aquilo causou alguns resmungos. Captei as palavras *oráculo* e *profecias*. Em uma mesa próxima, uma garota murmurou para si mesma em italiano: *Cegos guiando cegos*.

Olhei para ela de cara feia, mas a jovem era bem bonita. Devia ter uns dois anos a mais do que eu (mortalmente falando), com cabelo escuro curtinho e olhos amendoados devastadoramente intensos. Eu talvez tenha corado.

Virei para meus companheiros de mesa.

— Hã... então, sátiros. Por que não mandar aquele amigo de Percy?

— Grover? — perguntou Nico. — Ele está na Califórnia. Todo o Conselho dos Anciãos de Casco Fendido está lá, em uma reunião por causa da seca.

— Ah.

Meu ânimo desmoronou. Eu lembrava que Grover era bem versátil, mas, se estava cuidando de desastres naturais da Califórnia, era provável que só voltasse na próxima década.

— Finalmente — disse Quíron —, recebemos uma nova semideusa no acampamento, Meg McCaffrey!

Ela limpou a boca e ficou de pé.

Ao seu lado, Alice Miyazawa disse:

— Não vai se levantar, Meg?

Julia Feingold riu.

À mesa de Ares, Sherman Yang se levantou.

— *Essa* aí... essa aí merece boas-vindas especiais. O que você acha, Connor?

Connor enfiou a mão na mochila.

— Acho que talvez o lago de canoagem.

— Meg... — comecei a dizer.

E então foi o Hades na Terra.

Sherman Yang avançou na direção de Meg. Connor Stoll pegou uma rede dourada e jogou nela, que gritou e tentou se soltar enquanto alguns campistas cantarolavam: "Mergulho! Mergulho!"

Quíron fez o que pôde para acalmá-los.

— Semideuses, esperem um momento! — gritou.

Um uivo gutural interrompeu os procedimentos. Do alto de uma colunata, um borrão gorducho com asas frondosas e uma fralda de pano desceu voando e pousou nas costas de Sherman Yang, derrubando-o de cara no chão de pedra. Pêssego, o *karpos*, se levantou e gritou, batendo no peito. Os olhos brilhavam, verdes de raiva. Ele pulou em Connor Stoll, prendeu as pernas gorduchas ao redor do pescoço do semideus e começou a puxar seu cabelo com as garras.

— Sai daí! — gritou Connor, se debatendo cegamente pelo pavilhão. — Sai daí!

Lentamente, os outros semideuses superaram o choque e vários puxaram suas espadas.

— *C'è un karpos!* — gritou a garota italiana.

— Matem! — disse Alice Miyazawa.

— Não! — gritei.

Normalmente, essa ordem teria iniciado uma situação de calamidade, com todos os mortais se deitando no chão para esperar minhas próximas ordens. Mas eu era um mero mortal com voz falhada de adolescente.

Fiquei assistindo horrorizado à minha própria filha Kayla tirar uma flecha da aljava.

— Pêssego, larga ele! — gritou Meg.

Ela se soltou da rede, jogou-a longe e correu para cima de Connor.

O *karpos* pulou do pescoço do menino e caiu aos pés de Meg, mostrando as presas e sibilando para os outros campistas, que tinham formado um semicírculo torto com as armas em punho.

— Meg, saia da frente — disse Nico di Angelo. — Essa coisa é perigosa.

— Não! — A voz de Meg soou aguda. — Não mate ele!

Sherman Yang rolou, gemendo. O rosto parecia pior do que devia estar. Um corte na testa pode gerar uma quantidade absurda de sangue, mas aquela visão aumentou a determinação dos outros campistas. Kayla armou o arco, decidida. Julia Feingold desembainhou uma adaga.

— Esperem! — pedi.

Uma mente mais primitiva jamais conseguiria absorver o que aconteceu em seguida.

Julia atacou. Kayla disparou a flecha.

Meg estendeu as mãos, e uma luz dourada suave brilhou entre seus dedos. De repente, a jovem McCaffrey estava segurando duas espadas, cada uma delas uma lâmina curvada no antigo estilo trácio, *siccae* feitas de ouro imperial. Eu não via armas assim desde a queda de Roma. Pareciam ter surgido do nada, mas minha longa experiência com itens mágicos me disse que deviam ter sido invocadas dos anéis de lua que Meg sempre usava.

As duas espadas giraram. Meg ao mesmo tempo cortou a flecha que Kayla havia disparado e desarmou Julia, fazendo a adaga sair deslizando pelo chão.

— Mas que Hades? — perguntou Connor. O cabelo dele tinha sido arrancado em vários pontos, então ele parecia uma boneca maltratada. — *Quem* é essa garota?

Pêssego se agachou ao lado de Meg, rosnando, enquanto ela afastava os semideuses confusos e furiosos com as duas espadas.

Minha visão devia ser melhor do que a dos mortais comuns, porque vi o sinal brilhante primeiro, uma luz cintilante sobre a cabeça de Meg.

Quando reconheci o símbolo, meu coração virou chumbo. Odiei o que vi, mas achei que devia mostrar.

— Olhem.

Os outros pareceram confusos. Em seguida, o brilho ficou mais intenso: havia uma foice dourada holográfica com alguns ramos de trigo girando acima da cabeça de Meg McCaffrey.

Um garoto ofegou.

— Ela é comunista!

Uma garota sentada à mesa do chalé 4 deu uma risadinha de repulsa para ele.

— Não, Damien, aquele é o símbolo da minha *mãe*. — Sua expressão desmoronou quando ela se deu conta da verdade. — Hã, o que quer dizer... que também é o símbolo da mãe *dela*.

Minha cabeça girou. Eu não queria saber daquilo. Eu não queria servir a uma semideusa filha dela. Mas então os crescentes nos anéis de Meg fizeram sentido. Não eram luas, eram lâminas de foice. Como o único olimpiano presente, achei que devia tornar o título oficial.

— Minha amiga não está mais sem parentesco — anunciei.

Os outros semideuses se ajoelharam respeitosamente, alguns com mais relutância do que outros.

— Senhoras e senhores — falei, com a voz tão amarga quanto o chá de Quíron —, uma salva de palmas para Meg McCaffrey, filha de Deméter.

14

Só pode ser brinca...
Opa, o que aconteceu?
Fiquei sem pala...

NINGUÉM CONSEGUIA DECIFRAR MEG.

Eu não podia culpá-los.

A garota fazia ainda menos sentido para mim, agora que eu sabia quem era sua mãe.

Eu tinha minhas desconfianças, é verdade, mas torcia para estar errado. Estar certo na maioria das vezes, e por tanto tempo, era um peso terrível.

Por que eu temeria uma filha de Deméter?

Boa pergunta.

No dia anterior, eu me esforçara para reunir minhas lembranças da deusa. Houve uma época em que Deméter foi minha tia favorita. A primeira geração de deuses era meio irritadinha (estou falando de vocês, Hera, Hades, pai), mas Deméter sempre foi amorosa e gentil — exceto quando estava destruindo a humanidade por meio da pestilência e da fome, mas todo mundo tinha seus dias ruins, não é mesmo?

E então, cometi o erro de namorar uma de suas filhas. Acho que o nome dela era Crisótemis, mas você vai ter que me desculpar se eu estiver enganado. Mesmo quando eu era deus, tinha dificuldade de lembrar os nomes de todos os meus casos. A jovem cantou uma música de colheita em um dos meus festivais délficos. A voz dela era tão linda que me apaixonei. Ok, eu me apaixono pela vencedora e pelo segundo lugar todos os anos, mas o que posso fazer? Não resisto a uma voz melodiosa.

Deméter não aprovou nosso relacionamento. Desde que a filha Perséfone foi sequestrada por Hades, ela andava meio sensível quanto aos namoros dos primogênitos com deuses.

Resumindo: ela e eu discutimos. Reduzimos algumas montanhas a escombros. Destruímos algumas cidades-estados. Vocês sabem como são as brigas de família. Finalmente, chegamos a um acordo desagradável, mas desde então fiz questão de ficar longe dos filhos de Deméter.

Agora, aqui estava eu, servo de Meg McCaffrey, a filha mais esfarrapada de Deméter a portar uma foice.

Eu me perguntei quem era o pai de Meg, o homem que conseguiu atrair a atenção da deusa. Deméter raramente se apaixonava por mortais, e Meg era poderosa de um jeito incomum. A maioria dos filhos de Deméter conseguia pouco mais do que fazer colheitas crescerem e evitar que fossem atacadas por pragas. Lâminas douradas e convocar *karpoi*... era coisa de profissional.

Tudo isso passou pela minha mente enquanto Quíron dispersava a multidão, pedindo para todos guardarem as armas. Como a conselheira-chefe Miranda Gardiner estava desaparecida, Quíron pediu a Billie Ng, a única outra campista da casa de Deméter, que acompanhasse Meg até o chalé 4. As duas garotas se afastaram rápido, com Pêssego quicando com empolgação atrás delas. Meg me lançou um olhar preocupado.

Sem saber o que fazer, fiz sinal de positivo e falei:

— Vejo você amanhã!

Ela não pareceu nem um pouco animada, e logo sumiu na escuridão.

Will Solace cuidou dos ferimentos na cabeça de Sherman Yang. Enquanto isso, Kayla e Austin debatiam com Connor se havia necessidade ou não de um enxerto de cabelo. Eu estava sozinho, afinal, e voltei para o chalé Eu.

Deitado na cama capenga no meio do quarto, fiquei olhando para as vigas do teto. Pensei de novo em como aquele era um lugar deprimente, modesto e totalmente mortal. Como meus filhos aguentavam? E por que não mantinham um altar aceso e não enchiam as paredes de pinturas venerando minhas glórias?

Quando ouvi Will e os outros voltarem, fechei os olhos e fingi estar dormindo. Eu não conseguiria encarar as perguntas nem as gentilezas deles, as tentativas de me fazerem sentir em casa quando eu claramente não pertencia ao local.

Eles ficaram em silêncio assim que entraram.

— Ele está bem? — sussurrou Kayla.

— Você estaria, se fosse ele? — retrucou Austin.

Um momento de silêncio.

— Tentem dormir um pouco, pessoal — aconselhou Will.

— Isso é muito doido — disse Kayla. — Ele parece tão... humano.

— Nós vamos cuidar dele — disse Austin. — Somos tudo que ele tem agora.

Segurei um soluço. A preocupação deles estava acabando comigo. Não poder tranquilizá-los, ou até discordar deles, fez com que eu me sentisse muito pequeno.

Um cobertor foi colocado sobre mim.

— Durma bem, Apolo — disse Will.

Talvez tenha sido a voz persuasiva dele ou o fato de que eu estava mais exausto do que em qualquer outra ocasião há séculos. Na mesma hora, eu resvalei para a inconsciência.

Graças aos onze olimpianos que restavam, eu não tive sonhos.

Acordei me sentindo estranhamente descansado. Meu peito não doía mais. Meu nariz não parecia mais um balão de água grudado na minha cara. Com a ajuda dos meus filhos (*colegas de chalé* — vou chamá-los de colegas de chalé), consegui dominar os mistérios do chuveiro, da privada e da pia. A escova de dentes foi um choque. Na última vez que fui mortal, não existiam essas coisas, muito menos desodorantes. Que ideia pavorosa eu precisar de um bálsamo encantado para impedir que meus sovacos produzam fedor!

Quando terminei a higiene matinal e vesti roupas limpas da loja do acampamento (tênis, uma calça jeans, uma camiseta laranja do Acampamento Meio-Sangue e um casaco confortável de flanela), eu estava quase otimista. Talvez conseguisse sobreviver àquela experiência humana.

Eu me animei ainda mais quando descobri o bacon.

Ah, deuses... bacon! Prometi a mim mesmo que, quando alcançasse a imortalidade de novo, eu reuniria as Nove Musas e, juntos, nós criaríamos uma ode, um hino ao poder do bacon, que levaria os céus às lágrimas e provocaria arrebatamento por todo o universo.

Bacon é bom.

Isso! Este pode ser o título da música: "Bacon é bom".

O café da manhã era menos formal do que o jantar. Ficávamos em uma fila para pegar o que quiséssemos de um bufê e podíamos sentar onde quiséssemos. Achei isso esplêndido. (Ah, que pensamento triste acometendo minha nova mente mortal. Eu, que já ditei o rumo de nações, ficando todo empolgado porque podia sentar em qualquer lugar.) Peguei minha bandeja e fui até Meg, que estava sentada sozinha perto do muro de contenção do pavilhão, balançando os pés e observando as ondas na praia.

— Como você está? — perguntei.

Meg mordiscou um waffle.

— Ah... bem.

— Você é uma semideusa poderosa, filha de Deméter.

— Aham.

Se eu podia confiar na minha compreensão das reações humanas, Meg não parecia muito animada.

— Sua companheira de chalé, Billie... Ela é legal?

— É, sim. Gente boa.

— E Pêssego?

Ela olhou para mim com o canto do olho.

— Desapareceu à noite. Acho que ele só aparece quando estou em perigo.

— Bom, agora é um momento apropriado para ele aparecer.

— A-pro-pri-a-do. — Meg tocou em um quadradinho de waffle a cada sílaba. — Sherman Yang teve que levar sete pontos.

Eu olhei para Sherman, que estava sentado a uma distância segura, do outro lado do pavilhão, lançando olhares afiados como facas na direção de Meg. Um zigue-zague feio descia pela lateral do rosto dele.

— Eu não me preocuparia — falei. — Os filhos de Ares gostam de cicatrizes. Além do mais, o visual Frankenstein cai bem em Sherman.

Os lábios de Meg se repuxaram, mas o olhar permaneceu distante.

— O piso do nosso chalé é feito de grama, tipo, grama *verde*. Tem um carvalho enorme no meio, sustentando o teto.

— Isso é ruim? — perguntei.

— Eu sou alérgica.

— Ah...

Tentei imaginar a árvore do chalé de Meg. Antigamente, Deméter tinha um bosque sagrado cheio de carvalhos. Eu lembro que ela ficou bem zangada quando um príncipe mortal tentou cortá-los.

Um bosque sagrado...

De repente, o bacon no meu estômago se expandiu e envolveu meus órgãos.

Meg segurou meu braço. A voz dela era um zumbido distante. Só ouvi a última e mais importante palavra:

— ...Apolo?

Eu me mexi.

— O quê?

— Você apagou. — Ela fez uma careta. — Eu falei seu nome seis vezes.

— Falou?

— Falei. O que aconteceu?

Eu não conseguia explicar. Parecia que eu estava no convés de um navio quando uma forma enorme, escura e perigosa passou embaixo do casco, uma forma quase discernível, que sumiu de repente.

— Eu... eu não sei. Alguma coisa a respeito das árvores...

— Árvores — disse Meg.

— Não deve ser nada.

Era alguma coisa. Eu não conseguia afastar do pensamento a imagem dos meus sonhos: a mulher de coroa me mandando encontrar os portões. Aquela mulher não era Deméter; bom, pelo menos eu achava que não era. Entretanto, a imagem de árvores sagradas despertou uma lembrança dentro de mim... uma lembrança muito antiga até para os *meus* padrões.

Eu não queria falar sobre isso com Meg, não antes de ter tempo para refletir. Ela já tinha muito com o que se preocupar. Além do mais, depois da noite anterior, minha nova jovem senhora me deixou mais apreensivo do que nunca.

Olhei para os anéis nos dedos do meio dela.

— Então, ontem... aquelas espadas. E não faça mais aquilo.

Meg franziu a testa.

— Aquilo o quê?

— Se fechar e se recusar a falar. Sua cara vira cimento.

Ela fez beicinho, irritada.

— Não vira, não. Eu tenho espadas. Eu luto com elas. E daí?

— Seria legal se você tivesse me contado isso antes, quando estávamos lutando com os espíritos das chagas, por exemplo.

— Você mesmo disse que aqueles espíritos não podiam ser mortos.

— Você está mudando de assunto. — Eu soube porque era uma tática que eu dominara séculos antes. — O estilo no qual você luta, com duas espadas curvas, é o estilo de um *dimaquero*, um gladiador do fim do Império Romano. Mesmo na época, era raro, possivelmente o estilo de luta mais difícil de dominar, e um dos mais mortais.

Meg deu de ombros. Foi um movimento eloquente, é verdade, mas não muito esclarecedor.

— Suas espadas são de ouro imperial — falei. — Isso indica treinamento *romano* e faz de você uma potencial candidata ao Acampamento Júpiter. Mas sua mãe é Deméter, a deusa na forma grega, não Ceres.

— Como você sabe?

— Fora o fato de eu ter sido um deus? Deméter reivindicou você aqui no Acampamento Meio-Sangue. Aquilo não foi acidente. Além do mais, a forma grega dela é mais antiga e bem mais poderosa. Você, Meg, é poderosa.

A expressão dela ficou tão na defensiva que pensei que Pêssego fosse cair do céu e começar a arrancar tufos do meu cabelo.

— Não conheço minha mãe — admitiu ela. — Não sabia quem ela era.

— Então onde conseguiu as espadas? Com seu pai?

Meg cortou o waffle em pedacinhos.

— Não... Meu padrasto me criou. Foi ele quem me deu esses anéis.

— Seu padrasto. Seu padrasto deu a você anéis que viram espadas de ouro imperial. Que tipo de homem...

— Um bom homem — cortou ela.

Notei a aspereza em sua voz e deixei o assunto de lado. Ao que tudo indica, ela deve ter vivido uma grande tragédia no passado. Além do mais, eu temia que, se continuasse insistindo nas perguntas, aquelas lâminas de ouro fossem parar no meu pescoço.

— Sinto muito — falei.

— Aham.

Meg jogou um pedaço de waffle no ar. Do nada, uma das harpias da limpeza do acampamento, uma espécie de galinha camicase de quase cem quilos, apareceu, pegou a comida e saiu em disparada.

Meg continuou como se nada tivesse acontecido.

— Vamos apenas sobreviver a este dia, ok? Temos a corrida depois do almoço — disse ela.

Um tremor percorreu meu corpo. A última coisa que eu queria era ficar amarrado a Meg McCaffrey no Labirinto, mas consegui não gritar.

— Não se preocupe com a corrida. Tenho um plano para ganharmos.

Ela arqueou uma sobrancelha.

— É?

— Ou melhor, *vou* ter um plano até de tarde. Só preciso de um pouco de tempo...

Atrás de nós, a trombeta de concha soou.

— Bom dia, campistas! — gritou Sherman Yang. — Vamos lá, seus flocos de neve especiais! Quero todos vocês à beira das lágrimas até a hora do almoço!

15

Perfeição é prática
Ha, ha, ha, acho que não
Ignore meu choro

EU QUERIA TER UM atestado médico. Queria ser dispensado da educação física.

Sinceramente, nunca vou entender os mortais. Vocês tentam manter a forma física com flexões, abdominais, corridas de dez quilômetros, pistas de obstáculos e outros trabalhos árduos que os deixam suados. Mas sabem o tempo todo que é uma batalha perdida. Em algum momento, seus corpos fracos e limitados vão se deteriorar e fracassar, gerando rugas, flacidez e bafo de velho.

É horrível! Se eu quiser mudar de forma, idade, gênero ou espécie, só preciso desejar que aconteça e, *ca-bam!*, sou um bicho-preguiça jovem, grande, fêmea e com três dedos nos pés. Série nenhuma de flexões vai conseguir isso. Simplesmente não vejo lógica nessas lutas constantes. Os exercícios não passam de um lembrete deprimente de que vocês não são deuses.

No fim do treinamento físico de Sherman Yang, eu estava ofegante e encharcado de suor. Meus músculos pareciam pilhas trêmulas de gelatina.

Eu *não* me sentia um floco de neve especial (embora minha mãe, Leto, sempre dissesse que eu era) e fiquei dolorosamente tentado a acusar Sherman de não me tratar como tal.

Resmunguei sobre isso com Will. Perguntei aonde a antiga conselheira-chefe de Ares tinha ido. Eu ao menos conseguia encantar Clarisse La Rue com meu sorriso ofuscante. Mas Will disse que ela estava fazendo faculdade na

Universidade do Arizona. Ah, por que pessoas boas e perfeitas têm que ir para a faculdade?

Depois da tortura, cambaleei até o chalé e tomei outro banho.

Banhos são bons. Talvez não tanto quanto bacon, mas são.

Minha segunda sessão matinal foi dolorosa por outro motivo. Fui obrigado a assistir a aulas de música no anfiteatro com um sátiro chamado Woodrow.

Minha presença na turma pareceu deixar Woodrow nervoso. Talvez ele tivesse ouvido a lenda sobre eu ter esfolado vivo Marsias, o sátiro que me desafiou a uma competição musical. (Como falei, a parte do esfolamento *não* foi nem um pouco verdade, mas os boatos têm poder de convencimento incrível, principalmente quando eu posso ter sido o responsável por espalhá-los.)

Usando sua flauta, Woodrow repassou a escala menor. Austin não teve dificuldade com ela, apesar de estar desafiando a si mesmo ao usar um violino, que não era seu instrumento. Valentina Diaz, filha de Afrodite, se esforçou para tocar uma clarineta e produziu sons semelhantes a um basset hound choramingando em uma tempestade. Damien White, filho de Nêmesis, justificou seu sobrenome ao se vingar no violão: tocou com tanta força que arrebentou a corda ré.

— Você matou a ré! — disse Chiara Benvenuti. Era a italiana bonitinha em quem eu tinha reparado na noite anterior, filha de Tique, deusa da prosperidade.

— Eu precisava do violão!

— Cale a boca, Lucky — murmurou Damien. — No mundo *real*, acidentes acontecem. Cordas arrebentam às vezes.

Chiara disparou uma série de palavras em italiano que decidi não traduzir.

— Posso? — Estendi a mão para pegar o instrumento.

Damien o entregou com relutância. Eu me abaixei na direção do case aos pés de Woodrow. O sátiro deu um pulo.

Austin riu.

— Relaxe, Woodrow. Ele só vai pegar outra corda.

Preciso admitir que achei a reação do sátiro gratificante. Se eu ainda assustava sátiros, talvez houvesse esperança de recuperar parte da minha antiga glória. E então poderia começar a assustar animais de fazenda, depois semideuses, monstros e divindades menores.

Em questão de segundos, substituí a corda. Era bom fazer uma coisa tão familiar e simples. Afinei o instrumento, mas parei ao ver que Valentina estava chorando.

— Isso foi lindo! — Ela secou uma lágrima da bochecha. — Que música foi essa?

Eu pisquei.

— O nome é afinar.

— É, Valentina, se controle — repreendeu Damien, embora seus olhos estivessem vermelhos. — Nem foi assim *tão* bonito.

— Não. — Chiara fungou. — Nem foi.

Só Austin pareceu não ter sido afetado. Os olhos dele brilhavam com o que parecia orgulho, embora eu não compreendesse que motivo ele tinha para se sentir assim.

Toquei uma escala de dó menor. A corda si estava desafinada. É *sempre* a si. Três mil anos se passaram desde que inventei o violão (durante uma festa bombástica com os hititas... longa história) e eu ainda não consegui descobrir um jeito de manter uma corda si afinada.

Percorri outras escalas, satisfeito por ainda lembrar como se fazia.

— Isto é uma escala lídia — falei. — Começa na quarta da escala maior. Dizem que se chama lídia por causa do antigo reino da Lídia, mas, na verdade, eu a batizei em homenagem a uma ex-namorada, Lídia. Foi a quarta mulher que namorei naquele ano, então...

Olhei para cima no meio do arpejo. Damien e Chiara estavam chorando nos braços um do outro, trocando golpes fracos e dizendo:

— Odeio você. Odeio você.

Valentina estava deitada no banco do anfiteatro, soluçando silenciosamente. Woodrow estava desmontando a flauta.

— Sou inútil! — choramingou. — Inútil!

Até Austin tinha uma lágrima nos olhos. Fez um sinal positivo.

Fiquei emocionado por parte da minha antiga habilidade permanecer intacta, mas imaginei que talvez Quíron ficasse irritado se eu levasse toda a turma de música a uma grande depressão.

Toquei o ré com um pouco de intensidade, um truque que usava para impedir que meus calorosos fãs explodissem de êxtase nas minhas apresentações. (E quero dizer explodir literalmente. Alguns daqueles shows no Fillmore nos anos 1960... bem, vou poupar você dos detalhes nojentos.)

Toquei um acorde intencionalmente desafinado. Para mim, soou horrível, mas os campistas despertaram da infelicidade. Eles se sentaram, limparam as lágrimas e me observaram com fascinação tocar uma escala simples.

— Isso, cara.

Austin levou o violino ao queixo e começou a improvisar. O arco de resina dançava pelas cordas. Ele e eu nos encaramos, e por um instante fomos mais do que uma família. Nós nos tornamos parte da música, nos comunicando em um nível que só deuses e músicos são capazes de compreender.

Woodrow quebrou o feitiço.

— Que incrível — disse o sátiro, aos soluços. — Vocês dois deviam estar dando esta aula. O que eu estava pensando? Por favor, não me esfole!

— Meu querido sátiro — falei —, eu jamais...

De repente, meus dedos tiveram um espasmo. Larguei o violão, surpreso. O instrumento caiu pelos degraus de pedra do anfiteatro, estalando e ressoando.

Austin baixou o arco.

— Você está bem?

— Eu... sim, claro.

Mas eu não estava bem. Por alguns instantes, tinha vivenciado a alegria do meu antigo talento, mas ficou claro que meus dedos mortais não eram apropriados para a tarefa. Os músculos das minhas mãos doíam. Linhas vermelhas marcavam as pontas dos dedos, com as quais apertei as cordas. Eu tinha me esgotado de outras formas também. Meus pulmões pareciam murchos, desprovidos de oxigênio, apesar de eu não ter cantado nada.

— Estou... cansado — falei, consternado.

— Ah, é. — Valentina assentiu. — O jeito como você estava tocando foi *surreal*!

— Tudo bem, Apolo — disse Austin. — Você vai ficar mais forte. Quando os semideuses usam seus poderes, principalmente no começo, se cansam facilmente.

— Mas eu não sou...

Não consegui concluir a frase. Eu não era um semideus. Não era um deus. Não era nem eu mesmo. Como sequer podia voltar a tocar sabendo que eu era um instrumento fracassado? Cada nota só me causaria dor e exaustão. Minha corda si *nunca* ficaria afinada.

A infelicidade deve ter transparecido no meu rosto.

Damien White fechou os punhos.

— Não se preocupe, Apolo. Não é culpa sua. Vou fazer aquele violão idiota pagar por isso!

Não tentei impedi-lo quando desceu a escada. Parte de mim sentiu uma satisfação perversa na forma como ele pisoteou o violão até que fosse reduzido a madeira e cordas.

Chiara bufou.

— *Idiota!* Agora não vou poder tocar.

Woodrow fez uma careta.

— Ah, hã... obrigado, pessoal! Ótima aula!

A arqueria foi uma paródia ainda pior.

Se eu me tornar um deus de novo (não, não *se*; quando, *quando*), meu primeiro gesto vai ser apagar as lembranças de todo mundo que me viu constrangido naquela aula. Acertei uma flecha na mosca. *Uma.* O conjunto dos meus outros disparos foi abismal. Duas flechas ficaram *fora* do círculo preto a uma distância de nada menos que cem metros. Joguei o arco no chão e chorei de vergonha.

Kayla era a instrutora dessa aula, mas a paciência e a gentileza dela só fizeram com que eu me sentisse pior. Ela pegou meu arco e me ofereceu de volta.

— Apolo — disse ela —, esses disparos foram fantásticos. Um pouco mais de treino e...

— Eu sou o deus da arqueria! — gritei. — Eu não treino!

Ao meu lado, as filhas de Nice riram.

Elas tinham nomes intoleravelmente apropriados: Holly e Laurel Victor. Ambas me lembravam as ninfas africanas lindas e ferozmente atléticas com quem Atena andava no lago Tritonis.

— Ei, ex-deus — disse Holly, prendendo uma flecha —, o treino é a única forma de melhorar.

Ela pontuou um sete no círculo vermelho do alvo, mas não pareceu nem um pouco desencorajada.

— Para *você*, talvez — retruquei. — Você é mortal!

A irmã dela, Laurel, deu uma risada debochada.

— Agora você também é. Se ferrou! Vencedores não reclamam. — E disparou a flecha, que se fincou ao lado do disparo da irmã, mas no círculo vermelho de dentro. — É por isso que sou melhor do que Holly. Ela está sempre reclamando.

— Ah, tá — resmungou Holly. — A única coisa de que posso reclamar é como *você* é ridícula.

— Ah, é? — retrucou Laurel. — Vamos lá. Agora. Melhor de três disparos. Quem perder limpa os banheiros por um mês.

— Vamos nessa!

Assim, do nada, elas se esqueceram de mim. Definitivamente, seriam excelentes ninfas tritonianas.

Kayla me segurou pelo braço e me levou para longe.

— Aquelas duas, eu juro. Nós as fizemos coconselheiras de Nice para que competissem uma com a outra. Se não tivéssemos feito isso, elas teriam tomado o acampamento e proclamado uma ditadura.

Acho que Kayla estava tentando me alegrar, mas não adiantou.

Olhei meus dedos; além de doloridos por causa do violão, agora estavam com bolhas por causa dos arcos. Impossível. Agonizante.

— Não consigo fazer isso, Kayla — murmurei. — Estou velho demais para ter dezesseis anos de novo!

Ela colocou a mão sobre a minha. Embaixo da mecha verde no cabelo, a pele era dourada, como uma superfície de cobre pintada de creme, o brilho avermelhado reluzindo nas sardas do rosto e dos braços. Ela me lembrava muito seu pai, o treinador de arco e flecha canadense Darren Knowles.

Quer dizer, o *outro* pai. Sim, claro que é possível uma criança semideusa nascer de um relacionamento assim. Por que não seria? Zeus deu à luz Dioniso pela própria coxa. Uma das filhas de Atena se originou de um lenço. Por que se surpreender com esse tipo de coisa? Nós, deuses, somos capazes de infinitas maravilhas.

Kayla respirou fundo, como se prestes a fazer um disparo importante.

— Você consegue, pai. Já é bom. *Muito* bom. Só precisa ajustar suas expectativas. Seja paciente. Seja corajoso. Você vai melhorar.

Tive vontade de rir. Como eu poderia me acostumar a ser apenas *bom*? Por que me esforçaria para melhorar se antes era *divino*?

— Não — respondi, com amargura. — Não, é doloroso demais. Eu juro pelo Rio Estige... até voltar a ser um deus, não vou usar um arco ou qualquer instrumento musical!

Pode me repreender. Sei que foi um juramento tolo, feito em um momento de infelicidade e autopiedade. E foi limitador. Um juramento em nome do Rio Estige pode ter consequências terríveis se rompido.

Mas não me importei. Zeus tinha me amaldiçoado com a mortalidade. Eu não ia fingir que estava tudo normal. Eu não seria Apolo enquanto não fosse *mesmo* Apolo. Por ora, era só um adolescente idiota chamado Lester Papadopoulos. Talvez fosse desperdiçar meu tempo com habilidades para as quais não ligava, como duelo de espadas ou badminton, mas *não* mancharia as lembranças das minhas antes perfeitas música e arqueria.

Kayla olhou para mim horrorizada.

— Pai, você não pode estar falando sério.

— Estou!

— Retire o que disse agora! Você não pode... — Ela olhou por cima do meu ombro. — O que ele está fazendo?

Segui o olhar dela.

Sherman Yang estava andando lentamente, como em transe, em direção à floresta.

Teria sido tolice correr atrás dele, direto para a parte mais perigosa do acampamento.

Então foi exatamente isso que Kayla e eu fizemos.

Quase não conseguimos. Assim que chegamos às árvores, a floresta escureceu. A temperatura caiu. O horizonte se estendeu, como se distorcido por uma lente de aumento.

Uma mulher sussurrou no meu ouvido. Dessa vez, reconheci a voz. Ela nunca havia parado de me assombrar. *Você fez isso comigo. Venha. Venha me caçar de novo.*

O medo inundou meu estômago.

Imaginei os galhos se transformando em braços, as folhas ondulando como mãos verdes.

Dafne, pensei.

Mesmo depois de tantos séculos, a culpa era sufocante. Eu não conseguia olhar para uma árvore sem pensar nela. Florestas me deixavam nervoso. A força vital de cada árvore parecia me massacrar com ódio genuíno, me acusando de tantos crimes... Eu queria cair de joelhos. Implorar por perdão. Mas aquele não era o momento.

Eu não podia permitir que a floresta me confundisse de novo. Não deixaria mais ninguém cair nessa armadilha.

Kayla não pareceu afetada. Segurei a mão dela para garantir que ficaríamos juntos. Só tivemos que dar alguns passos, mas o caminho até Sherman Yang foi bem tortuoso.

— Sherman. — Segurei seu braço.

Ele tentou se soltar. Felizmente, estava lento e atordoado, senão eu teria terminado com cicatrizes também. Kayla me ajudou a virá-lo.

Os olhos dele tremularam, como se ele estivesse em alguma espécie de sono REM.

— Não. Ellis. Temos que encontrá-lo. Miranda. Minha garota.

Olhei para Kayla em busca de explicação.

— Ellis é do chalé de Ares — disse ela. — É um dos desaparecidos.

— Sim, mas Miranda, garota dele?

— Sherman e ela começaram a namorar uma semana atrás.

— Ah.

Sherman tentou se soltar.

— Encontrá-la.

— Miranda está bem aqui, meu amigo — menti. — Vamos levar você para lá.

Ele parou de lutar. Os olhos reviraram até só a parte branca ficar visível.

— Bem... aqui?

— É.

— Ellis?

— Sim, sou eu — falei. — Sou Ellis.

— Amo você, cara — disse Sherman, soluçando.

Ainda assim, foi preciso toda a nossa força para levá-lo para longe das árvores. Lembrei-me da vez em que Hefesto e eu tivemos que lutar com o deus Hipnos depois que ele, num ataque de sonambulismo, foi até o quarto de Ártemis no Monte Olimpo. É impressionante que nós tenhamos escapado sem flechas de prata espetadas na bunda.

Levamos Sherman para a área do treino de arco e flecha. Entre um passo e o seguinte, ele piscou e se tornou seu eu normal. Reparou que estávamos segurando-o e se soltou.

— O que é isso?

— Você estava indo para a floresta — expliquei.

Ele nos olhou com uma expressão zangada.

— Não estava, não.

Kayla estendeu a mão para ele, mas claramente pensou melhor. Seria difícil usar o arco com dedos quebrados.

— Sherman, você estava em algum tipo de transe. Estava murmurando sobre Ellis e Miranda.

Na bochecha dele, a cicatriz em zigue-zague escureceu até ficar bronze.

— Não me lembro disso.

— Mas você não mencionou o outro campista desaparecido — acrescentei, tentando ajudar. — Cecil?

— Por que eu mencionaria Cecil? — resmungou Sherman. — Não suporto esse cara. E por que devo acreditar em vocês?

— A floresta tinha capturado você — falei. — As árvores estavam envolvendo seu corpo.

Sherman observou a floresta, mas as árvores pareciam normais de novo. As sombras compridas e mãos verdes tinham desaparecido.

— Olhem — disse Sherman —, estou com um machucado na cabeça graças à sua amiga irritante, Meg. Se eu estava agindo de um jeito estranho, o motivo é *esse*.

Kayla franziu a testa.

— Mas...

— Chega! — interrompeu ele. — Se vocês mencionarem isso para alguém, vou fazê-los comerem suas aljavas. Não preciso de pessoas questionando meu autocontrole. Além do mais, tenho que pensar na corrida.

Ele passou por nós e foi embora.

— Sherman! — gritei.

Ele se virou, os punhos fechados.

— A última coisa de que você se lembra antes de perceber que estava com a gente... em que você estava pensando? — perguntei.

Por um microssegundo, o olhar atordoado passou pelo rosto dele de novo.

— Em Miranda e Ellis... como vocês falaram. Eu estava pensando... que queria saber onde eles estavam.

— Então, você estava se fazendo uma pergunta. — Uma onda de medo me inundou. — Você queria informações.

— Eu...

No pavilhão de refeições, a trombeta de concha soou.

A expressão de Sherman ficou tensa.

— Não importa. Esqueça. Temos que almoçar agora. Depois, vou destruir todos vocês na corrida de três pernas da morte.

No que dizia respeito a ameaças, eu tinha ouvido piores, mas Sherman fez a dele parecer bem intimidadora. Ele saiu andando para o pavilhão.

Kayla se virou para mim.

— O que acabou de acontecer?

— Acho que entendi agora — respondi. — Sei por que aqueles campistas desapareceram.

16

Estou preso a Meg
Talvez paremos em Lima
Harley é bem cruel

NOTA MENTAL: tentar revelar uma informação importante antes de uma corrida de três pernas da morte não é uma boa ideia.

Não estavam nem aí para mim.

Apesar dos resmungos e das reclamações da noite anterior, os campistas vibravam de empolgação. Eles passaram o almoço limpando armas freneticamente, prendendo as tiras das armaduras e sussurrando uns com os outros para formar alianças secretas. Muitos tentaram convencer Harley, o arquiteto do percurso, a dar dicas sobre as melhores estratégias.

Harley adorou a atenção. No fim do almoço, a mesa dele estava coberta de oferendas (leia-se: subornos): barras de chocolate, chocolate com creme de amendoim, jujubas e carrinhos Hot Wheels. O menino seria um excelente deus. Ele pegou os presentes, murmurou alguns agradecimentos, mas não disse nada de útil para seus adoradores.

Tentei alertar Quíron dos perigos da floresta, mas ele estava tão enlouquecido com os últimos preparativos da corrida que eu quase fui pisoteado ao me aproximar dele. O centauro ficou trotando com nervosismo pelo pavilhão, seguido por uma equipe de juízes composta por sátiros e dríades, comparando mapas e dando ordens.

— Vai ser quase impossível rastrear as equipes — murmurou ele, concentrado em um diagrama do Labirinto. — E não temos cobertura na área D.

— Mas, Quíron — comecei —, se eu pudesse...

— O grupo de teste foi parar no Peru hoje de manhã — disse ele para os sátiros. — Não podemos deixar que isso aconteça de novo.

— Sobre a floresta... — falei.

— Sim. Me desculpe, Apolo. Entendo que você esteja preocupado...

— A floresta está realmente falando — comentei. — Você se lembra da velha...

Uma dríade correu até Quíron com o vestido exalando fumaça.

— Os sinalizadores estão explodindo!

— Deuses! — exclamou Quíron. — Eles eram para emergências!

Ele galopou por cima dos meus pés, seguido pela horda de assistentes.

E foi isso que aconteceu. Quando se é um deus, o mundo presta atenção em cada palavra sua. Quando se tem dezesseis anos... nem tanto.

Fui atrás de Harley, na esperança de convencê-lo a adiar a corrida, mas o garoto me afastou com um simples "Não".

Como costumava acontecer com os filhos de Hefesto, ele estava mexendo em um dispositivo mecânico, movendo as cordas e engrenagens. Eu não estava interessado em saber o que era, mas perguntei mesmo assim, para ver se conquistava a simpatia de Harley.

— É um sinalizador — explicou ele, ajustando um botão. — Para pessoas perdidas.

— Para as equipes no Labirinto?

— Não. Vocês estão por conta própria. Isto é para Leo.

— Leo Valdez.

Harley estreitou os olhos, analisando o aparelho.

— Às vezes, se você não consegue encontrar o caminho de volta, um rastreador pode ajudar. Só preciso encontrar a frequência certa.

— E... há quanto tempo você está trabalhando nisso?

— Desde que ele desapareceu. Agora tenho que me concentrar, não posso parar a corrida.

Ele se virou e saiu andando.

Fiquei impressionado. Havia seis meses que o garoto estava trabalhando em um rastreador para localizar o irmão desaparecido, Leo. Eu me perguntei se alguém se esforçaria tanto para me levar de volta para o Olimpo. Eu duvidava muito.

Desamparado, fui para um canto do pavilhão e comi um sanduíche. Vi o sol enfraquecer no céu de inverno e pensei na minha carruagem, com os pobres cavalos presos nos estábulos sem ninguém para levá-los para passear.

É claro que, mesmo sem minha ajuda, outras forças manteriam o cosmos em andamento. Inúmeros sistemas de crenças forneceriam energia para a rotação dos planetas e estrelas. Lobos ainda caçariam o sol pelo céu. Rá continuaria sua viagem diária na barca solar. Tonatiuh continuaria se alimentando da cota de sangue proveniente de sacrifícios humanos da época dos astecas. E aquela outra coisa, a ciência, ainda geraria gravidade e física quântica e sei lá mais o quê.

Ainda assim, eu senti que não estava fazendo minha parte ao ficar parado esperando uma corrida de três pernas.

Até Kayla e Austin estavam distraídos demais para falarem comigo. Kayla contou para Austin sobre o que havia acontecido na floresta, quando salvamos Sherman Yang, mas o garoto estava mais interessado em limpar o saxofone.

— Podemos contar isso a Quíron no jantar — murmurou ele, com uma palheta na boca. — Até a corrida acabar, ninguém vai ter cabeça para isso. Mas vamos ficar longe da floresta, de qualquer modo. Além do mais, se eu conseguir tocar a melodia certa no Labirinto... — Seus olhos brilharam. — Ah! Venha aqui, Kayla. Tive uma ideia.

Eles se afastaram, e fiquei sozinho de novo.

Eu compreendia o entusiasmo de Austin, é claro. As habilidades dele com o saxofone eram tão formidáveis que não restavam dúvidas de que ele se tornaria o melhor instrumentista de jazz de sua geração. Se você acha que é fácil conseguir meio milhão de visualizações no YouTube tocando jazz no saxofone, reavalie seus conceitos. Mas a carreira de Austin na música não iria muito longe se a força na floresta destruísse todos nós.

Então tive que apelar para meu último recurso (último *mesmo*): Meg McCaffrey.

Eu a vi perto de um dos braseiros, conversando com Julia Feingold e Alice Miyazawa. Ou melhor, as filhas de Hermes estavam conversando enquanto Meg devorava um cheesebúrguer. Fiquei impressionado por Deméter, a rainha dos grãos, frutas, legumes e verduras, ter uma filha tão assumidamente carnívora.

Por outro lado, Perséfone era igual a Meg. Você já deve ter ouvido histórias sobre como a deusa da primavera é toda doçura e narcisos e sementes de romã, mas, acredite em mim, aquela garota dá medo quando ataca uma pilha de costelinhas de porco.

Fui até Meg. As filhas de Hermes recuaram, como se eu fosse um encantador de serpentes. Achei essa reação agradável.

— Oi — falei. — Qual é o assunto?

Meg limpou a boca com as costas da mão.

— Essas duas querem saber nossos planos para a corrida.

— Claro que querem.

Tirei um pequeno dispositivo magnético de escuta da manga do casaco de Meg e joguei para Alice. Ela sorriu, encabulada.

— Temos que tentar de tudo, né?

— Concordo plenamente — falei. — Por isso mesmo acho que não vão se importar quando virem o que fiz com os tênis de vocês. Tenham uma ótima corrida!

As garotas se afastaram nervosas, verificando as solas dos tênis.

Meg olhou para mim com algo que se assemelhava a respeito.

— O que você fez?

— Nada — respondi. — Metade do truque de ser um deus é saber blefar.

Ela riu.

— E qual é nosso plano secreto? Espere. Vou adivinhar. Você não tem um.

— Você aprendeu rápido. Eu pretendia bolar um plano, mas me distraí. Nós temos um problema.

— Claro que temos. — Do bolso do casaco, ela tirou dois aros de bronze que pareciam faixas elásticas feitas de metal trançado. — Está vendo isto? Eles prendem nossas pernas. Quando são colocados, *ficam* no lugar até a corrida acabar. Não dá para tirar. Eu *odeio* coisas que prendem.

— Eu também. — Fiquei tentado a acrescentar: *principalmente quando estou preso a uma criancinha chamada Meg*, mas minha diplomacia natural venceu. — No entanto, eu estava me referindo a um problema diferente.

Contei a ela sobre o incidente durante a aula de arco e flecha, quando Sherman quase foi atraído para a floresta.

Meg tirou os óculos de gatinho. Sem as lentes, as íris escuras pareciam mais suaves e calorosas, como pequenas áreas de solo para cultivo.

— Você acha que alguma coisa na floresta está chamando as pessoas? — perguntou ela.

— Acho que alguma coisa na floresta está *respondendo* às pessoas. Antigamente, havia um oráculo...

— É, você me contou. Delfos.

— Não. Outro oráculo, ainda mais antigo do que Delfos. Envolvia árvores. Um bosque inteiro de árvores falantes.

— Árvores falantes... — Meg mordeu os lábios. — Como se chamava esse oráculo?

— Eu... eu não consigo lembrar. — Trinquei os dentes. — Eu *devia* saber. Devia responder na mesma hora! Mas a informação... É quase como se estivesse fugindo de mim de propósito.

— Isso acontece às vezes — disse Meg. — Você vai lembrar.

— Mas *nunca* acontece comigo! Cérebro humano idiota! De qualquer modo, acredito que esse bosque esteja em algum lugar dentro da floresta. Não sei como nem por quê. Mas as vozes sussurrantes... elas pertencem a esse oráculo oculto. As árvores sagradas estão tentando dizer profecias, indo atrás daqueles que se fazem perguntas importantes, atraindo essas pessoas.

Meg colocou os óculos.

— Você sabe que isso parece papo de maluco, né?

Respirei fundo. Precisei repetir para mim mesmo que não era mais um deus, e que teria que aguentar insultos de mortais sem poder explodi-los e transformá--los em cinzas.

— Só fique alerta — avisei.

— Mas a corrida nem passa pela floresta.

— Mesmo assim... não estamos seguros. Se você conseguisse chamar seu amigo Pêssego, seria ótimo.

— Eu já falei. Ele meio que aparece quando dá na telha. Eu não consigo...

A trombeta de caça de Quíron soou tão alto que minha visão ficou meio embaçada. Outra promessa que faço a mim mesmo: quando eu voltar a ser deus, vou aparecer neste acampamento e pegar todas as trombetas.

— Semideuses! — convocou o centauro. — Amarrem as pernas e me sigam para suas posições de largada!

Nós nos reunimos em uma campina a cerca de cem metros da Casa Grande. Caminhar até *tão* longe sem um único incidente com risco de vida foi um pequeno milagre. Com minha perna esquerda amarrada à direita de Meg, senti como se estivesse no útero de Leto novamente, logo antes de minha irmã e eu nascermos. E, sim, eu me lembro daquela época muito bem. Ártemis ficava sempre me empurrando, cutucando minhas costelas com o cotovelo e, de um modo geral, sendo egoísta.

Fiz uma oração silenciosa prometendo que, se chegasse ao fim da corrida vivo, sacrificaria um touro em minha homenagem e possivelmente até construiria um novo templo para mim. Sou louco por touros e templos.

Os sátiros ordenaram que nos espalhássemos pela campina.

— Onde é a linha de largada? — perguntou Holly Victor, empurrando o ombro da irmã. — Quero ficar mais perto.

— *Eu* quero ficar mais perto — corrigiu Laurel. — Você pode ser a *segunda* mais perto.

— Não se preocupem! — O sátiro Woodrow parecia muito preocupado. — Vamos explicar tudo em instantes. Assim que eu, hã, souber o que explicar.

Will Solace suspirou. Ele estava, claro, preso a Nico. Apoiou o cotovelo em um dos ombros de Nico como se o filho de Hades fosse uma prateleira.

— Que saudade de Grover. Ele organizava as coisas tão bem.

— Sou mais o treinador Hedge. — Nico empurrou o cotovelo de Will. — Mas é melhor não mencionar o nome de Grover alto demais. Juníper está bem ali.

Ele apontou para uma das dríades, uma garota bonita vestida de verde-claro.

— É a namorada do Grover — explicou-me Will. — Ela sente saudade dele também. Muita.

— Tudo certo, pessoal! — gritou Woodrow. — Espalhem-se um pouco mais, por favor! Queremos que tenham bastante espaço para que, vocês sabem, se morrerem, não levem as outras equipes junto!

Will suspirou.

— Estou *tão* empolgado.

Ele e Nico se afastaram. Julia e Alice, do chalé de Hermes, verificaram os tênis mais uma vez e olharam para mim de cara feia. Connor Stoll estava fazendo dupla com Paulo Montes, o filho brasileiro de Hebe, e nenhum dos dois parecia feliz com isso.

Talvez Connor estivesse chateado porque o couro cabeludo ferido fora coberto com tanto unguento medicinal que sua cabeça parecia ter sido tossida por um gato. Ou talvez ele só sentisse falta do irmão, Travis.

Assim que Ártemis e eu nascemos, tratamos logo de ficar longe um do outro. Procuramos nossos territórios e pronto. Agora, eu daria qualquer coisa para vê-la. Eu tinha certeza de que Zeus havia ameaçado minha irmã com punições severas caso ela tentasse me ajudar durante meu tempo como mortal, mas ela podia ao menos ter me mandado um pacote básico do Olimpo: uma toga decente, um creme mágico para acne e talvez uma dúzia de bolinhos de cranberry com ambrosia do Cila Café. Eles faziam bolinhos *excelentes*.

Observei as outras equipes. Kayla e Austin pareciam artistas de rua intimidadores, ela com o arco e ele com o saxofone. Chiara, a filha bonita de Tique, estava presa com seu nêmesis, Damien White, filho de... bem, Nêmesis. Billie Ng, primogênito de Deméter, estava presa a Valentina Diaz, que verificou por um instante a maquiagem na superfície reflexiva do casaco prateado de Billie. Ela não pareceu reparar que dois galhos saíam de sua cabeça como pequenos chifres de cervo.

Decidi que a maior ameaça seria Malcolm Pace. Todo cuidado era pouco com os filhos de Atena. Mas, surpreendentemente, ele se uniu a Sherman Yang. Achei a parceria estranha, a não ser que Malcolm tivesse algum plano. Esses filhos de Atena *sempre* tinham um plano. E isso raramente incluía me deixar ganhar.

Os únicos semideuses fora da corrida eram Harley e Nyssa, que tinham montado a pista.

Quando os sátiros decidiram que tínhamos nos espalhado de modo adequado e que nossas pernas estavam devidamente amarradas, Harley bateu palmas para chamar nossa atenção.

— Muito bem! — Ele quicou de ansiedade, me lembrando das crianças romanas que aplaudiam as execuções no Coliseu. — O objetivo é o seguinte: cada equipe tem que encontrar três maçãs douradas e voltar para esta campina.

Os semideuses começaram a resmungar.

— Maçãs douradas — falei. — Eu *odeio* maçãs douradas. Elas só causam confusão.

Meg deu de ombros.

— Eu gosto de maçã.

Eu me lembrei da maçã podre que ela usou para quebrar o nariz de Cade no beco. Será que ela conseguiria usar as maçãs douradas com a mesma habilidade letal? Talvez nós tivéssemos uma chance, afinal.

Laurel Victor levantou a mão.

— Você quer dizer que a primeira equipe que voltar ganha?

— *Qualquer* equipe que voltar ganha! — disse Harley.

— Isso é ridículo! — disse Holly. — Só pode haver um vencedor. A primeira equipe que voltar ganha!

Harley deu de ombros.

— Como quiserem. Minhas únicas regras são: fiquem vivos e não matem uns aos outros.

— O quê?

Paulo começou a reclamar tão alto em português que Connor teve que tapar a orelha esquerda.

— Calma, calma! — gritou Quíron. Os alforjes dele estavam transbordando com kits de primeiros socorros e sinalizadores de emergência. — Não vamos precisar de nenhuma *ajuda* para tornar este desafio perigoso. Vamos fazer uma corrida de três pernas da morte justa. E mais uma coisa, campistas. Considerando os problemas que nosso grupo de teste teve hoje de manhã, por favor, repitam comigo: *Nada de ir parar no Peru*.

— Nada de ir parar no Peru — repetiu todo mundo.

Sherman Yang estalou os dedos.

— E então, onde *fica* a linha de largada?

— Não tem linha de largada — disse Harley, eufórico. — Todos vão começar exatamente de onde estão.

Os campistas olharam ao redor sem entender. De repente, a campina tremeu. Linhas escuras surgiram na grama, formando um tabuleiro de xadrez verde gigantesco.

— Divirtam-se! — gritou Harley.

O chão se abriu embaixo dos nossos pés e nós caímos no Labirinto.

17

Bolas de boliche
Esmagando meus inimigos
Vai um problema aí?

PELO MENOS, não fomos parar no Peru.

Meus pés bateram numa pedra e machuquei os tornozelos. Cambaleamos até uma parede, mas Meg foi uma almofada conveniente.

Estávamos em um túnel escuro cheio de vigas de carvalho. O buraco por onde caímos sumiu, substituído por um teto de terra. Não vi sinal das outras equipes, mas de algum lugar acima consegui ouvir vagamente Harley dizendo:

— Vai! Vai! Vai!

— Quando eu recuperar meus poderes — jurei —, vou transformar Harley em uma constelação nova, chamada Mordedor de Calcanhares. Constelações não falam.

Meg apontou para um ponto no corredor.

— Olhe.

Conforme minha visão se ajustava, reparei que a luz fraca do túnel emanava de uma fruta cintilante menos de cinquenta metros à frente.

— Uma maçã dourada — falei.

Meg deu um pulo para a frente, me puxando junto.

— Espere! — pedi. — Pode haver armadilhas!

Como se para ilustrar o que eu disse, Connor e Paulo surgiram da escuridão do outro lado do corredor. Paulo pegou a maçã dourada e gritou:

— BRASIL!

Connor sorriu para nós.

— Lerdos demais, otários!

O teto se abriu e choveram esferas de ferro do tamanho de melões.

— Corra! — gritou Connor.

Ele e Paulo deram uma desajeitada meia-volta e saíram correndo, perseguidos por uma horda de bolas de canhões com pavios acesos.

O som parou rapidamente. Sem a maça brilhante, ficamos na escuridão total.

— Que ótimo. — A voz de Meg ecoou. — E agora?

— Sugiro que a gente vá na outra direção.

Era mais fácil falar do que fazer. A escuridão pareceu incomodar mais Meg do que a mim. Graças ao corpo mortal, eu já me sentia aleijado e desprovido de sentidos. Além disso, costumava usar mais do que a visão. A música exigia audição apurada. A arqueria necessitava de certa sensibilidade e da capacidade de identificar a direção do vento. (Está certo, a visão também ajudava, mas deu para ter uma ideia.)

Nós prosseguimos, os braços estendidos à frente. Prestei atenção aos barulhos, em busca de cliques, estalos ou rangidos suspeitos que indicassem uma série de explosões se aproximando, mas desconfiava de que, se *ouvisse* algo alarmante, seria tarde demais.

Depois de um tempo, Meg e eu aprendemos a andar com nossas pernas unidas em sincronia. Não era fácil. Eu tinha um senso perfeito de ritmo. Meg estava sempre um pouquinho atrasada ou adiantada, o que nos fazia virar para a esquerda ou direita e dar de cara com a parede.

Continuamos andando pelo que poderiam ter sido minutos ou dias. Ali, o tempo enganava.

Lembrei o que Austin me contara sobre o Labirinto estar diferente desde a morte do seu criador. Aquilo começou a fazer sentido para mim. O ar parecia mais fresco, como se o lugar não estivesse engolindo tantos corpos. As paredes não irradiavam o antigo calor maligno. Pelo que percebi, também não havia sangue nem gosma escorrendo por elas, uma melhora e tanto. No passado, não era possível dar um passo dentro do Labirinto de Dédalo sem sentir o desejo que o consumia: *Vou destruir sua mente e seu corpo.* Agora, a atmosfera era mais sonolenta, e a mensagem, não tão virulenta: *Ei, se você morrer aqui, tudo bem.*

— Nunca gostei de Dédalo — murmurei. — Aquele velho canalha não sabia quando parar. Ele sempre tinha que usar a tecnologia mais avançada, fazer as atualizações mais recentes. Eu *falei* para ele não fazer esse labirinto perceptivo. "A inteligência artificial vai nos destruir, cara", tentei avisar. Mas nãããão. Ele *tinha* que dar ao Labirinto uma consciência malévola.

— Não sei do que você está falando — disse Meg. — Mas talvez você não devesse falar mal do Labirinto enquanto estamos dentro dele.

Então, parei ao ouvir o som do saxofone de Austin. Estava baixo e ecoando por tantos corredores que não consegui identificar de onde vinha. De repente, sumiu. Eu esperava que ele e Kayla tivessem encontrado suas três maçãs e escapado com segurança.

Finalmente, Meg e eu chegamos a uma bifurcação no corredor. Só percebi pelo fluxo de ar e pela diferença de temperatura no rosto.

— Por que paramos? — perguntou Meg.

— Shh. — Ouvi com atenção.

Do corredor do lado direito vinha um leve som agudo, como uma serra de mesa. O corredor da esquerda estava silencioso, mas exalava um odor leve que era desagradavelmente familiar... não era bem enxofre, mas uma mistura vaporosa de minerais do fundo da terra.

— Não estou ouvindo nada — reclamou Meg.

— Um barulho de serra à direita — falei para ela. — À esquerda, um cheiro ruim.

— Escolho o cheiro ruim.

— Ah, jura?

Meg me deu a língua, sua marca registrada, depois seguiu para a esquerda, me puxando junto.

O aro de bronze ao redor da minha perna começou a incomodar. Eu sentia a pulsação da artéria femoral de Meg, o que atrapalhava meu ritmo. Sempre que fico nervoso (o que não acontece com frequência), gosto de cantarolar uma música para me acalmar, normalmente o "Bolero" de Ravel ou a música grega antiga "Epitáfio de Sícilo". Mas, com a pulsação de Meg me desconcentrando, a única melodia que consegui conjurar foi a da "Dança da galinha". Nada tranquilizador.

Seguimos em frente. O cheiro de vapores vulcânicos se intensificou. Minha pulsação perdeu o ritmo perfeito. Meu coração batia a cada *tchu, tchu, tchu, tchu* da "Dança da galinha". Fiquei com medo de saber onde estávamos. Falei para mim mesmo que não era possível. Nós não podíamos ter percorrido metade do mundo andando. Mas aquele era o Labirinto. Aqui embaixo, as distâncias não significavam nada. O lugar sabia explorar as fraquezas das vítimas. Pior: tinha um senso de humor cruel.

— Estou vendo luz! — disse Meg.

Ela estava certa. A escuridão total tinha se transformado em um cinza-escuro. À frente, o túnel terminava, chegava a uma caverna estreita e comprida como uma fissura vulcânica. Parecia que uma garra colossal atacara o corredor, deixando uma ferida na terra. Vi criaturas com garras desse tamanho no Tártaro. Não tinha nenhuma vontade de revê-las.

— A gente devia voltar — falei.

— Que besteira — retrucou Meg. — Você não está vendo o brilho dourado? Tem uma maçã lá.

Eu só via névoas de cinzas e gás.

— O brilho pode ser lava — falei. — Ou radiação. Ou olhos. Olhos brilhantes *nunca* são um bom sinal.

— É uma maçã — insistiu Meg. — Estou sentindo cheiro de maçã.

— Ah, *agora* você desenvolveu sentidos apurados?

Meg avançou, me deixando sem escolha além de ir junto. Para uma garotinha, ela era boa em usar seu peso. No final do túnel, nos vimos em um ressalto estreito. O penhasco em frente estava a menos de cinco metros, mas a fenda parecia despencar eternamente. Talvez uns cinquenta metros acima, a abertura irregular se abria em uma câmara maior.

Um cubo de gelo dolorosamente grande parecia subir pela minha garganta. Eu nunca tinha visto aquele lugar de baixo, mas sabia exatamente onde estávamos. Era o *onfalo*, o umbigo do mundo antigo.

— Você está tremendo.

Tentei tapar a boca de Meg, mas ela me mordeu na mesma hora.

— Não toque em mim — rosnou.

— *Por favor*, faça silêncio.

— Por quê?

— Porque logo acima de nós... — Minha voz falhou. — Delfos. A câmara do oráculo.

O nariz de Meg tremeu como o de um coelho.

— Isso é impossível.

— Não é, não — sussurrei. — E, se isso for Delfos, significa que...

De cima de nós veio um sibilar tão alto que parecia que um oceano inteiro tinha caído em uma frigideira e evaporado formando uma nuvem enorme. O ressalto tremeu. Caíram pedrinhas em nossas costas. Um corpo monstruoso deslizou pela fenda acima de nossas cabeças, cobrindo completamente a abertura. O cheiro de pele de cobra em processo de troca queimou minhas narinas.

— Píton. — Minha voz estava agora um oitavo mais aguda do que a de Meg. — Ele está aqui.

18

Besta está por perto
Acho melhor nos escondermos
No lixo, é claro

SE EU JÁ TINHA ficado assim tão apavorado?

Talvez quando Tifão saiu em um rompante por aí, dispersando os deuses pelo caminho. Talvez quando Gaia soltou os gigantes para destruir o Olimpo. Ou quem sabe quando flagrei, sem querer, Ares nu no ginásio. Isso bastou para deixar meu cabelo branco por um século.

Mas em todas essas vezes eu era um deus. Ali, era só um mortal fraco e pequeno, escondido na escuridão. A única coisa que me restava era rezar para meu inimigo de longa data não sentir minha presença. Pela primeira vez em minha gloriosa vida, eu queria ser invisível.

Ah, por que o Labirinto me levou até ali? Assim que pensei, me repreendi: é claro que ele me levaria aonde eu menos queria. Austin estivera errado sobre o Labirinto. Continuava maligno, feito para matar. Só estava sendo mais sutil nos homicídios.

Meg pareceu alheia ao perigo. Mesmo com um monstro imortal a uns trinta metros acima de nós, teve a coragem de persistir na tarefa. Ela me cutucou e apontou para um pequeno ressalto na parede oposta, onde uma maçã dourada brilhava alegremente.

Harley tinha *colocado* a maçã ali? Eu não conseguia imaginar. Era mais provável que o garoto tivesse jogado maçãs douradas em vários corredores, confiando que elas rolariam por conta própria até os locais mais perigosos. Eu estava começando a pegar antipatia por aquele garoto.

— É um pulo fácil — sussurrou Meg.

Lancei-lhe um olhar que em outras circunstâncias teria torrado a menina.

— Perigoso demais.

— Maçã — sibilou ela.

— Monstro! — sibilei em resposta.

— Um.

— Não!

— Dois.

— Não!

— Três.

Ela pulou.

O que significa que eu também pulei. Chegamos ao ressalto, mas nossos calcanhares fizeram um monte de pedrinhas cair como chuva no abismo. Só minha coordenação e graça naturais nos salvaram de cair para trás e morrer. Meg pegou a maçã.

— Quem se aproxima? — ribombou o monstro, acima de nós.

A voz... Deuses do céu, eu me lembrava daquela voz, grave e rouca, como se ela respirasse xenônio em vez de ar. Até onde eu sabia, era isso mesmo que acontecia. Píton era bem capaz de *produzir* sua cota de gases tóxicos.

O monstro mudou de posição. Mais cascalho caiu na fenda.

Fiquei completamente imóvel, encostado na pedra fria. Meus tímpanos pulsavam a cada batimento do meu coração. Eu queria que Meg parasse de respirar. Queria que as pedrinhas dos óculos dela parassem de brilhar.

Píton nos ouvira. Rezei a todos os deuses pedindo que o monstro concluísse que o barulho não era nada. Ele só precisaria respirar na fenda, e aquilo já seria o suficiente para nos matar. Não havia como escapar do arroto venenoso dele, não daquela distância, não sendo um mortal.

E então, da caverna acima veio outra voz, menor e bem mais humana.

— Oi, meu amigo reptiliano.

Quase chorei de alívio. Não fazia ideia de quem era o recém-chegado, nem por que foi tão tolo de anunciar sua presença a Píton, mas eu sempre ficava agradecido quando humanos se sacrificavam para me salvar. Os bons costumes não haviam morrido, afinal!

A gargalhada rouca de Píton fez meus dentes baterem.

— Ah, eu estava me perguntando se você faria mesmo a viagem, *Monsieur* Besta.

— Não me chame assim — interrompeu o homem. — E o trajeto foi bem simples, agora que o Labirinto voltou a funcionar.

— Estou muito feliz. — O tom de Píton foi seco como basalto.

Não consegui identificar muita coisa na voz do homem, pois estava abafada por várias toneladas de carne reptiliana, mas ele parecia bem mais calmo e controlado do que jamais estive na presença de Píton. Eu já tinha ouvido o termo *Besta* sendo usado para descrever alguém antes, mas, como sempre, minha capacidade cerebral mortal me deixou na mão.

Se ao menos conseguisse reter só as informações *importantes*! Eu sabia descrever a sobremesa que comi na primeira vez que jantei com o rei Minos (bolo de especiarias). As cores dos *quítons* que os filhos de Níobe estavam usando quando os assassinei, também (um tom de laranja não muito digno). Mas não conseguia me lembrar de uma coisa tão básica... Seria esse Besta um lutador, um astro do cinema ou um político? Talvez os três?

Ao meu lado, sob o brilho da maçã, Meg parecia ter virado bronze. Os olhos estavam arregalados de medo. Meio tarde demais para isso, mas pelo menos ela estava em silêncio. Se eu não fosse muito sábio, diria que a voz do homem a apavorou mais do que a do monstro.

— E então, Píton — continuou ele —, alguma palavra profética para compartilhar comigo?

— Na hora certa... meu senhor.

As últimas palavras foram ditas com certo humor, mas não sei se outra pessoa teria percebido. Com exceção de mim, poucos foram vítimas do sarcasmo de Píton e sobreviveram para contar a história.

— Preciso de mais do que suas garantias — retrucou o homem. — Antes de prosseguirmos, temos que assumir o controle de *todos* os oráculos.

Todos os oráculos. Essa afirmação quase me fez cair do penhasco, mas de alguma forma mantive o equilíbrio.

— Na hora certa — repetiu Píton —, como nós combinamos. Não chegamos até aqui sendo precipitados, chegamos? Você não revelou suas cartas quando os titãs invadiram Nova York. Eu não fui à guerra com os gigantes de Gaia. Nós dois percebemos que a hora da vitória ainda não havia chegado. Você precisa ter um pouco mais de paciência.

— Não me dê sermão, cobra. Enquanto você dormia, eu construí um império. Passei séculos...

— Sim, sim. — O monstro expirou, provocando um tremor no penhasco. — E se você quer mesmo que seu império saia das sombras, precisa cumprir a *sua* parte do acordo primeiro. Quando vai destruir Apolo?

Sufoquei um gritinho. Não devia ter ficado surpreso por eles estarem falando de mim. Por milênios, imaginei que *todo* mundo sempre estivesse falando de mim. Eu era tão interessante que as pessoas não conseguiam evitar. Mas essa história de me destruir... não me agradou nem um pouco.

Nunca vi Meg tão apavorada. Eu queria acreditar que ela estava preocupada comigo, mas tive a sensação de que estava com mais medo por si mesma. Essas prioridades distorcidas dos semideuses...

O homem se aproximou da fenda. A voz ficou mais nítida e alta.

— Não se preocupe com Apolo. Ele está exatamente onde preciso. Vai servir ao nosso propósito, e quando não for mais útil...

Ele não se deu ao trabalho de terminar a frase. Temi que não terminasse com *vamos dar a ele um belo presente e mandá-lo seguir com a vida*. Com um arrepio, reconheci a voz do meu sonho. Foi por causa da risadinha anasalada do cara de terno roxo. Também tinha a sensação de que já o ouvira cantar, muitos anos antes, mas não fazia sentido... Por que eu sofreria vendo um show de um homem feio de terno roxo que se intitulava *Besta*? Eu nem era *fã* de polca death metal!

Píton moveu o corpo, jogando mais pedrinhas em nós.

— E como exatamente você vai convencê-lo a servir ao nosso propósito?

Besta riu.

— Tenho uma ajuda valiosa no acampamento que vai conduzir Apolo em nossa direção. Além do mais, estou aumentando nossa jogada. Apolo não vai ter escolha. Ele e a garota vão abrir o portão.

Um bafo do vapor de Píton chegou ao meu nariz, o bastante para me deixar tonto, mas, por sorte, não para me matar.

— Espero que você esteja certo — disse o monstro. — Sua avaliação no passado foi... questionável. Eu me pergunto se você escolheu as ferramentas certas para este trabalho. Será que aprendeu com os erros do passado?

O homem deu um rosnado tão profundo que quase acreditei que estava virando uma besta de verdade. Eu já tinha visto isso acontecer muitas vezes. Ao meu lado, Meg choramingou.

— Escute aqui, seu réptil grandão — disse o homem —, meu único erro foi não atear fogo nos meus inimigos rápido o bastante e com mais frequência. Garanto que estou mais forte do que nunca. Minha organização está em toda parte. Meus colegas estão prontos. Quando controlarmos todos os quatro oráculos, vamos controlar o próprio destino!

— E que dia glorioso vai ser esse. — A voz de Píton estava falhando de tanto desprezo. — Mas, antes disso, você precisa destruir o *quinto* oráculo, não é mesmo? De todos, este é o único que eu *não* consigo controlar. Você precisa botar fogo no bosque de...

— Dodona — completei.

A palavra pulou voluntariamente da minha boca e ecoou pela fenda. Entre tantos momentos idiotas para relembrar uma informação, entre tantos momentos idiotas para dizê-la em voz alta... ah, o corpo de Lester Papadopoulos era um lugar horrível para se habitar.

Acima de nós, a conversa parou.

Meg sibilou para mim:

— Seu idiota.

— O que foi isso? — perguntou Besta.

Em vez de responder *Ah, somos só nós dois*, fizemos uma coisa ainda mais imbecil. Um de nós, Meg ou eu (pessoalmente, prefiro colocar a culpa nela), deve ter escorregado numa pedra. Caímos do ressalto para as nuvens de enxofre abaixo.

SQUISH.

O Labirinto definitivamente tinha senso de humor. Em vez de permitir que nos estatelássemos em um chão de pedra e morrêssemos, ele nos largou em uma pilha de sacos molhados cheios de lixo.

Caso você esteja contando, já deve ter notado que era a *segunda* vez que eu caía no lixo desde que me tornei mortal, ou seja, duas vezes a mais do que qualquer deus devia ter que aturar.

Caímos na pilha de lixo em uma confusão de três pernas. Paramos lá no fundo, cobertos de gosma, mas, milagrosamente, vivos.

Meg se sentou, coberta por uma camada de grãos de café.

Tirei uma casca de banana da cabeça e joguei longe.

— Tem algum motivo para você ficar nos jogando em pilhas de lixo?

— Eu? Foi você que se desequilibrou!

Meg limpou o rosto, sem muito sucesso. Na outra mão, dedos trêmulos seguravam a maçã.

— Você está bem? — perguntei.

— Ótima — retrucou ela.

Obviamente, não era verdade. Ela parecia ter acabado de passar pela casa mal-assombrada de Hades. (Dica de profissional: NÃO FAÇA ISSO.) Seu rosto estava pálido. Ela havia mordido o lábio com tanta força que os dentes estavam rosados de sangue. Também detectei um leve odor de urina, o que significava que um de nós ficara com tanto medo que perdeu o controle da bexiga, e eu tinha setenta e cinco por cento de certeza de que não havia sido eu.

— Aquele homem lá em cima — falei. — Você reconheceu a voz dele?

— Cale a boca. É uma ordem!

Tentei retrucar. Para minha consternação, descobri que não conseguia. Minha voz aceitou a ordem de Meg por conta própria, o que não era um bom presságio. Decidi guardar minhas perguntas sobre Besta para depois.

Observei ao redor. Tubos de lixo se enfileiravam nas paredes pelos quatro cantos do pequeno porão deplorável. Enquanto eu olhava, outro saco de dejetos veio deslizando pelo tubo da direita e caiu na pilha. O cheiro era tão forte que poderia ter queimado a tinta da parede se o concreto estivesse pintado. Mas era melhor do que cheirar os vapores de Píton. A única saída visível era uma porta de metal com uma placa de risco biológico.

— Onde estamos? — perguntou Meg.

Olhei para ela com raiva, esperando.

— Pode falar agora.

— Você não vai acreditar, mas parece que estamos em um depósito de lixo.

— Mas onde?

— Pode ser em qualquer lugar. O Labirinto faz intercessão com locais subterrâneos por todo o mundo.

— Como Delfos.

Meg olhou de cara feia para mim, como se nossa pequena excursão grega tivesse sido culpa minha e não... bem, só indiretamente culpa minha.

— Foi inesperado — concordei. — Precisamos falar com Quíron.

— O que é Dodona?

— Eu... explico tudo depois. — Não queria que Meg me calasse de novo. Também não queria falar sobre Dodona ainda preso no Labirinto. Minha pele estava arrepiada de pavor, e eu duvidava de que fosse só porque eu estava coberto de algum líquido grudento. — Primeiro, precisamos sair daqui.

Meg olhou para trás de mim.

— Ah, não foi um desperdício total. — Ela enfiou a mão no lixo e pegou uma segunda fruta brilhante. — Só falta uma maçã agora.

— Perfeito. — Minha última preocupação naquele momento era terminar a corrida ridícula de Harley, mas pelo menos faria Meg se mexer. — Agora, por que não vemos que perigos biológicos terríveis nos esperam atrás daquela porta?

19

Como assim eles sumiram?
Não, não, não, não, não, não, não
Eu já falei não?

OS ÚNICOS PERIGOS BIOLÓGICOS que encontramos foram cupcakes veganos.

Depois de seguirmos por vários corredores iluminados por tochas, saímos em uma confeitaria lotada que, de acordo com o cardápio na parede, tinha o nome duvidoso de DELÍCIA VEGANA. Nosso fedor de lixo e vapor vulcânico logo dispersou os clientes, levando a maioria em direção à saída e fazendo com que muitas guloseimas sem lactose e sem glúten fossem pisoteadas. Nós nos abaixamos para passar pelo balcão e fomos até a cozinha. Então nos vimos em um anfiteatro subterrâneo que parecia ter séculos de idade.

Uma arquibancada de pedra circundava uma arena de terra batida que poderia tranquilamente ser o palco de uma luta de gladiadores. No teto, havia dezenas de correntes grossas de ferro penduradas. Eu me perguntei que espetáculos horríveis deviam ter acontecido ali, mas logo fomos embora.

Seguimos para o lado oposto, de volta aos corredores sinuosos do Labirinto. A essa altura, já havíamos aperfeiçoado a arte de correr com três pernas. Sempre que começava a ficar cansado, eu imaginava Píton atrás de nós, cuspindo gás venenoso.

Finalmente, dobramos uma esquina.

— Ali! — gritou Meg.

No meio do corredor havia uma terceira maçã dourada.

Desta vez, eu estava exausto demais para me importar com armadilhas. Nós seguimos em frente até Meg pegar a fruta.

À nossa frente, o teto baixou, formando uma rampa, a qual subimos. Ar fresco encheu meus pulmões. Quando chegamos ao fim, em vez de me sentir eufórico, minhas entranhas ficaram tão geladas quanto o líquido que escorreu do lixo e grudou na minha pele. Estávamos de volta à floresta.

— Aqui, não — murmurei. — Deuses, não.

Meg olhou ao redor, fazendo com que eu desse um giro de trezentos e sessenta graus junto com ela.

— Talvez seja uma floresta diferente.

Mas não era. Eu sentia o olhar ressentido das árvores, o horizonte se esticando em todas as direções. Vozes começaram a sussurrar, despertadas pela nossa presença.

— Vamos logo — falei.

Como se aproveitando a deixa, os aros que prendiam nossas pernas se soltaram. Nós corremos.

Mesmo segurando as três maçãs, Meg foi mais rápida. Ela seguiu por entre as árvores, ziguezagueando para a esquerda e para a direita, percorrendo uma trilha que só ela conseguia ver. Minhas pernas doíam e meu peito ardia, mas não ousei ficar para trás.

À frente, pontos cintilantes de luz se transformaram em tochas. Finalmente saímos da floresta, e deparamos com campistas e sátiros.

Quíron galopou até nós.

— Graças aos deuses!

— De nada — falei, ofegante, por força do hábito. — Quíron... nós temos que conversar.

À luz das tochas, o rosto do centauro pareceu entalhado na sombra.

— Temos sim, meu amigo. Mas, antes, precisamos cuidar de outro assunto. Receio que mais uma equipe tenha desaparecido... seus filhos, Kayla e Austin.

Quíron nos obrigou a tomar banho e trocar de roupa. Senão, eu teria voltado na mesma hora para a floresta.

Quando terminei, Kayla e Austin ainda não tinham voltado.

Quíron enviou grupos de busca formados por dríades para a floresta, supondo que elas estariam em segurança em seu hábitat natural, mas se recusou veementemente a deixar semideuses se juntarem à tarefa.

— Não podemos arriscar perder mais ninguém — disse ele. — Kayla, Austin e... e os outros desaparecidos... Eles não iam querer isso.

Cinco campistas haviam desaparecido até agora. Eu não era ingênuo de achar que Austin e Kayla voltariam por conta própria. As palavras de Besta ainda ecoavam em meus ouvidos: *Estou aumentando nossa jogada. Apolo não vai ter escolha.*

Ele mirou nos meus filhos, e estava me convidando a ir procurá-los e encontrar o portão desse oráculo oculto. Havia tantas coisas que eu não entendia: como o Bosque de Dodona fora parar na floresta próxima ao acampamento? Que tipo de "portão" ele podia ter? Por que Besta achava que eu poderia abri-lo? E como ele capturou Austin e Kayla? Mas de uma coisa eu tinha certeza: Besta tinha razão. Não havia outra escolha. Eu precisava encontrar meus filhos... meus *amigos*.

Eu teria ignorado o aviso de Quíron e corrido para a floresta se não fosse o grito de pânico de Will.

— Apolo, preciso de você!

Em uma das extremidades do campo, ele montara um hospital improvisado para cuidar de seis campistas feridos, que estavam deitados em macas. No momento, todas as suas forças estavam direcionadas a Paulo. Nico segurava o brasileiro, que estava aos berros.

Eu corri até Will e, quando deparei com aquela cena, fiz uma careta.

Uma das pernas do garoto fora serrada.

— Eu a prendi de volta — disse Will, com a voz trêmula de exaustão. Sua roupa de médico estava manchada de sangue. — Preciso que alguém o mantenha estável.

Apontei para a floresta.

— Mas...

— Eu sei! — cortou Will. — Você acha que também não quero sair para procurá-los? Mas estamos com poucos curandeiros. Tem unguento e néctar naquela bolsa. Vá!

O tom de sua voz me deixou atordoado. Percebi que ele estava tão preocupado com Kayla e Austin quanto eu. A única diferença era que Will sabia qual era seu dever. Ele tinha que curar os feridos primeiro. E precisava da minha ajuda.

— S-sim — falei. — Sim, claro.

Peguei a bolsa de suprimentos e fui cuidar de Paulo, que havia convenientemente desmaiado de dor.

Will trocou as luvas cirúrgicas e observou a floresta com um olhar furioso.

— Nós *vamos* encontrá-los. *Temos* que encontrar.

Nico di Angelo deu um cantil para ele.

— Beba. É aqui que você precisa estar agora.

Percebi que o filho de Hades também estava com raiva. Ao redor dos pés dele, a grama soltou fumaça e murchou.

Will suspirou.

— Você está certo. Mas isso não faz com que eu me sinta melhor. Tenho que cuidar do braço quebrado da Valentina. Quer ajudar?

— Parece nojento — disse Nico. — Vamos nessa.

Eu cuidei de Paulo Montes até ter certeza de que ele estava fora de perigo, depois pedi a dois sátiros para carregarem a maca dele até o chalé de Hebe.

Fiz o que pude para ajudar os outros. Chiara teve uma concussão leve. Billie Ng não conseguia parar de dançar sapateado irlandês. Holly e Laurel precisavam que estilhaços fossem retirados de suas costas graças a um encontro com um frisbee explosivo em forma de serra elétrica.

Como era de se esperar, as gêmeas Victor chegaram em primeiro, mas também fizeram questão de saber qual delas teve *mais* estilhaços removidos, para que pudessem se gabar à vontade. Mandei que ficassem quietas, ou nunca mais as deixaria usar coroas de louro novamente. (Eu havia patenteado as coroas de louro, então isso era prerrogativa minha.)

Concluí que meu poder de cura como mortal era razoável. Will Solace era muito melhor do que eu, mas isso não me incomodava tanto quanto meu fracasso com arqueria e música. Acho que eu estava acostumado a ficar em segundo lugar quando o assunto era cuidar de pessoas. Meu filho Asclépio se tornou o deus da medicina quando tinha quinze anos, e eu não poderia ter ficado mais feliz por ele. Isso permitiu que eu tivesse tempo para me dedicar a meus outros interesses. Além do mais, todo deus sonha em ter um filho médico.

Após a extração dos estilhaços, quando estava lavando as mãos, Harley se aproximou, mexendo no sinalizador, os olhos inchados de tanto chorar.

— É culpa minha — murmurou ele. — Eu fiz com que se perdessem. Eu... me desculpe.

Ele estava tremendo. Percebi que o garotinho estava morrendo de medo do que eu poderia fazer.

Nos últimos dois dias, eu desejara causar medo em mortais novamente. Meu estômago fervia de ressentimento e amargura. Eu queria achar um culpado pelos meus problemas, pelos desaparecimentos, pela minha incapacidade de resolver as coisas.

Ao olhar para Harley, minha raiva evaporou. Eu me senti vazio, idiota; tive vergonha de mim mesmo. Sim, eu, Apolo... com vergonha. Verdade, era um evento tão sem precedentes que deveria ter destruído o cosmos.

— Tudo bem — falei.

Ele fungou.

— A pista de corrida foi parar na floresta. Eu não devia ter feito isso. Eles se perderam e... e...

— Harley — coloquei as mãos sobre as dele —, posso ver seu sinalizador?

Ele piscou para afastar as lágrimas. Acho que o garoto estava com medo de eu quebrar o dispositivo, mas me deixou pegá-lo.

— Não sou um inventor — falei, virando as engrenagens o mais delicadamente possível. — Não tenho as habilidades do seu pai. Mas *entendo* de música. Acredito que autômatos preferem a frequência mi a 329,6 hertz. Ressoa melhor com bronze celestial. Se você ajustar seu sinal...

— Festus talvez ouça? — Harley arregalou os olhos. — Tem certeza?

— Não — admiti. — Assim como você não tinha como saber o que o Labirinto faria hoje. Mas isso não significa que a gente deva parar de tentar. Nunca pare de inventar, filho de Hefesto.

Devolvi a ele o sinalizador. Durante três segundos, Harley ficou me olhando, desconfiado. Em seguida, me deu um abraço tão forte que quase quebrou minhas costelas, e saiu correndo.

Cuidei dos últimos feridos enquanto as harpias limpavam o local, recolhendo ataduras, roupas rasgadas e armas danificadas. Elas reuniram as maçãs douradas em uma cesta e prometeram fazer deliciosos folheados de maçã para o café da manhã.

A pedido de Quíron, os campistas restantes voltaram para seus chalés. Ele prometeu que pela manhã já teríamos elaborado um plano de ação, mas eu não pretendia esperar nem mais um minuto.

Assim que ficamos sozinhos, eu me virei para Quíron e Meg.

— Vou atrás de Kayla e Austin — falei. — Vocês podem ir comigo ou não.

A expressão de Quíron ficou tensa.

— Meu amigo, você está exausto e despreparado. Volte para o seu chalé. Não vai adiantar de nada...

— Não. — Fiz um gesto de desdém, ignorando o conselho dele, o mesmo que faria se ainda fosse um deus. Aquilo devia parecer petulante vindo de um zé-ninguém de dezesseis anos, mas não me importei. — Eu tenho que fazer isso.

O centauro baixou a cabeça.

— Eu devia ter ouvido você antes da corrida. Você tentou me avisar. O que... o que você descobriu?

A pergunta me imobilizou como se fosse uma camisa de força.

Depois de salvar Sherman Yang e ouvir Píton no Labirinto, tive certeza de que sabia as respostas. Eu me lembrei do nome *Dodona*, das histórias sobre as árvores falantes...

Agora, minha mente era de novo uma sopa de pensamentos mortais confusos. Eu não conseguia lembrar por que fiquei tão agitado, nem o que pretendia fazer.

Talvez a exaustão e o estresse estivessem pesando. Ou talvez Zeus estivesse manipulando meu cérebro, permitindo que eu tivesse vislumbres provocadores da verdade, e em seguida arrancando-os fora, transformando meus momentos *ahá!* em momentos *hã?*

Gritei de frustração.

— Eu não lembro!

Meg e Quíron trocaram olhares nervosos.

— Você não vai — disse Meg com firmeza.

— *O quê?* Você não pode...

— É uma ordem — reforçou ela. — Você não vai voltar para a floresta até eu mandar.

Um tremor percorreu meu corpo. Afundei as unhas nas palmas das mãos.

— Meg McCaffrey, se meus filhos morrerem porque você não me deixou...

— Como Quíron falou, você só acabaria morrendo. Vamos esperar até amanhã de manhã.

Pensei em como seria satisfatório jogar Meg da carruagem do Sol ao meio-dia. Por outro lado, uma pequena parte racional de mim sabia que ela podia estar certa. Eu não estava em condições de iniciar uma operação de resgate sozinho. Isso me deixou com ainda mais raiva.

O rabo de Quíron balançou de um lado para o outro.

— Bem, então... vejo vocês dois ao amanhecer. Nós *vamos* encontrar uma solução. Prometo.

Ele me lançou um último olhar, como se estivesse com medo de eu começar a correr em círculos e uivar para a lua. Em seguida, voltou trotando para a Casa Grande.

Olhei de cara feia para Meg.

— Vou ficar aqui esta noite, para o caso de Kayla e Austin voltarem. A não ser que você me proíba de fazer isso também.

Ela só deu de ombros. Até *isso* era irritante.

Frustrado e batendo os pés, fui até meu chalé e peguei alguns suprimentos: uma lanterna, dois cobertores, um cantil de água. No último momento, escolhi alguns livros na estante de Will Solace. Como era de se esperar, ele tinha obras de referência sobre mim para compartilhar com novos campistas. Achei que talvez os livros pudessem ajudar a ativar minha memória. Se não servissem para isso, seriam bom material para uma fogueira.

Quando voltei para perto da floresta, Meg ainda estava lá.

Eu não esperava que ela fosse fazer vigília comigo. Provavelmente só decidiu fazer isso porque concluiu que aquela seria a melhor forma de me irritar.

Ela se sentou ao meu lado no cobertor e começou a comer uma maçã dourada que havia escondido no casaco. Uma névoa invernal surgia por entre as árvores. A brisa da noite soprava a grama, fazendo movimentos similares a ondas.

Em circunstâncias diferentes, eu talvez escrevesse um poema. No meu estado mental do momento, o máximo que conseguiria seria um cântico funerário, e eu não queria pensar em morte.

Tentei ficar com raiva de Meg, mas não consegui. Ela só estava pensando no meu bem... ou talvez não estivesse pronta para ver seu novo servo divino arrumar um jeito de morrer.

Meg não tentou me consolar. Não fez perguntas. Sua diversão se resumiu a pegar pedrinhas e jogar na floresta. Eu não me incomodei com nada disso. Daria uma catapulta para ela, se tivesse uma.

Ao longo da noite, li sobre mim nos livros de Will.

Normalmente, seria uma tarefa feliz. Afinal, sou um assunto fascinante. Mas dessa vez minhas aventuras gloriosas não me deixaram empolgado e orgulhoso. Todas pareciam exageros, mentiras e... bem, mitos. Infelizmente, encontrei um capítulo sobre oráculos. Essas poucas páginas despertaram minha memória e confirmaram minhas piores desconfianças.

Eu estava transtornado demais para ficar apavorado. Olhei para a floresta e desafiei as vozes sussurrantes a me perturbarem. *Venham, então. Me levem também*, pensei. As árvores continuaram em silêncio. Kayla e Austin não voltaram.

Perto do amanhecer, começou a nevar. Só então Meg falou:

— É melhor a gente entrar.

— E abandoná-los?

— Não seja burro. — A neve salpicou o casaco dela. O rosto estava escondido no capuz, exceto pela ponta do nariz e pelo brilho das pedrinhas dos óculos. — Você vai congelar aqui.

Notei que ela não reclamou do frio. Eu me perguntei se ela sentia algum desconforto ou se o poder de Deméter a mantinha aquecida no inverno, como uma árvore sem folhas ou uma semente adormecida na terra.

— Eles eram meus filhos. — Foi doloroso usar o verbo no passado, mas Kayla e Austin pareciam irremediavelmente perdidos. — Eu devia ter feito mais para protegê-los. Devia ter previsto que meus inimigos mirariam neles para me afetar.

Meg jogou outra pedra nas árvores.

— Você já teve muitos filhos. Toda vez que um deles se metia em confusão você se sentia culpado?

A resposta era não. Ao longo dos milênios, eu mal conseguia lembrar o nome dos meus filhos. Se eu mandava um cartão de aniversário ocasional ou uma flauta mágica, achava que já estava cumprindo meu papel de pai. Às vezes, eu só percebia que algum havia morrido décadas depois. Durante a Revolução Francesa, fiquei preocupado com meu filho Luís XIV, o Rei Sol, aí fui dar uma olhada nele e descobri que havia morrido setenta e cinco anos antes.

Mas agora eu tinha uma consciência mortal. Meu senso de culpa parecia ter se expandido conforme minha expectativa de vida diminuía. Eu não podia explicar isso para Meg. Ela jamais entenderia. Provavelmente, jogaria uma pedra em mim.

— É culpa minha Píton ter retomado Delfos — falei. — Se eu tivesse matado aquele monstro assim que ele reapareceu, quando eu ainda era um deus, ele jamais teria ficado tão poderoso. Jamais teria feito uma aliança com aquele... aquele *Besta*.

Meg baixou o rosto.

— Você o conhece — especulei. — No Labirinto, quando você ouviu a voz dele, ficou apavorada.

Pensei que ela fosse me mandar calar a boca de novo, mas ela só passou o dedo nos crescentes dos anéis de ouro, sem dizer nada.

— Meg, ele quer me *destruir* — falei. — De alguma forma, está por trás desses desaparecimentos. Quanto mais soubermos sobre esse homem...

— Ele mora em Nova York.

Eu esperei. Era difícil decifrar o capuz do casaco dela.

— Tudo bem — continuei. — Isso reduz a busca a oito milhões e meio de pessoas. O que mais?

Meg cutucou os calos nos dedos.

— Se você é um semideus vivendo nas ruas, já ouviu falar do Besta. Ele procura gente como eu.

Um floco de neve derreteu na minha nuca.

— Procura gente... para quê?

— Para treinar — respondeu Meg. — Para usar como... servos, soldados. Não sei.

— E você o conheceu.

— Por favor, chega de perguntas...

— Meg.

— Ele matou meu pai.

As palavras dela saíram baixas, mas me acertaram com mais força do que uma pedrada na cara.

— Meg, eu... eu sinto muito. Como...?

— Eu me recusei a trabalhar para ele — explicou ela. — Meu pai tentou... — Ela fechou os punhos. — Eu era muito pequena. Não me lembro direito. Eu fugi. Senão, o Besta teria me matado também. Meu padrasto me acolheu. Ele foi bom para mim. Você não me perguntou por que ele me treinou para lutar? Por que me deu os anéis? Ele queria que eu ficasse em segurança, que pudesse me proteger.

— Do Besta.

Ela baixou a cabeça.

— Ser um bom semideus, treinar muito... é o único jeito de manter o Besta longe. Agora você sabe.

Na verdade, eu tinha mais perguntas do que nunca, mas senti que Meg não estava no clima de falar mais. Eu me lembrei da reação dela quando estávamos na câmara de Delfos, da expressão de puro pavor quando reconheceu a voz do Besta. Nem todos os monstros eram répteis de três toneladas com bafo venenoso. Muitos usavam rostos humanos.

Observei a floresta. Em algum lugar lá dentro, cinco semideuses estavam servindo de isca, inclusive dois filhos meus. Besta queria que eu os procurasse, e eu procuraria. Mas *não* deixaria que ele me usasse.

Tenho uma ajuda valiosa no acampamento, dissera Besta.

Isso me incomodara.

Eu sabia por experiência própria que qualquer semideus podia se virar contra o Olimpo. Estive na mesa de banquete em que Tântalo tentou envenenar os deuses, nos servindo o filho picadinho em um ensopado. Vi o rei Mitrídates se aliar aos persas e massacrar todos os romanos de Anatólia. Vi a rainha Clitemnestra matar o marido Agamenon só porque ele fez um pequeno sacrifício humano a mim. Os semideuses são uma galerinha imprevisível.

Olhei para Meg e me perguntei se ela podia estar mentindo, se era algum tipo de espiã. Se bem que ela era teimosa demais, impetuosa demais e irritante demais para ser uma agente dupla eficiente. Além disso, tecnicamente, ela era minha senhora. Podia me mandar fazer quase qualquer coisa e eu teria que obedecer. Se quisesse me destruir, eu já estaria praticamente morto.

Talvez Damien White... um filho de Nêmesis era uma escolha natural para dar uma facada nas costas de alguém. Ou Connor Stoll, Alice, Julia... um filho de Hermes traíra recentemente os deuses ao trabalhar para Cronos, e eu não me surpreenderia se outro fizesse o mesmo. Talvez a bela Chiara, filha de Tique, estivesse aliada ao Besta. Os filhos da sorte eram jogadores por natureza. A verdade era que eu não fazia ideia de quem poderia ser o traidor.

O céu passou de preto a cinza. De repente, ouvi um *thump, thump, thump* distante, uma pulsação rápida e incessante que foi ficando cada vez mais alta. Primeiro, achei que fosse o sangue latejando na minha cabeça. Cérebros humanos podiam explodir se estivessem cheios de preocupações? Mas então percebi que o barulho era mecânico e vinha do oeste. Era o som distintamente moderno de hélices cortando o ar.

Meg levantou a cabeça.

— Isso é um helicóptero?

Eu fiquei de pé.

A máquina surgiu no horizonte, um Bell 412 vermelho-escuro vindo pela costa. (Como percorro os céus com certa frequência, entendo de máquinas voadoras.) Na lateral do helicóptero havia um logotipo verde pintado com as letras D.E.

Apesar da tristeza que me assolava, uma pequena chama de esperança se acendeu dentro de mim. Os sátiros Millard e Herbert deviam ter conseguido entregar a mensagem.

— Aquela — falei para Meg — é Rachel Elizabeth Dare. Vamos ver o que o Oráculo de Delfos tem a dizer.

20

Se fizer reforma
Favor não apagar os deuses
Todo mundo sabe

RACHEL ELIZABETH DARE ERA uma das minhas mortais favoritas. Assim que se tornou o oráculo, dois verões antes, trouxe um novo vigor e empolgação ao cargo.

Claro que, como o oráculo anterior era um cadáver murcho, talvez os padrões estivessem baixos. Independentemente disso, fiquei eufórico quando o helicóptero da Dare Enterprises pousou atrás das colinas a leste, fora dos limites do acampamento. Eu me perguntava o que Rachel disse para o pai, um magnata dos imóveis fabulosamente rico, para convencê-lo de que precisava pegar um helicóptero emprestado. Mas sempre soube que Rachel conseguia ser bem convincente.

Corri pelo vale, e Meg foi atrás de mim. Já conseguia imaginar a imagem de Rachel surgindo no cume: o cabelo ruivo ondulado, o sorriso alegre, a blusa manchada de tinta e uma calça jeans cheia de rabiscos. Eu precisava do humor, da sabedoria e da resiliência dela. O oráculo traria ânimo para todos nós. O mais importante: ela *me* animaria.

Eu não estava preparado para a realidade. (O que, mais uma vez, foi uma surpresa impressionante. Normalmente, a realidade se prepara para *mim*.)

Rachel nos encontrou na colina perto da entrada da caverna dela. Só mais tarde eu perceberia que os dois mensageiros sátiros de Quíron não estavam com ela e me perguntaria o que havia acontecido com eles.

A srta. Dare estava mais magra e envelhecida, parecia menos uma estudante e mais uma jovem esposa de camponês, abatida por causa do trabalho pesado e franzina pela falta de comida. O cabelo ruivo tinha perdido a vivacidade, emoldurando seu rosto em uma cortina de cobre escuro. As sardas estavam esmaecidas. Os olhos verdes, sem brilho. E ela usava uma túnica de algodão branco com um xale branco e uma jaqueta verde-pátina. Rachel *nunca* usava vestidos.

— Rachel? — Não confiei em mim mesmo para dizer mais nada.

Ela não era a mesma pessoa.

Mas então lembrei que eu também não.

Ela observou minha nova forma mortal. Os ombros murcharam.

— Então é verdade.

Abaixo de nós, ouvi as vozes dos outros campistas. Sem dúvida acordados pelo som do helicóptero, eles saíam dos chalés e se reuniam na base da colina. Mas nenhum tentou chegar até nós. Talvez sentissem que nem tudo estava bem.

O helicóptero levantou voo de trás da Colina Meio-Sangue. Seguiu na direção do Estreito de Long Island e passou tão perto da Atena Partenos que achei que o trem de pouso tiraria um pedaço do elmo alado da deusa.

— Você pode dizer para os outros que Rachel precisa de um tempo? Chame Quíron. Ele tem que subir. O resto deve esperar — falei para Meg.

Não era típico de Meg aceitar ordens minhas. Achei que ela fosse me dar um chute, mas em vez disso só olhou nervosa para Rachel, se virou e desceu a colina.

— Sua amiga? — perguntou Rachel.

— Longa história.

— É. Também tenho uma dessas para contar.

— Vamos conversar na sua caverna?

Rachel repuxou os lábios.

— Você não vai gostar do que vai ver. Mas, sim, provavelmente é o lugar mais seguro.

A caverna não estava tão aconchegante quanto eu lembrava.

Os sofás estavam de cabeça para baixo. A mesinha de centro tinha uma das pernas quebrada. O chão estava coberto de cavaletes e lonas. Até o banco de três pernas de Rachel, o trono da profecia, fora derrubado em uma pilha de trapos manchados de tinta.

O mais perturbador era o estado das paredes. Desde que foi morar lá, Rachel as pintava, como os moradores das cavernas de antigamente. Ela havia gastado horas em murais elaborados de eventos do passado, imagens do futuro que vira em profecias, citações favoritas de livros e música e desenhos abstratos tão lindos que causariam vertigem em M.C. Escher. A arte fazia a caverna parecer uma mistura de ateliê, ponto de encontro psicodélico e passarela subterrânea cheia de pichações. Eu adorava.

Mas a maioria das imagens tinha sido coberta por uma demão descuidada de tinta branca. Ali perto, grudado em uma bandeja com tinta seca, encontramos um rolo de pintura. Claramente, Rachel havia apagado o próprio trabalho meses antes e não voltara desde então.

Desanimada, ela apontou para a destruição.

— Fiquei frustrada.

— Sua arte... — Não consegui tirar os olhos da tela em branco. — Tinha um lindo retrato meu... bem aqui.

Fico ofendido sempre que alguma obra de arte é danificada, principalmente quando retrata uma imagem minha.

Rachel pareceu envergonhada.

— Eu... achei que uma tela branca poderia me ajudar a pensar.

Seu tom deixava claro que a pintura branca não ajudara em nada. Eu poderia ter dito isso a ela.

Nós dois fizemos a melhor arrumação possível. Colocamos os sofás no lugar, mas Rachel não tocou no banco de três pernas.

Alguns minutos depois, Meg voltou. Quíron veio atrás em completa forma de centauro, baixando a cabeça para passar pela entrada. Eles nos encontraram sentados ao redor da mesinha de centro bamba como civilizados habitantes das cavernas, tomando chá Arizona morno e comendo crackers velhos da despensa do oráculo.

— Rachel. — Quíron suspirou de alívio. — Onde estão Millard e Herbert?

Ela baixou a cabeça.

— Chegaram na minha casa muito feridos. Eles... não resistiram.

Talvez fosse a luz da manhã batendo por trás, mas imaginei ter visto novos pelos grisalhos crescendo na barba de Quíron. O centauro trotou até nós e se sentou no chão, dobrando as pernas embaixo do corpo. Meg se sentou ao meu lado no sofá.

Rachel se inclinou para a frente e entrelaçou os dedos, como fazia quando dizia uma profecia. Torci para que o espírito de Delfos a possuísse, mas não houve fumaça, nem chiado, nem voz rouca de possessão divina. Foi meio decepcionante.

— Vocês primeiro — disse ela. — Me contem o que está acontecendo aqui.

Nós a atualizamos sobre os desaparecimentos e sobre minhas desventuras com Meg. Expliquei sobre a corrida de três pernas e nosso passeio a Delfos.

Quíron ficou pálido.

— Eu não sabia disso. Você foi a Delfos?

Rachel ficou me olhando, pasma.

— *Delfos*. Você viu Píton e...

Tive a sensação de que ela queria dizer *e não matou o monstro?*, mas conseguiu se conter.

Senti como se estivesse de pé com a cara virada para a parede. Talvez Rachel pudesse me apagar com tinta branca. Desaparecer seria menos doloroso do que enfrentar meus fracassos.

— No momento — falei —, não consigo derrotar Píton. Estou fraco demais. E... bem, o Ardil 88.

Quíron tomou um gole de chá.

— Apolo quer dizer que não podemos fazer uma missão sem profecia, e não podemos ter profecia sem oráculo.

Rachel ficou olhando para o banco caído.

— E esse homem... Besta. O que vocês sabem sobre ele?

— Não muito. — Expliquei o que vi nos meus sonhos e o que Meg e eu ouvimos no Labirinto. — Ao que parece, ele tem fama de capturar jovens semideuses em Nova York. Meg disse... — Hesitei quando vi a expressão dela, um claro aviso para não tocar naquele assunto. — Hã, ela teve uma experiência pessoal com Besta.

Quíron ergueu as sobrancelhas.

— Você pode nos contar alguma coisa que possa ajudar, querida?

Meg afundou nas almofadas do sofá.

— Nossos caminhos já se cruzaram. Ele é... Ele é assustador. Minhas lembranças são confusas.

— Confusa — repetiu Quíron.

Meg de repente ficou muito interessada nos farelos de biscoito no vestido.

Rachel me lançou um olhar perplexo. Balancei a cabeça, me esforçando para dar um aviso. *Trauma. Não pergunte. Pode acabar sendo atacada por um bebê pêssego.*

Rachel pareceu captar a mensagem.

— Tudo bem, Meg — disse ela. — Tenho informações que podem ajudar.

Rachel pegou o celular no bolso do casaco.

— Não toquem nisso. Vocês já devem ter percebido, mas telefones ficam muito mais caóticos do que o habitual perto de semideuses. Nem *eu*, que tecnicamente não sou uma de vocês, consigo fazer ligações. Mas consegui tirar umas fotos. — Ela virou a tela para nós. — Quíron, você reconhece este lugar?

A imagem noturna mostrava os últimos andares de um prédio residencial. A julgar pelo fundo, ficava no centro de Manhattan.

— Este é o prédio que você descreveu no verão passado — disse Quíron —, onde se reuniu com os romanos.

— Isso — concordou Rachel. — Alguma coisa não me pareceu certa naquele lugar. Fiquei pensando... como os romanos conseguiram uma propriedade tão cara em Manhattan tão rápido? Quem é o dono? Tentei fazer contato com Reyna para ver se ela saberia me dizer alguma coisa, mas...

— Problemas de comunicação? — sugeriu Quíron.

— Exatamente. Até mandei uma carta para a caixa postal do Acampamento Júpiter em Berkeley. Não houve resposta. Então, pedi aos advogados imobiliários do meu pai para investigarem um pouco.

Meg espiou por cima dos óculos.

— Seu pai tem advogados? E um helicóptero?

— Vários helicópteros. — Rachel suspirou. — Ele é irritante. Mas, enfim, aquele prédio pertence a uma empresa de fachada, que pertence a outra empresa de fachada, blá-blá-blá. A empresa-mãe é uma coisa chamada Triunvirato S.A.

Senti uma gota semelhante à tinta branca escorrendo pelas costas.

— *Triunvirato...*

Meg fez uma careta.

— O que isso quer dizer?

— Um triunvirato é um conselho de três governantes — expliquei. — Ao menos, era na Roma Antiga.

— O que é interessante por causa desta próxima imagem.

Rachel clicou na tela. A nova foto era um zoom do terraço da cobertura do prédio, onde três figuras ensombreadas conversavam; homens de ternos iluminados só pela luz de dentro do apartamento. Não deu para ver os rostos.

— Eles são os donos da Triunvirato S.A. — disse Rachel. — Tirar *essa* foto não foi fácil. — Ela soprou uma mecha ondulada do rosto. — Passei os últimos dois meses investigando os três e nem sei os nomes deles. Não sei onde moram nem de onde vieram. Mas posso dizer que têm tantas propriedades e tanto dinheiro que fazem a empresa do meu pai parecer a banquinha da esquina.

Fiquei olhando para a foto das três figuras ensombreadas. Na minha cabeça, o homem da esquerda era o Besta. A postura curvada e a forma grande demais da cabeça me lembravam o homem de roxo do sonho.

— Besta disse que a organização dele estava por toda parte — relembrei. — Ele mencionou que tinha colegas.

A cauda de Quíron tremeu, fazendo um pincel deslizar pelo chão da caverna.

— Semideuses adultos? Não vejo campistas gregos fazendo isso, mas talvez os romanos? Se ajudaram Octavian com a guerra dele...

— Com certeza ajudaram — afirmou Rachel. — Encontrei documentos que comprovam. Não muitos, mas vocês se lembram das armas de cerco que Octavian construiu para destruir o Acampamento Meio-Sangue?

— Não — disse Meg.

Eu a teria ignorado, mas Rachel era uma alma mais gentil.

Ela deu um sorriso paciente.

— Me desculpe, Meg. Você parece tão à vontade aqui que acabo esquecendo que só chegou agora. Basicamente, os semideuses romanos atacaram este acampamento com catapultas gigantes chamadas onagros. Foi um grande mal-entendido. E as armas foram pagas pela Triunvirato S.A.

Quíron franziu a testa.

— Isso não é bom.

— Descobri uma coisa ainda mais perturbadora — continuou Rachel. — Lembram que antes disso, durante a Guerra dos Titãs, Luke Castellan mencionou que tinha apoio no mundo mortal? Que eles tinham dinheiro suficiente para comprar um navio de cruzeiro, helicópteros, armas. Até contrataram mercenários mortais.

— Também não me lembro disso — disse Meg.

Revirei os olhos.

— Meg, não podemos parar e explicar cada grande guerra para você! Luke Castellan era filho de Hermes. Ele traiu o acampamento e se aliou aos titãs. Eles atacaram Nova York. Foi uma batalha enorme. Eu salvei o dia. Et cetera.

Quíron tossiu.

— De qualquer modo, eu me lembro de Luke dizer que tinha muitos apoiadores. Nunca descobrimos exatamente quem eram.

— Agora sabemos — disse Rachel. — Aquele navio, o *Princesa Andrômeda*, era propriedade da Triunvirato S.A.

Uma sensação gelada de desconforto tomou conta de mim. Eu sentia que devia saber alguma coisa a respeito disso, mas meu cérebro mortal estava me traindo de novo. Tive mais certeza do que nunca de que Zeus estava brincando comigo, mantendo minha visão e minha memória limitadas. Mas me lembrei de algumas garantias que Octavian me dera: seria fácil vencer aquela guerrinha e erguer novos templos para mim, pois ele tinha muito apoio.

A tela do celular de Rachel se apagou, muito parecido com o que estava acontecendo com meu cérebro, mas a foto granulada ficou marcada na minha retina.

— Esses homens... — Peguei um tubo vazio de tinta siena queimada. — Estou com medo de eles não serem semideuses modernos.

Rachel franziu a testa.

— Você acha que são semideuses antigos que passaram pelas Portas da Morte, como Medeia ou Midas? A questão é que a Triunvirato S.A. existe desde bem antes de Gaia começar a despertar. Décadas, pelo menos.

— Séculos — corrigi. — Besta disse que estava construindo seu império havia séculos.

A caverna ficou tão silenciosa que imaginei o sibilar de Píton, o sopro silencioso de vapores do fundo da terra. Eu queria que tivéssemos uma musiquinha de fundo para acabar com esse som... um jazz ou música clássica. Mas teria aceitado até polca death metal.

Rachel balançou a cabeça.

— Então, quem...?

— Não sei — admiti. — Mas Besta... no meu sonho, ele me chamou de ancestral. Presumiu que eu o reconheceria. E, se minha mente divina estivesse intacta, acho que eu teria reconhecido mesmo. A postura, o sotaque, a estrutura facial... eu já o vi antes, mas não nos tempos modernos.

Meg estava muito quieta. Tive a impressão clara de que estava tentando se enfiar nas almofadas até sumir. Normalmente, isso não teria me incomodado, mas, depois do que passamos no Labirinto, eu sentia culpa cada vez que mencionava Besta. Minha consciência mortal inconveniente devia estar em ação.

— O nome Triunvirato... — Bati na testa, tentando soltar a informação que não estava mais lá. — O último triunvirato que enfrentei incluía Lépido, Marco Antônio e meu filho, Otaviano. Um triunvirato é um conceito muito romano... como patriotismo, fraude e assassinato.

Quíron coçou a barba.

— Você acha que esses homens são romanos antigos? Como é possível? Hades é muito bom em rastrear espíritos fugidos do Mundo Inferior. Ele não permitiria três homens da Antiguidade causando confusão no mundo moderno durante séculos.

— Mais uma vez, não sei. — Dizer isso com tanta frequência ofendia minha sensibilidade divina. Concluí que, quando voltasse ao Olimpo, teria que fazer gargarejo para tirar o gosto ruim da boca usando néctar sabor Tabasco. — Mas parece que esses homens vêm tramando contra nós há muito tempo. Eles financiaram a guerra de Luke Castellan. Forneceram ajuda ao Acampamento Júpiter quando os romanos atacaram o Acampamento Meio-Sangue. E, apesar dessas duas guerras, o Triunvirato ainda está aí... ainda tramando. E se essa empresa for a causa de... bem, tudo?

Quíron olhou para mim como se eu estivesse cavando o túmulo dele.

— É um pensamento bastante perturbador. Poderiam três homens ser tão poderosos?

Levantei as mãos, sem saber o que responder.

— Você viveu tempo o suficiente para saber, meu amigo. Deuses, monstros, titãs... eles são sempre perigosos. Mas a maior ameaça aos semideuses sempre foram outros semideuses. Quem quer que sejam esses três do Triunvirato, temos que impedi-los antes que dominem os oráculos.

Rachel se levantou.

— Como é? Oráculos, plural?

— Ah... eu não mencionei isso quando era um deus?

Os olhos dela recuperaram um pouco da intensidade verde-escura. Temi que estivesse visualizando formas de me causar dor com os suprimentos de arte.

— Não — respondeu, tentando manter o controle —, você não mencionou isso.

— Ah... bem, minha memória mortal tem falhado um pouco, entende? Eu tive que ler uns livros para...

— Oráculos — repetiu ela. — Plural.

Respirei fundo. Queria garantir que esses outros oráculos não significavam nada para mim! Rachel era especial! Infelizmente, eu duvidava de que ela acreditaria em mim. Concluí que era melhor ser direto.

— Antigamente, havia muitos oráculos. Claro que o de Delfos era o mais famoso, mas havia quatro outros de poder comparável.

Quíron balançou a cabeça.

— Mas foram destruídos séculos atrás.

— Era o que eu pensava — concordei. — Agora, não tenho tanta certeza. Acredito que a Triunvirato S.A. queira controlar *todos* os antigos oráculos. E acredito que o oráculo mais antigo de todos, o Bosque de Dodona, esteja bem aqui, no Acampamento Meio-Sangue.

21

Gente intrometida
Sempre queimando os oráculos
Romanos são fogo

EU ERA UM DEUS DRAMÁTICO.

Achei minha última frase bem impactante. Por isso esperava olhos arregalados, talvez música de órgão ao fundo. As luzes se apagariam antes que eu dissesse mais alguma coisa. Momentos depois, eu seria encontrado morto com uma faca nas costas. Seria incrível!

Espere aí. Eu sou mortal. Assassinato me mataria. Deixa pra lá.

De qualquer modo, nada disso aconteceu. Meus três companheiros só ficaram me encarando.

— Quatro outros oráculos — disse Rachel. — Você quer dizer que tem quatro outras Pítias...

— Não, minha querida. Só existe uma Pítia... *você*. Delfos é único.

Rachel ainda parecia prestes a enfiar um pincel número dez no meu nariz.

— Então esses quatro oráculos *não únicos*...

— Bem, um era a Sibila de Cumas. — Eu sequei o suor das palmas das mãos. (Por que as palmas das mãos mortais suam?) — Foi ela quem escreveu os livros sibilinos, as profecias que a harpia Ella memorizou.

Meg nos observava, confusa.

— Uma harpia... como aquelas moças-galinhas que arrumam tudo depois do almoço?

Quíron sorriu.

— Ella é uma harpia muito especial, Meg. Anos atrás, ela encontrou um exemplar dos livros proféticos, que achávamos que tinham sido queimados antes da queda de Roma. Agora, nossos amigos do Acampamento Júpiter estão tentando reconstruí-los com base nas lembranças de Ella.

Rachel cruzou os braços.

— E os outros três oráculos? Tenho certeza de que nenhum deles era uma bela e jovem sacerdotisa que você elogiava por... como você descreveu mesmo?... "Conversas brilhantes"?

— Ah...

Eu não sabia bem por quê, mas parecia que minhas espinhas estavam se transformando em insetos vivos e rastejando pelo meu rosto.

— Bem, de acordo com minha pesquisa extensa...

— Uns livros que ele folheou ontem à noite — esclareceu Meg.

— Isso! Havia um oráculo na Eritreia e outro na Caverna de Trofônio.

— Caramba — disse Quíron. — Eu tinha me esquecido desses outros dois.

Eu dei de ombros; também não me lembrava de quase nada sobre eles. Foram os que menos renderam de minhas franquias proféticas.

— E o quinto era o Bosque de Dodona — concluí.

— Um bosque — disse Meg. — De árvores.

— É, Meg, de árvores. Bosques costumam ser compostos de árvores e não de, digamos, picolés de chocolate. Dodona era um grupo de carvalhos sagrados plantados pela Mãe Deusa nos primeiros dias do mundo. Quando os olimpianos nasceram, eles já eram antigos.

— Mãe Deusa? — Rachel estremeceu, ainda que estivesse de casaco. — Por favor, diga que você não está falando de Gaia.

— Não é ela, felizmente. Estou falando de Reia, a rainha dos titãs, mãe da primeira geração de deuses olimpianos. As árvores sagradas dela falavam. Às vezes, diziam profecias.

— As vozes na floresta — adivinhou Meg.

— Exatamente. Acredito que o Bosque de Dodona tenha renascido na floresta do acampamento. Em meus sonhos, vi uma mulher de coroa implorando para que eu encontrasse o oráculo dela. Creio que era Reia, apesar de ainda não entender por que ela estava usando um símbolo da paz e falando *sacou*.

— Um símbolo da paz? — perguntou Quíron.

— Grande e de metal — confirmei.

Rachel bateu com os dedos no braço do sofá.

— Se Reia é titã, ela é má, certo?

— Nem todos os titãs eram maus — expliquei. — Reia era uma alma bondosa. Ela ficou do lado dos deuses na primeira grande guerra. Acho que quer nos ajudar também, para que seu bosque não caia nas mãos de nossos inimigos.

O rabo de Quíron tremeu.

— Meu amigo, Reia não é vista há milênios. O bosque dela pegou fogo há muito tempo. O imperador Teodósio mandou que o último carvalho fosse cortado em...

— É, é, eu sei.

Senti uma pontada entre os olhos, como sempre acontecia quando alguém mencionava Teodósio. Então lembrei que o valentão fechou todos os templos antigos do império, basicamente despejando os deuses olimpianos. Eu tinha um alvo de arco e flecha com a cara dele desenhada.

— Mesmo assim — continuei —, muitas coisas desse tempo sobreviveram ou se regeneraram. O Labirinto se reconstruiu. Por que um bosque de árvores sagradas não poderia surgir de novo bem aqui neste vale?

Meg afundou ainda mais nas almofadas.

— Isso é tão estranho. — A jovem McCaffrey resumia nossas conversas de forma extremamente eficiente. — Então, se as vozes das árvores são sagradas e tal, por que estão fazendo as pessoas se perderem?

— É a primeira vez que você faz uma boa pergunta. — Eu esperava que o elogio não subisse à cabeça de Meg. — Antigamente, os sacerdotes de Dodona cuidavam das árvores, podando-as, molhando-as e canalizando as vozes delas ao pendurar sinos de vento nos galhos.

— E qual é a função dessas coisas? — perguntou Meg.

— Sei lá, não sou sacerdote. Mas, com os cuidados adequados, essas árvores eram capazes de adivinhar o futuro.

Rachel ajeitou a saia.

— E sem cuidados adequados?

— As vozes ficavam sem foco — expliquei. — Eram um coro desenfreado e desarmônico. — Fiz uma pausa, orgulhoso de minha escolha de palavras. Torci para que anotassem para a posteridade, mas ninguém se mexeu. — Sem cuidados, o bosque poderia sem dúvida nenhuma levar mortais à loucura.

Quíron franziu a testa, apreensivo.

— Então agora nossos campistas desaparecidos devem estar vagando por entre as árvores, talvez loucos por causa das vozes.

— Ou podem já estar mortos — acrescentou Meg.

— Não. — Eu não conseguia suportar essa possibilidade. — Eles ainda estão vivos. Besta só está usando-os, tentando me atrair.

— Como você pode ter tanta certeza? — perguntou Rachel. — E por quê? Se Píton já controla Delfos, por que esses outros oráculos são tão importantes para ele?

Encarei a parede antes agraciada por uma imagem minha. Mas nenhuma resposta surgiu magicamente no espaço branco.

— Não sei. Acredito que nossos inimigos queiram nos isolar de todas as fontes possíveis de profecias. Sem poder ver e direcionar nosso destino, vamos murchar e morrer, tanto os deuses quanto os mortais, qualquer pessoa que se oponha ao Triunvirato.

Meg virou de cabeça para baixo no sofá e tirou os tênis vermelhos.

— Eles estão estrangulando nossas raízes — disse ela, balançando os dedos dos pés para demonstrar.

Olhei para Rachel, na esperança de que ela perdoasse os maus modos da minha senhora trombadinha.

— O Bosque de Dodona é tão importante porque, segundo Píton, é o único que ele não consegue controlar. Não sei exatamente o motivo, talvez porque Dodona seja o único oráculo que não tem ligação comigo. Os poderes dele vêm de Reia. Então, se o bosque estiver funcionando e se estiver livre da influência de Píton, e se estiver aqui no acampamento...

— Poderia nos fornecer profecias. — Os olhos de Quíron brilharam. — Poderia nos dar uma chance contra nossos inimigos.

Sorri para Rachel, uma espécie de pedido de desculpas.

— É claro que preferimos que nosso amado Oráculo de Delfos volte a funcionar o mais rápido possível — falei. — E vai voltar, em algum momento. Mas, agora, o Bosque de Dodona pode ser nossa única esperança.

O cabelo de Meg arrastou no chão; seu rosto estava da cor do meu gado sagrado.

— Essas profecias não são todas esquisitas, misteriosas e vagas, e as pessoas não morrem tentando fugir delas?

— Meg, já falei que você não pode confiar nas críticas daquele site, o avaliemeuoraculo.com. O fator beleza da Sibila de Cumas está *completamente* errado, por exemplo. Eu me lembro disso *bem* claramente.

Rachel apoiou o queixo no punho.

— Ah, é? Conte mais.

— Hã, o que estou dizendo é que o Bosque de Dodona é uma força benevolente. Já ajudou heróis antes. O mastro do *Argo* original, por exemplo, foi entalhado a partir de um galho de uma das árvores sagradas. Ele falava com os argonautas e lhes dava orientações.

— Humm. — Quíron assentiu. — E é por isso que nosso Besta misterioso quer destruir o bosque.

— É o que parece — concluí. — E é por isso que temos que salvá-lo.

Meg virou de novo no sofá, e as pernas derrubaram a mesinha de centro de três pernas, espalhando chá e biscoitos.

— Ops.

Trinquei meus dentes mortais, que não durariam um ano se eu continuasse andando com Meg. Rachel e Quíron agiram com sabedoria ao ignorar a exibição de Megacidade da minha jovem amiga.

— Apolo... — O velho centauro ficou olhando uma cascata de chá escorrer pela beirada da mesa. — Se você estiver certo sobre Dodona, como vamos proceder? Já temos pouca gente. Se enviarmos grupos de busca para a floresta, não temos garantia de que irão voltar.

Meg tirou o cabelo dos olhos.

— Nós vamos. Só Apolo e eu.

Minha língua tentou se esconder nas profundezas da minha garganta...

— Nós... nós vamos?

— Você disse que tem que passar por umas provações ou sei lá o quê para mostrar que é digno, certo? Essa vai ser a primeira.

Parte de mim sabia que ela estava certa, mas o que restava do meu eu divino se rebelou contra a ideia. Eu nunca fiz meu próprio trabalho sujo. Preferiria enviar um bom grupo de heróis para a morte certa... ou, você sabe, para a glória.

Mas Reia foi bem clara em meu sonho: encontrar o oráculo era uma tarefa minha. E, graças à crueldade de Zeus, aonde quer que eu fosse, Meg ia atrás. Até onde eu sabia, Zeus estava ciente da existência do Besta e dos planos dele, e me mandou aqui especificamente para resolver essa situação... uma constatação que não me deixou nem um pouco empolgado para dar a ele uma linda gravata de Dia dos Pais.

Eu também me lembrava da outra parte do sonho: Besta de terno roxo, me encorajando a encontrar o oráculo para que ele pudesse queimá-lo. Ainda havia muitas coisas que eu não entendia, mas eu precisava agir logo. Austin e Kayla dependiam de mim.

Rachel colocou a mão em meu joelho, e eu me encolhi na hora. Para minha surpresa, ela não me machucou. Seu olhar estava mais para determinado do que zangado.

— Apolo, você tem que tentar. Se conseguirmos ter um vislumbre do futuro... bem, pode ser a única maneira de fazer as coisas voltarem ao normal. — Ela olhou com pesar para as paredes vazias da caverna. — Eu gostaria de ter um futuro de novo.

Quíron mexeu as patas da frente.

— O que você precisa de nós, velho amigo? Como podemos ajudar?

Olhei para Meg. Infelizmente, nós percebemos que não havia outra saída. Estávamos presos um ao outro, e não podíamos colocar mais ninguém em risco.

— Meg está certa — falei. — Nós dois temos que fazer isso. Devíamos partir imediatamente, mas...

— Ficamos acordados a noite toda — disse Meg. — Precisamos dormir um pouco.

Que maravilha, pensei. *Agora Meg está terminando minhas frases.*

Dessa vez, eu não tinha como discordar dela. Apesar da minha vontade de correr para a floresta o quanto antes e salvar meus filhos, eu precisava agir com cautela. Não podia estragar tudo. Além disso, estava cada vez mais seguro de que Besta manteria os prisioneiros vivos, por ora. Ele precisava dos semideuses para me atrair para a armadilha.

Quíron se levantou nas patas da frente.

— Esta noite, então. Descansem e se preparem, meus heróis. Creio que vocês vão precisar de todas as suas forças e de toda a sua inteligência para o que se aproxima.

22

Armado até os olhos:
Ukulele de combate
Lenço do Brasil

OS DEUSES DO SOL não são bons em dormir durante o dia, mas acabei conseguindo tirar um cochilo agitado.

Quando acordei, no fim da tarde, o acampamento estava movimentado.

O desaparecimento de Kayla e Austin tinha sido a gota d'água. Os outros campistas estavam tão abalados que ninguém conseguia manter uma rotina normal. Acho que um semideus desaparecendo de cada vez em intervalos de algumas semanas era uma taxa razoável. Mas o sumiço de dois semideuses no meio de uma atividade organizada pelo acampamento... só podia significar que ninguém estava seguro.

Algum boato sobre nossa conferência na caverna deve ter se espalhado. As irmãs Victor tinham enfiado chumaços de algodão nos ouvidos para evitar ouvir qualquer coisa do oráculo. Julia e Alice foram para o alto da parede de lava vigiar a floresta com seus binóculos, sem dúvida torcendo para ver o Bosque de Dodona, mas eu duvidava de que conseguissem sequer enxergar as árvores.

Aonde quer que eu fosse, as pessoas fechavam a cara quando me viam. Damien e Chiara estavam sentados juntos no píer das canoas, olhando emburrados na minha direção. Sherman Yang me dispensou com um aceno quando tentei falar com ele. Estava ocupado decorando o chalé de Ares com granadas e montantes coloridos. Se fosse Saturnália, ele teria ganhado o prêmio de decoração de festa mais violenta.

Até Atena Partenos me encarava com expressão acusadora do alto da colina, como se dissesse *É tudo culpa sua*.

Ela estava certa. Se eu não tivesse deixado Píton dominar Delfos, se tivesse prestado mais atenção aos outros oráculos antigos, se não tivesse perdido minha divindade...

Pare, Apolo, repreendi a mim mesmo. *Você é lindo e todo mundo ama você.*

Mas estava ficando cada vez mais difícil acreditar nisso. Meu pai, Zeus, não me amava. Os semideuses no Acampamento Meio-Sangue não me amavam. Píton, Besta e seus colegas da Triunvirato S.A. não me amavam. E isso era quase o suficiente para que eu questionasse meu valor.

Não, não. Que papo maluco.

Não encontrei Quíron e Rachel em lugar algum. Nyssa Barrera me contou que estavam tentando, sem muitas expectativas, usar a única conexão de internet, no escritório de Quíron, para conseguir mais informações sobre a Triunvirato S.A. Harley estava com eles dando apoio técnico. Enfrentavam uma eterna espera no serviço de atendimento ao cliente da operadora e talvez levassem horas para voltar, isso se sobrevivessem ao suplício.

Encontrei Meg no arsenal, procurando suprimentos de batalha. Ela havia prendido uma couraça por cima do vestido verde e grevas sobre a legging laranja. Parecia uma criança obrigada pelos pais a usar roupas de combate.

— Um escudo, talvez? — sugeri.

— Nã-nã. — Ela me mostrou os anéis. — Eu sempre uso duas espadas. Além do mais, preciso ter a mão livre para dar um tapa em você quando fizer alguma burrice.

Tive a sensação desagradável de que ela estava falando sério.

Na estante de armas, Meg pegou um arco longo e ofereceu para mim.

Eu me encolhi.

— Não.

— É sua melhor arma. Você é Apolo.

Engoli o amargor de bile mortal.

— Fiz um juramento. Não sou mais o deus da arqueria nem da música. Não vou usar um arco nem um instrumento musical enquanto não conseguir usá-los *bem*.

— Juramento burro. — Ela não me deu um tapa, mas pareceu ter sentido vontade. — O que você vai fazer? Ficar parado torcendo enquanto eu luto?

Esse era realmente meu plano, mas na hora pareceu idiota admitir. Olhei para as armas expostas e peguei uma espada. Mesmo sem desembainhar, percebi que era pesada demais e difícil de usar, mas a prendi na cintura.

— Pronto. Satisfeita?

Meg não pareceu satisfeita. Mesmo assim, colocou o arco no lugar.

— Tudo bem. Mas é melhor você me dar cobertura.

Nunca tinha entendido essa expressão. Ela me fazia pensar nos cartazes de ME CHUTE que Ártemis grudava na minha toga nos dias de festival. Mesmo assim, assenti.

— Sua cobertura será dada.

Chegamos ao limite da floresta e encontramos uma pequena festa de bota-fora nos esperando: Will e Nico, Paulo Montes, Malcolm Pace e Billie Ng, todos muito sérios.

— Tome cuidado — disse Will. — E leve isto.

Antes que eu pudesse protestar, ele colocou um ukulele na minha mão.

Tentei devolver.

— Não posso. Fiz um juramento...

— É, eu sei. Foi burrice sua. Mas é um ukulele de combate. Você pode lutar com ele, se precisar.

Olhei melhor para o instrumento. Era feito de bronze celestial, folhas finas de metal cobertas de ácido para parecer o granulado de carvalho claro. O instrumento não pesava quase nada, mas imaginei que fosse praticamente indestrutível.

— Trabalho de Hefesto? — perguntei.

Will balançou a cabeça, discordando.

— Trabalho de Harley. Ele queria que você ficasse com o ukelele. É só pendurar nas costas. Por mim e por Harley. Vai fazer a gente se sentir melhor.

Achei que deveria honrar o pedido, embora fosse raro alguém se sentir melhor por eu estar carregando um ukulele. Não me pergunte o motivo. Eu tocava uma versão arrepiante de "Satisfaction".

Nico me entregou ambrosia enrolada em um guardanapo.

— Não posso comer isso — lembrei a ele.

— Não é para você.

Ele olhou para Meg, a expressão receosa.

Lembrei que o filho de Hades tinha as próprias formas de sentir o futuro (futuros que envolviam a possibilidade de morte). Por mais irritante que Meg fosse, às vezes, fiquei profundamente abalado pela ideia de que ela pudesse se ferir. Decidi que não permitiria que isso acontecesse.

Malcolm estava mostrando um mapa em um pergaminho para Meg, apontando vários lugares na floresta que devíamos evitar. Paulo, parecendo totalmente recuperado da cirurgia na perna, estava ao lado dele, fornecendo com cuidado e sinceridade comentários em português que ninguém conseguia entender.

Quando terminaram de analisar o mapa, Billie Ng se aproximou de Meg.

Billie era pequena e magrinha. Ela compensava a estatura diminuta com o estilo de um ídolo K-Pop. O casaco era da cor de papel-alumínio. O cabelo chanel era verde-água, e a maquiagem, dourada. Eu aprovava totalmente. Na verdade, achava que eu mesmo arrasaria com aquele look se conseguisse dar um jeito na acne.

Billie deu a Meg uma lanterna e um pacote pequeno de sementes de flores.

— Só por garantia — disse ela.

Meg, parecendo emocionada, deu um abraço forte nela.

Não entendi o motivo das sementes, mas foi reconfortante saber que, em uma emergência, eu poderia bater nas pessoas com meu ukulele enquanto Meg plantava gerânios.

Malcolm Pace me entregou o mapa de pergaminho.

— Quando estiver em dúvida, vá para a direita. Isso costuma funcionar na floresta, não sei por quê.

Paulo me ofereceu um lenço estampado com a bandeira do Brasil. Disse alguma coisa que, obviamente, não consegui entender.

Nico deu um sorrisinho.

— É o lenço da sorte de Paulo. Acho que ele quer que você use, pois acredita que vai torná-lo invencível.

Achei duvidoso, já que Paulo tinha tendência a sofrer ferimentos graves, mas, sendo um deus, aprendi a nunca recusar oferendas.

— Obrigado.

Paulo segurou meus ombros e beijou minhas bochechas. Talvez eu tenha ficado vermelho. Ele era bem bonito quando não estava com algum membro amputado jorrando sangue.

Apoiei a mão no ombro de Will.

— Não se preocupe. Vamos voltar até o amanhecer.

A boca de Will tremeu de leve.

— Como pode ter certeza?

— Sou o deus do Sol — falei, tentando demonstrar mais confiança do que sentia. — *Sempre* volto no amanhecer.

É claro que choveu. Por que não choveria?

No Monte Olimpo, Zeus devia estar dando boas risadas da minha cara. O Acampamento Meio-Sangue em teoria estava protegido de fenômenos naturais extremos, mas sem dúvida meu pai tinha mandado Éolo liberar tudo que segurava os ventos. Minhas ex-namoradas ninfas do ar deviam estar apreciando o momento de vingança.

A chuva era quase uma geada: líquida o bastante para encharcar minhas roupas, sólida o bastante para atingir meu rosto como estilhaços de vidro.

Cambaleamos adiante e corremos de árvore em árvore, procurando qualquer proteção que aparecesse. Trechos de neve velha estalavam debaixo dos meus pés. Meu ukulele foi ficando pesado conforme o buraco se enchia de chuva. O raio da lanterna de Meg cortava a tempestade como um cone de estática amarela.

Fui na frente, não por ter algum destino em mente, mas porque estava com raiva. Estava cansado de sentir frio e ficar molhado. Cansado de implicarem comigo. Mortais reclamam muito que o mundo está contra eles, mas isso é ridículo. Mortais não são tão importantes. No meu caso, o mundo todo *estava* mesmo contra mim. Eu me recusava a me render a esse abuso. Faria alguma coisa! Só não sabia o quê.

De tempos em tempos, ouvíamos monstros ao longe, o rugido de um drakon, o uivo harmonizado de um lobo de duas cabeças, mas nada apareceu. Em uma noite como aquela, qualquer monstro com dignidade teria ficado no aconchego da própria toca.

Depois do que pareceram horas, Meg sufocou um grito. Eu heroicamente pulei para o lado dela com a mão na espada. (Eu a teria puxado, mas era muito pesada e ficou presa na bainha.) Aos pés de Meg, coberta de lama, havia uma casca preta brilhante do tamanho de uma rocha. Estava rachada no meio e com as beiradas sujas de uma gosma nojenta.

— Quase pisei nisso.

Meg cobriu a boca como se fosse vomitar.

Cheguei mais perto. A casca era a carapaça esmagada de um inseto gigante. Ali perto, camuflada entre as raízes de árvore, estava uma das pernas desmembradas do animal.

— É um myrmeko — falei. — Ou era.

Por trás dos óculos molhados de chuva, os olhos de Meg estavam impossíveis de decifrar.

— Um *quê*?

— Uma formiga gigante. Deve haver uma colônia aqui na floresta.

Meg engasgou.

— Odeio insetos.

Isso fazia sentido vindo da filha de uma deusa da agricultura, mas na minha opinião a formiga morta não era mais nojenta do que as pilhas de lixo onde sempre acabávamos.

— Ah, não se preocupe — falei. — Ela está morta. O que a matou deve ter maxilares poderosos para esmagar a carapaça.

— Não está ajudando. Essas... essas coisas são perigosas?

Dei uma risada.

— Ah, são. Elas variam de tamanho, as menores são tipo cachorros pequenos, e a maiores se parecem com ursos-pardos. Uma vez, vi uma colônia de myrmekos atacar um exército grego na Índia. Foi hilário. Elas cospem ácido que pode derreter a armadura de bronze e...

— Apolo.

Meu sorriso sumiu. Lembrei a mim mesmo que não era mais espectador. Essas formigas podiam nos matar. Facilmente. E Meg estava com medo.

— Certo — falei. — Bem, a chuva deve fazer com que os myrmekos fiquem nos túneis. Não se mostre um alvo fácil. Elas gostam de coisas brilhantes e cintilantes.

— Como lanternas?

— Hã...

Meg me entregou a lanterna.

— Vá na frente, Apolo.

Achei aquilo injusto, mas seguimos nosso caminho.

Depois de mais uma ou duas horas (com certeza a floresta não podia ser tão grande), a chuva parou e deixou o chão fumegando.

O ar ficou mais quente. A umidade era tanta que parecia que estávamos em casas de banho. Vapor denso e branco envolvia os galhos das árvores.

— O que está acontecendo? — Meg secou o rosto. — Parece uma floresta tropical agora.

Eu não sabia dizer. À frente, ouvi um estrondoso som de água, como se estivesse sendo empurrada por canos... ou fissuras.

Não consegui evitar um sorriso.

— Um gêiser.

— Um gêiser — repetiu Meg. — Como o Old Faithful?

— Isso é uma ótima notícia. Talvez a gente consiga obter direções. Nossos semideuses perdidos talvez até tenham conseguido abrigo lá!

— Com os gêiseres — disse Meg.

— Não, minha garota ridícula. Com os *deuses* dos gêiseres. Supondo que estejam de bom humor, isso pode ser ótimo.

— E se eles estiverem de mau humor?

— Então vamos alegrá-los antes que nos fervam. Me siga!

23

Desculpe o incômodo
O que achou de sua morte?
Muito obrigado

SE FUI PRECIPITADO AO correr na direção de deuses da natureza tão voláteis?

Ah, me poupe. Nunca fui de duvidar de mim mesmo. Não é um traço da minha personalidade, e nunca precisei dele.

É verdade, minhas lembranças dos Pálicos estavam meio enevoadas. Eu sabia, por exemplo, que os deuses dos gêiseres na antiga Sicília davam refúgio a escravos fugitivos, então deviam ser espíritos bondosos. Talvez eles fizessem o mesmo com semideuses perdidos, ou ao menos repararidam quando cinco deles passassem por aquele território, murmurando coisas incoerentes. Além do mais, eu era Apolo! Os Pálicos ficariam honrados de conhecer um olimpiano importante como eu! O fato de que gêiseres cuspiam jatos de água escaldante dezenas de metros acima não ia me impedir de conquistar novos fãs... quer dizer, fazer novos *amigos*.

A clareira se abriu à nossa frente como a porta de um forno. Um muro de calor subiu pelas árvores e bateu em meu rosto. Senti meus poros se abrindo para absorver a umidade, o que com sorte daria uma melhorada na minha pele horrenda.

Aquela cena não condizia com o inverno de Long Island. Trepadeiras reluzentes envolviam os galhos das árvores. Flores tropicais nasciam no chão da floresta. Uma arara vermelha estava pousada em uma bananeira carregada de cachos verdes.

No meio da clareira havia dois gêiseres, buracos idênticos no chão, envoltos em poças de lama cinza em formato de oito. As crateras borbulhavam e sibilavam, mas não estavam em atividade no momento. Decidi encarar isso como um bom presságio.

As botas de Meg chapinharam na lama.

— É seguro?

— Definitivamente, não — afirmei. — Vamos precisar de uma oferenda. Que tal seu pacote de sementes?

Meg deu um soco no meu braço.

— As sementes são mágicas. Para emergências de vida e morte. E seu ukulele? Você não vai tocar mesmo.

— Um homem de honra *nunca* entrega seu ukulele. — Eu me animei. — Mas espere. Você me deu uma ideia. Vou oferecer aos deuses dos gêiseres um poema! Ainda consigo fazer isso. E não conta como música.

Meg franziu a testa.

— Hã, não sei se...

— Não fique com inveja, Meg. Vou fazer um poema para você depois. É claro que isso vai agradar os deuses dos gêiseres!

Dei um passo à frente, abri os braços e comecei a improvisar:

— *Ah, gêiser, meu gêiser,*
Vamos cuspir então, você e eu,
Nesta noite lúgubre, enquanto ponderamos
De quem é essa floresta?
Pois não sucumbimos a esta boa noite,
Mas vagamos sozinhos como nuvens.
Procuramos saber por quem os sinos dobram,
Então espero, fontes eternas,
Que tenha chegado a hora de falar de muitas coisas!

Não quero me gabar nem nada, mas achei que ficou muito bom, ainda que eu tenha reciclado algumas partes de trabalhos anteriores. Diferentemente da música e da arqueria, minhas habilidades divinas com a poesia pareciam completamente intactas.

Olhei para Meg esperando ver admiração em seu rosto. Já estava na hora de a garota começar a me dar o valor que eu merecia. Mas ela estava boquiaberta, chocada.

— O que foi? — perguntei. — Você nunca estudou poesia na escola, não? Isso foi coisa de profissional!

Meg apontou para os gêiseres. Eu percebi que ela não estava nem aí para mim.

— Bem — disse uma voz rouca —, você conseguiu minha atenção.

Um dos Pálicos pairava acima do gêiser. A parte de baixo do corpo era feita de vapor. Da cintura para cima, ele tinha mais ou menos o dobro do tamanho de um humano, com braços musculosos cor de lama, olhos brancos como giz e cabelo que lembrava espuma de cappuccino, como se ele tivesse passado muito xampu e depois esfregado a cabeça com força. O peito enorme estava enfiado em uma camisa polo azul-bebê com um logotipo de árvores bordado no bolso do peito.

— Ah, grande Pálico! — falei. — Nós rogamos a você...

— O que foi aquilo? — interrompeu o espírito. — Aquilo que você estava falando?

— Poesia! — respondi. — Para você!

Ele esfregou o queixo cinza-lama.

— Não, aquilo não foi poesia.

Mas não era possível. *Ninguém* apreciava mais a beleza da linguagem?

— Meu bom espírito — falei. — Poesia não tem que rimar, entende?

— Não estou falando de rima. Estou falando de passar a mensagem. Nós sempre fazemos pesquisas de mercado, e sua poesia *não* seria aprovada para nossas campanhas. Agora, a música do comercial do Big Mac, *aquilo* é poesia. A propaganda tem não sei quantos anos e as pessoas ainda cantam a música. Você acha que consegue nos dar uma poesia como aquela?

Olhei para Meg para ter certeza de que não estava imaginando essa conversa.

— Escute aqui — falei para o deus dos gêiseres —, eu sou o senhor da poesia há quatro mil anos. Sei reconhecer boa poesia...

O Pálico balançou a mão.

— Vamos começar de novo. Vou explicar tudo e talvez você possa me dar alguns conselhos. Oi, eu me chamo Pete. Bem-vindos à Floresta do Acampamento Meio-Sangue! Você estaria disposto a fazer uma breve pesquisa de satisfação do cliente depois desse encontro? Sua opinião é importante para nós.

— Hã...

— Ótimo. Obrigado.

Pete remexeu em seu corpo de fumaça, como se estivesse procurando algo nos bolsos. Tirou de lá um livreto com páginas brilhantes e começou a ler.

— A floresta é sua parada obrigatória no caminho para a... Humm, aqui diz *diversão*. Pensei que tivéssemos mudado para *exultação*. Sabe, a gente tem que escolher as palavras com cuidado. Se Paulie estivesse aqui... — Pete soltou um suspiro. — Bom, ele se sai melhor na apresentação. De qualquer modo, bem-vindos à Floresta do Acampamento Meio-Sangue!

— Você já disse isso — observei.

— Ah, é.

Pete fez surgir uma caneta vermelha e começou a editar o texto.

— Ei. — Meg passou por mim com um esbarrão. Ela ficou sem palavras, espantada por uns dez segundos, o que deve ter sido um novo recorde. — Sr. Lama Vaporosa, você viu algum semideus perdido?

— Sr. Lama Vaporosa! — Pete deu um tapa no livreto. — *Isso* sim é um nome que chama a atenção! E excelente questão essa dos semideuses. Não podemos deixar nossos convidados vagando por aí sem direção. Devíamos entregar mapas na entrada da floresta. Tantas coisas maravilhosas para se ver por aqui e ninguém faz a menor ideia. Vou falar com Paulie quando ele voltar.

Meg tirou os óculos embaçados.

— Quem é Paulie?

Pete indicou o segundo gêiser.

— Meu parceiro. Talvez a gente possa acrescentar um mapa a este livreto se...

— Então vocês *viram* algum semideus perdido? — perguntei.

— O quê? — Pete tentou escrever no livreto, mas o vapor o deixou tão encharcado que a caneta vermelha passou direto pelo papel. — Ah, não. Não recentemente. Mas nossa sinalização deveria ser melhor. Por exemplo, vocês sabiam que esses gêiseres estavam aqui?

— Não — admiti.

— Pois então! Gêiseres duplos, os únicos de Long Island, e o pessoal nem sabe que estamos aqui. Não temos propaganda. Não temos boca a boca. Foi por isso que convencemos o comitê a nos contratar!

Meg e eu nos entreolhamos. Pela primeira vez estávamos em sintonia: confusão total.

— Me desculpe — falei. — Você está me dizendo que a floresta tem um comitê?

— É claro que tem — disse Pete. — As dríades, os outros espíritos da natureza, os monstros conscientes... *Alguém* tem que pensar nos valores da propriedade, nos serviços e nas relações públicas. E também não foi fácil fazer o comitê nos contratar para o marketing. Se fizermos besteira aqui... ah, cara.

Meg enfiou os sapatos na lama.

— Podemos ir? Não estou entendendo nada do que esse cara está falando.

— E isso é um problema! — Pete gemeu. — Como bolar uma estratégia de divulgação que passe a imagem certa da floresta? Por exemplo, Pálicos como Paulie e eu éramos famosos! Grandes destinos turísticos! As pessoas vinham até nós para fazer juramentos. Escravos foragidos nos procuravam em busca de abrigo. Nós recebíamos sacrifícios, oferendas, orações... era ótimo. Agora, nada.

Eu dei um suspiro.

— Sei como é.

— Pessoal — disse Meg —, estamos procurando semideuses desaparecidos.

— Certo — concordei. — Ó, Grande... Pete, você tem alguma ideia de aonde nossos amigos perdidos podem ter ido? Por acaso conhece locais secretos na floresta?

Os olhos branco-giz de Pete brilharam.

— Você sabia que os filhos de Hefesto têm uma oficina escondida ao norte chamada Bunker 9?

— Aham, sabia, sim — falei.

— Ah. — Uma nuvem de vapor escapou da narina esquerda de Pete. — E o Labirinto? Sabia que ele se reconstruiu? Tem uma entrada bem aqui na floresta...

— Nós sabemos — disse Meg.

Pete pareceu desanimado.

— Talvez sua campanha de marketing esteja mesmo funcionando, Pete — argumentei.

— Você acha? — O cabelo de espuma do gêiser começou a girar. — É verdade! Faz sentido! Você por acaso viu nossos refletores? Foram ideia minha.

— Refletores? — perguntou Meg.

Raios de luz vermelha idênticos saíram dos gêiseres e varreram o céu. Iluminado por baixo, Pete parecia o contador de histórias de terror mais assustador do mundo.

— Infelizmente, eles atraíram o tipo errado de atenção. — Pete suspirou. — Paulie não me deixa usar muito. Ele sugeriu anunciarmos em um dirigível, ou talvez em um King Kong inflável gigantesco...

— Legal — interrompeu Meg. — Mas você sabe alguma coisa sobre um bosque secreto com árvores que sussurram?

Eu tinha que admitir: Meg era boa em nos trazer de volta ao assunto. Minha parte poeta não me fez cultivar o hábito de ser direto, mas a parte arqueira sabia apreciar o valor de um disparo preciso.

— Ah. — Pete se abaixou um pouco, e, por causa do refletor, parecia que ele tinha mergulhado num copo de groselha. — Eu não posso falar sobre o bosque.

Minhas orelhas antes divinas formigaram. Resisti à vontade de gritar *AHÁ!*

— Por que você não pode falar sobre o bosque, Pete?

O espírito mexeu no livreto molhado.

— Paulie disse que assustaria os turistas. "Fale sobre os dragões", ele me aconselhou. "Fale sobre lobos, serpentes e máquinas de matar antigas. Mas não mencione o bosque."

— Máquinas de matar? — perguntou Meg.

— É — respondeu Pete, com desânimo. — Estamos anunciando como diversão familiar. Mas o bosque... Paulie disse que era nosso maior problema. A região não tem nem *permissão* para funcionar como oráculo. Paulie foi lá para ver se conseguia realocá-lo, mas...

— Não voltou — adivinhei.

Pete assentiu, desolado.

— Como vou cuidar da campanha de marketing sozinho? Posso usar ligações automáticas para as pesquisas de opinião por telefone, claro, mas boa parte do trabalho tem que ser feita cara a cara, e Paulie sempre foi melhor com essas coisas. — A voz de Pete virou um sussurro triste. — Estou com saudade dele.

— Talvez a gente consiga encontrá-lo — sugeriu Meg — e trazê-lo de volta.

Pete balançou a cabeça.

— Paulie me fez prometer que eu não iria atrás dele e não contaria a ninguém onde fica o bosque. Ele é bom em resistir àquelas vozes esquisitas, mas vocês não teriam a menor chance.

Fiquei tentado a concordar. Encontrar máquinas de matar antigas parecia bem mais razoável. Mas então imaginei Kayla e Austin andando pelo bosque, enlouquecendo aos poucos. Eles precisavam de mim, e por isso eu tinha que saber onde eles estavam.

— Desculpe, Pete. — Lancei a ele meu olhar mais crítico, o mesmo que usava para arrasar aspirantes a cantores durante audições da Broadway. — Essa sua história está bem estranha.

Lama borbulhou ao redor da caldeira de Pete.

— Co-como assim?

— Acho que esse bosque não existe — respondi. — E, se existir, acho que você não sabe a localização.

O gêiser de Pete rugiu, o vapor subindo pelo raio do refletor.

— Eu... eu sei, *sim*! É claro que existe!

— Ah, é? Então por que não tem outdoors sobre ele espalhados por aí? E um site exclusivo? Por que nunca vi uma hashtag #BosquedeDodona nas mídias sociais?

Pete fez cara feia.

— Eu sugeri tudo isso! Paulie rejeitou tudo!

— Então aumente o alcance da marca! — pedi. — Venda seu produto! Nos mostre onde fica esse bosque!

— Não posso. A única entrada... — Ele olhou para um ponto atrás de mim, e seu rosto ficou sem expressão. — Ah, droga.

O refletor se apagou.

Eu me virei. Meg sufocou um gritinho.

Minha visão demorou um momento para se ajustar, mas, no fim da clareira, havia três formigas pretas do tamanho de tanques de guerra.

— Pete — falei, tentando ficar calmo —, quando você disse que seus refletores atraíam o tipo errado de atenção...

— Eu estava falando dos myrmekos — completou ele. — Espero que isso não influencie seu comentário na página da Floresta do Acampamento Meio-Sangue.

24
Quebrando a promessa
Falhando espetacularmente
Eu culpo Neil Diamond

OS MYRMEKOS DEVEM ESTAR no topo da sua lista de monstros com os quais não se deve lutar.

Eles atacam em grupos. Cospem ácido. Suas presas são capazes de perfurar bronze celestial.

Além de tudo, são feios.

As três formigas-soldados avançaram, as antenas de três metros balançando e tremendo de uma forma hipnotizadora, tentando me distrair do verdadeiro perigo que eram as presas.

As cabeças finas lembravam galinhas: galinhas com olhos escuros impassíveis e rostos pretos com armaduras. As patas dariam um ótimo guincho de obra. Os abdomes enormes latejavam e pulsavam como narizes farejando comida.

Amaldiçoei silenciosamente Zeus por inventar formigas. Pelo que eu sabia, ele se aborreceu com algum homem ganancioso que sempre roubava a colheita dos vizinhos, então o transformou na primeira formiga, uma espécie que não faz nada além de procurar comida, roubar e procriar. Ares gostava de brincar dizendo que se Zeus queria tanto uma espécie assim podia ter deixado os humanos como estavam mesmo. Eu achava graça. Agora que sou um de vocês, não acho mais.

As formigas vieram em nossa direção com as antenas vibrando. Imaginei que o fluxo de pensamento delas fosse algo assim: *Brilhantes? Gostosos? Indefesos?*

— Nada de movimentos repentinos — falei para Meg, que não parecia nem um pouco inclinada a se mexer. Na verdade, parecia petrificada.

— Ah, Pete? — chamei. — O que você faz quando myrmekos invadem seu território?

— Eu me escondo — disse ele, e desapareceu no gêiser.

— Isso não ajuda em nada — resmunguei.

— A gente pode mergulhar lá? — perguntou Meg.

— Só se você quiser morrer queimada em um poço de água escaldante.

Os insetos do tamanho de tanques bateram as presas e chegaram mais perto.

— Tive uma ideia. — Peguei o ukulele.

— Achei que você tivesse jurado que ia parar de tocar.

— Jurei. Mas, se eu jogar este objeto brilhante para o lado, as formigas podem...

Eu estava prestes a dizer *as formigas podem ir atrás e nos deixar em paz.*

Só não pensei que, segurando o ukulele, eu ficava mais brilhante e saboroso. Antes que eu jogasse o instrumento, as formigas-soldados partiram para cima de nós. Cambaleei para trás e só me lembrei do gêiser atrás de mim quando minhas costas começaram a ficar com bolhas, enchendo o ar de vapor com aroma de Apolo.

— Oi, insetos!

As espadas de Meg brilharam nas mãos dela, tornando-a a nova coisa mais brilhante da clareira.

Podemos parar um momento para apreciar o fato de que Meg fez isso *de propósito*? Ela morria de medo de insetos; poderia simplesmente ter fugido e me deixado para ser devorado. Mas preferiu arriscar a vida distraindo as três formigas enormes. Jogar lixo em um delinquente de rua era uma coisa. Mas isso... isso era um nível de burrice completamente novo para mim. Se eu sobrevivesse, talvez tivesse que indicar Meg McCaffrey a Melhor Sacrifício na próxima premiação dos Semideuses do Ano.

Duas formigas partiram para cima de Meg. A terceira ficou perto de mim, apesar de ter virado a cabeça o bastante para me permitir passar correndo para o outro lado.

Meg correu entre os oponentes, as espadas douradas cortando uma perna de cada inseto. As mandíbulas assassinas morderam o ar. As formigas oscilaram nas cinco patas que restavam, tentaram se virar e suas cabeças colidiram.

Enquanto isso, a terceira formiga me atacou. Em pânico, joguei meu ukulele de combate, que quicou na testa da formiga com um barulho dissonante.

Puxei a espada da bainha. Sempre odiei espadas. São armas tão deselegantes e exigem combate corporal. Isso não é nada sábio quando se pode disparar uma flecha em seus inimigos do outro lado do mundo!

A formiga cuspiu ácido, e tentei desviar a gosma.

Talvez não tenha sido uma ideia muito inteligente. Era comum que eu confundisse luta de espadas e jogo de tênis. Ao menos parte do ácido acertou os olhos da formiga, o que me fez ganhar alguns segundos. Recuei valorosamente, erguendo a espada para descobrir que a lâmina tinha sido corroída, me deixando só com o cabo fumegante.

— Hã... Meg? — gritei, indefeso.

Ela, por outro lado, estava bem ocupada. As espadas giravam em arcos dourados de destruição, cortando segmentos de pernas, partindo antenas. Nunca vi um dimaquero lutar com tanta habilidade, e olha que já tinha assistido aos melhores gladiadores em combate. Infelizmente, o máximo que suas lâminas conseguiam ao encontrar as carapaças grossas das formigas era soltar faíscas. Golpes rápidos e desmembramento não as dispersaram. Por melhor que Meg fosse, as formigas tinham mais pernas, mais peso, mais ferocidade e um pouco mais de capacidade de cuspir fogo.

Meu oponente tentou me morder. Consegui evitar as mandíbulas, mas o rosto com a grossa carapaça bateu na lateral da minha cabeça. Cambaleei e caí. Um canal auditivo pareceu se encher de ferro derretido.

Minha visão ficou enevoada. Do outro lado da clareira, as outras formigas cercaram Meg, usando o ácido para conduzi-la na direção da floresta. Ela mergulhou atrás de uma árvore e saiu com apenas uma das espadas. Tentou acertar a formiga mais próxima, mas foi obrigada a recuar por causa do fogo cruzado de ácido. Sua legging estava soltando fumaça, toda esburacada. O rosto estava contorcido de dor.

— Pêssego — murmurei, baixinho. — Onde está aquele demônio de fraldas idiota quando precisamos dele?

O *karpos* não apareceu. Talvez a presença do deus do gêiser ou de alguma outra força na floresta o tenha mantido longe. Talvez fossem as regras do comitê de diretores, que não permitia bichinhos de estimação.

A terceira formiga surgiu em cima de mim, as mandíbulas espumando saliva verde. O bafo era pior do que as camisas de trabalho de Hefesto.

Poderia atribuir a decisão que tomei em seguida ao ferimento na minha cabeça. Poderia dizer que não estava pensando direito, mas não era verdade. Eu estava desesperado. Apavorado. Queria ajudar Meg. E, principalmente, queria me salvar. Não tive escolha, peguei o ukulele.

Eu sei. Prometi pelo Rio Estige não tocar nenhum instrumento enquanto não voltasse a ser um deus. Mas até um juramento tão grave pode parecer bobagem quando uma formiga gigante está prestes a derreter sua cara.

Eu me deitei de costas e comecei a cantar bem alto "Sweet Caroline".

Mesmo sem juramento, eu só teria feito uma coisa assim em caso de emergência extrema. Quando canto essa música, as chances de destruição mútua são grandes demais. Mas não vi opção. Dediquei meus esforços a ela, canalizando todo o sentimentalismo barato dos anos 1970 que consegui incorporar.

A formiga gigantesca balançou a cabeça. As antenas tremeram. Eu me levantei enquanto o monstro ia andando feito um bêbado na minha direção. Virei as costas para o gêiser e comecei o refrão.

O *pá pá pá* foi o golpe fatal. Cega de repulsa e fúria, a formiga atacou. Rolei para o lado quando o impulso do monstro o jogou diretamente no caldeirão lamacento.

Acredite, a única coisa que cheira *pior* do que uma camisa de trabalho de Hefesto é um myrmeko cozinhando na própria carapaça.

Em algum lugar atrás de mim, Meg gritou. Eu me virei a tempo de ver a segunda espada voar da mão dela, enquanto um dos myrmekos a capturava em suas mandíbulas.

— NÃO! — gritei.

A formiga não a partiu ao meio. Só ficou segurando, inerte e inconsciente.

— Meg! — berrei. Toquei as cordas do ukulele com desespero. — Sweet Caroline!

Mas estava sem voz. Derrotar uma formiga esgotou toda a minha energia. (Acho que nunca escrevi uma frase tão triste quanto essa.) Tentei correr para ajudar Meg, mas tropecei e caí. O mundo se tornou amarelo-claro. Fiquei de quatro e vomitei.

Estou com uma concussão, pensei, mas não fazia ideia de como cuidar disso. Parecia que havia séculos que eu não era mais o deus da cura.

Posso ter ficado deitado na lama por minutos ou horas, enquanto meu cérebro se revirava lentamente dentro do crânio. Quando consegui me levantar, as duas formigas tinham sumido.

Não havia sinal de Meg McCaffrey.

25

Estou a toda agora
Queimando, até vomitando
Leões? Por que não?

CAMBALEANDO PELO PÂNTANO, GRITEI o nome de Meg. Sabia que não adiantaria muita coisa, mas gritar era bom. Procurei sinais de galhos quebrados e chão pisoteado. Duas formigas daquele tamanho não perambulariam pela floresta sem deixar rastros. Mas eu não era Ártemis, não tinha a habilidade de rastreio dela, e por isso não fazia ideia da direção na qual as formigas levaram minha amiga.

Peguei as espadas de Meg na lama. Na mesma hora, elas viraram anéis de ouro, tão pequenos, tão fáceis de perder, como uma vida mortal. Talvez eu tenha chorado um pouco. Tentei quebrar meu ukulele de combate ridículo, mas o instrumento de bronze celestial resistiu às minhas tentativas. Finalmente, arranquei a corda, enfiei os anéis de Meg nela e pendurei no pescoço.

— Meg, eu vou encontrar você — murmurei.

Eu era o culpado pela captura dela, tinha certeza. Ao tocar música e me salvar, quebrei meu juramento pelo Rio Estige. Em vez de me punir diretamente, Zeus ou as Parcas ou todos os deuses juntos transferiram sua fúria para Meg McCaffrey.

Como pude ser tão burro? Sempre que eu enfurecia os outros deuses, os mais próximos a mim eram atingidos. Perdi Dafne por causa de um comentário descuidado para Eros. Perdi o belo Jacinto por causa de uma briga com Zéfiro. Agora, meu juramento quebrado custaria a vida de Meg.

Não, eu disse a mim mesmo. *Não vou deixar isso acontecer.*

Estava tão enjoado que mal conseguia andar. Parecia que alguém havia inflado um balão dentro do meu cérebro. Com esforço, cheguei à beirada do gêiser de Pete.

— Pete! — gritei. — Apareça, seu telemarketeiro covarde!

Água subiu na direção do céu com um estrondo, como se o tubo mais grave de um órgão tivesse explodido. No vapor rodopiante, o Pálico apareceu, com o rosto cinza-lama endurecido de raiva.

— Você me chamou de TELEMARKETEIRO? — perguntou ele. — Nós gerenciamos uma empresa de Relações Públicas!

Eu me inclinei e vomitei na cratera, reação que considerei apropriada.

— Pare com isso! — reclamou Pete.

— Preciso encontrar Meg. — Eu limpei a boca com a mão trêmula. — O que os myrmekos vão fazer com ela?

— Não sei! — respondeu ele.

— Me diga, ou *não* vou completar sua pesquisa de satisfação do cliente.

Pete ofegou.

— Isso é terrível! Sua opinião é importante para nós! — Ele flutuou até mim. — Ah, querido... sua cabeça não está nada bem. Tem um corte enorme no couro cabeludo, e está sangrando. Deve ser por isso que você não está raciocinando direito.

— Eu não ligo! — gritei, o que só fez minha cabeça latejar ainda mais. — Onde fica o ninho dos myrmekos?

Pete retorceu as mãos vaporosas.

— Ah, era disso que estávamos falando antes. Paulie foi para lá. O ninho é a única entrada.

— De onde?

— Do Bosque de Dodona.

Meu estômago se transformou em um bloco de gelo, o que era injusto, porque eu precisava de um pouco para a cabeça.

— O ninho das formigas... é o caminho para o bosque?

— Olha, você precisa de cuidados médicos. Eu *falei* para Paulie que devíamos ter uma estação de primeiros socorros para visitantes. — Ele remexeu nos bolsos inexistentes. — Me deixe só marcar a localização do chalé de Apolo...

— Se você pegar um livreto — avisei —, vou fazer você engoli-lo inteiro. Agora explique como o ninho leva ao bosque.

O rosto de Pete ficou amarelo, ou talvez meu estado estivesse piorando.

— Paulie não me contou tudo. Uma área do bosque ficou tão densa que ninguém consegue entrar. Mesmo de cima, os galhos são...

Ele entrelaçou os dedos lamacentos, que se derreteram uns nos outros, o que foi bem explicativo.

— De qualquer modo — ele afastou as mãos —, o bosque fica lá. Talvez estivesse adormecido há séculos. Ninguém no comitê sabia da existência dele. E então, de repente, as árvores começaram a sussurrar. Paulie concluiu que as malditas formigas deviam ter entrado no bosque por baixo e que isso acabou despertando-o.

Tentei entender essa parte. Acho que com o cérebro inchado ficava mais difícil.

— Para que lado fica o ninho?

— Ao norte — disse Pete. — A uns oitocentos metros. Mas, cara, você não está em condições...

— Eu tenho que ir! Meg precisa de mim!

Pete segurou meus braços. O aperto dele era uma espécie de torniquete quente e molhado.

— Ela tem chance. Se eles levaram a menina inteira, significa que ainda não está morta.

— Mas vai estar em pouco tempo!

— Que nada. Antes de Paulie... antes de desaparecer, ele foi àquele ninho algumas vezes procurar o túnel até o bosque. Ele me disse que esses myrmekos gostam de melecar as vítimas e deixar que, hã, amadureçam e fiquem macias o bastante para os filhotes comerem.

Dei um gritinho nada divino. Se ainda houvesse alguma coisa no meu estômago, eu teria botado para fora.

— Quanto tempo ela tem?

— Vinte e quatro horas, mais ou menos. E então, vai começar a... hã, amolecer.

Era difícil imaginar Meg McCaffrey amolecendo em qualquer circunstância, mas eu a vi sozinha e com medo, envolta em gosma de inseto, enfiada em uma dispensa de carcaças no ninho das formigas. Para uma garota que odiava insetos... Ah, Deméter estava certa ao me odiar e manter as filhas longe de mim. Eu era um deus terrível!

— Vá buscar ajuda — pediu Pete. — O chalé de Apolo pode curar o ferimento na sua cabeça. Você não vai ajudar sua amiga em nada se for atrás dela e acabar morrendo.

— E que preocupação toda é essa com a gente?

O deus do gêiser pareceu ofendido.

— A satisfação dos visitantes é sempre nossa prioridade! Além do mais, se você encontrar Paulie quando estiver lá dentro...

Tentei ficar com raiva do Pálico, mas a solidão e a aflição no rosto dele espelhavam meus sentimentos.

— Paulie explicou como chegar ao ninho das formigas?

Pete balançou a cabeça.

— Como eu falei, ele não queria que eu o procurasse. Os myrmekos são bem perigosos. E se aqueles outros caras ainda estiverem andando por aí...

— Outros caras?

— Eu não mencionei isso? Então. Paulie viu três humanos armados da cabeça aos pés. Eles também queriam saber onde ficava o bosque.

Minha perna esquerda começou a bater de nervosismo, como se sentisse falta da companheira da corrida de três pernas.

— Como Paulie soube o que eles estavam procurando?

— Ele os ouviu falando em latim.

— Em *latim*? Eles eram campistas?

Pete abriu as mãos.

— Eu... eu acho que não. Pela descrição de Paulie, eram adultos. Disse que um deles era o líder. Os outros dois o chamavam de *imperador*.

O planeta inteiro pareceu sair do eixo.

— Imperador.

— É, você sabe, como em Roma...

— Sim, eu sei.

De repente, coisas demais fizeram sentido. Pedaços do quebra-cabeça se juntaram e formaram uma imagem enorme que me acertou direto na cara. O Besta... a Triunvirato S.A... semideuses adultos desaparecidos.

Eu estava a um passo de cair no gêiser, mas me obriguei a me recompor. Meg precisava de mim mais do que nunca. Mas eu teria que fazer isso direito. Teria que ser cuidadoso, mais cuidadoso do que quando aplicava vacina nos cavalos selvagens da carruagem do Sol.

— Pete — falei —, você ainda supervisiona juramentos sagrados?

— Ah, sim, mas...

— Então ouça meu juramento sagrado!

— Hã... o problema é que você tem uma aura ao redor de você, como se já tivesse *quebrado* um juramento sagrado, talvez um que você tenha feito pelo Rio Estige? E, se você quebrar *outro* juramento comigo...

— Eu juro que vou salvar Meg McCaffrey. Vou usar todos os meios ao meu dispor para trazê-la de volta sã e salva da toca das formigas, e esse juramento anula qualquer juramento anterior que eu tenha feito. Juro pelas suas águas sagradas e extremamente quentes!

Pete fez uma careta.

— Bom, tudo bem. Está feito agora. Mas tenha em mente que, se você não cumprir esse juramento, se Meg morrer, mesmo que não seja culpa sua... você vai encarar as consequências.

— Já estou amaldiçoado por ter quebrado meu juramento anterior! Que importância tem?

— É, mas sabe, os juramentos pelo Rio Estige podem levar *anos* para destruir você. São como um câncer. Já os meus juramentos... — Pete deu de ombros. — Se você quebrá-los, não tem nada que eu possa fazer para impedir sua punição. Onde quer que você esteja, um gêiser vai surgir aos seus pés na mesma hora e ferver você vivo.

— Ah... — Tentei impedir meus joelhos de baterem um no outro. — Sim, é claro que eu sabia disso. Eu mantenho meu juramento.

— Você não tem escolha agora.

— Certo. Acho que vou... vou cuidar dos meus ferimentos.

Vacilante, parti.

— O acampamento fica na outra direção — indicou Pete.

Fui para o lado oposto.

— Lembre-se de preencher nossa pesquisa on-line! — gritou Pete atrás de mim. — Só por curiosidade: em uma escala de um a dez, como você avaliaria sua satisfação geral com a Floresta do Acampamento Meio-Sangue?

Eu não respondi. Estava muito ocupado vagando pela escuridão da floresta e avaliando, em uma escala de um a dez, o sofrimento que talvez precisasse encarar num futuro próximo.

Eu não tinha forças para voltar ao acampamento. Quanto mais eu andava, mais claro isso ficava. Minhas juntas estavam ficando moles. Eu me sentia uma marionete, e por mais que gostasse de controlar mortais lá de cima no passado, estar do outro lado das cordas não me agradava nem um pouco.

Minhas defesas estavam no nível zero. O menor cão infernal ou dragão poderia ter transformado o grande Apolo em comida. Se um texugo irritado tivesse atacado, eu estaria ferrado.

Eu me encostei em uma árvore para recuperar o fôlego, e ela pareceu me empurrar para longe, sussurrando em uma voz da qual eu me lembrava muito bem: *Continue andando, Apolo. Você não pode descansar aqui.*

— Eu amei você — murmurei.

Parte de mim sabia que eu estava delirando, imaginando coisas, resultado da concussão que arranjei na cabeça, mas juro que vi o rosto da minha amada Dafne surgindo em cada tronco de árvore pelo qual eu passava, com as feições brotando na casca como uma miragem de madeira, o nariz ligeiramente torto, os olhos verdes afastados, os lábios que nunca beijei, mas com os quais nunca parei de sonhar.

Você amou todas as garotas bonitas, repreendeu-me ela. *E todos os garotos bonitos também.*

— Não como você! — gritei. — Você foi meu primeiro amor verdadeiro. Ó, Dafne!

Use minha coroa, disse ela. *E se arrependa.*

Fui tomado por algumas lembranças: eu correndo atrás dela, o aroma de flor na brisa, o corpo leve correndo pela luz irregular da floresta. Eu a segui pelo que pareceram anos. Talvez tenham sido.

Durante séculos, culpei Eros.

Em um momento de descuido, eu havia ridicularizado a habilidade de Eros com o arco. Por vingança, ele me atingiu com uma flecha de ouro, direcionando todo o meu amor para a bela Dafne. Mas isso não foi o pior: ele também acertou o coração de Dafne com uma flecha de chumbo, afastando toda e qualquer possibilidade de afeto que ela poderia nutrir por mim.

As pessoas precisam entender uma coisa: as flechas de Eros não fazem uma emoção surgir do nada. Elas só fazem florescer um potencial que já esteja lá. Dafne e eu poderíamos ter sido um par perfeito. Ela foi meu verdadeiro amor. Poderia ter me amado. Mas, graças a Eros, meu amorômetro estava batendo no cem por cento, enquanto o de Dafne só tinha lugar para o ódio (que, claro, é o lado oposto do amor). Nada é mais trágico do que amar uma pessoa até as profundezas da sua alma sabendo que ela não pode e não vai amar você, nunca.

As histórias dizem que só fui atrás dela por capricho, que ela era só mais uma garota bonitinha da minha lista de conquistas. Bom, as histórias estão erradas. Quando Dafne implorou para que Gaia a transformasse em um loureiro para fugir de mim, parte do meu coração, tal qual a casca de uma árvore, também endureceu. Eu inventei a coroa de louros para comemorar meu fracasso, para me punir pelo destino do meu maior amor. Cada vez que algum herói ganha louros, me lembro da garota que nunca vou poder conquistar.

Depois de Dafne, jurei que nunca me casaria. Às vezes, eu alegava que era porque não conseguia decidir entre as Nove Musas. Era uma história conveniente. As Nove Musas eram minhas companheiras constantes, todas lindas à sua maneira. Mas elas nunca fizeram meu coração bater mais forte, como Dafne havia feito. Só outra pessoa me afetou de forma tão profunda, o perfeito Jacinto, e ele também foi tirado de mim.

Todos esses pensamentos perambulavam por meu cérebro ferido. Eu cambaleei de árvore em árvore, me apoiando nelas e fazendo os galhos mais baixos de corrimão.

Você não pode morrer aqui, sussurrou Dafne. *Tem um trabalho a fazer. Você fez um juramento.*

Sim, meu juramento. Meg precisava de mim. Eu tinha que...

Caí de cara na lama gelada.

Não tenho certeza de quanto tempo fiquei lá.

Um focinho quente expirou no meu ouvido. Uma língua áspera lambeu minha cara. Achei que estivesse morto e que Cérbero tivesse me encontrado nos portões do Mundo Inferior.

De repente, o animal me empurrou, e eu fiquei deitado de costas. Galhos escuros cortavam o céu. Eu ainda estava na floresta. A cara dourada de um leão apareceu acima de mim, com os olhos cor de âmbar belos e mortais. Ele lambeu meu rosto, talvez averiguando se eu daria um bom jantar.

— *Ptf!*

Cuspi um pouco da juba que tinha entrado na minha boca.

— Acorde — disse uma voz de mulher, em algum lugar à minha direita.

Não era Dafne, mas era vagamente familiar.

Consegui levantar a cabeça. Ali perto, um segundo leão estava sentado aos pés de uma mulher com óculos escuros e uma tiara prateada e dourada no cabelo trançado. O vestido de batik com estampas de folha de samambaia. Os braços e as mãos cobertos por tatuagens de hena. Ela estava diferente do meu sonho, mas eu a reconheci.

— Reia. — Gemi.

Ela inclinou a cabeça.

— Paz, Apolo. Não quero chatear você, mas nós precisamos conversar.

26

Os imperadores?
É melhor eu me mandar
Que baixo astral, cara

O FERIMENTO NA MINHA cabeça devia ter gosto de carne Wagyu.

O leão ficava lambendo a lateral do meu rosto, deixando meu cabelo ainda mais grudento e molhado. Por mais estranho que pareça, tive a impressão de que aquilo clareou meus pensamentos. Talvez saliva de leão tivesse propriedades curativas. Acho que eu devia saber disso, já que sou o deus da cura, mas você vai ter que me desculpar se não fiz o método da tentativa e erro com a baba de todos os animais do mundo.

Com certa dificuldade, eu me sentei e olhei para a rainha titã.

Reia estava encostada na lateral de um jipe pintada com estampas de torvelinhos de plantas, como as do vestido dela. Eu sabia que a samambaia preta era um dos símbolos de Reia, acho, mas não conseguia lembrar por quê. Dentre os deuses, Reia sempre foi uma das mais misteriosas. Nem Zeus, que a conhecia melhor, falava dela com frequência.

A coroa envolvia a testa como um trilho de trem cintilante. Quando ela olhou para baixo, para mim, os óculos de lentes coloridas mudaram de laranja para roxo. Estava com um cinto de macramé e trazia o símbolo da paz de metal pendurado em uma corrente no pescoço.

Ela sorriu.

— Que bom que você está acordado. Eu estava preocupada, cara.

Eu queria mesmo que as pessoas parassem de me chamar de *cara*.

— Por que você... Onde você esteve por todos esses séculos?

— No norte do estado. — Ela coçou as orelhas do leão. — Depois de Woodstock, fiquei por aí, abri um estúdio de artesanato.

— Você... o quê?

Ela inclinou a cabeça.

— Foi semana passada ou milênio passado? Perdi a noção do tempo.

— Eu... eu acho que você está descrevendo os anos 1960. Isso foi no século passado.

— Ah, droga. — Reia suspirou. — Eu me confundo depois de tantos anos.

— Compreendo.

— Depois que deixei Cronos... bem, aquele homem era quadradão, tá me entendendo? O típico homem dos anos 1950. Queria que nós fôssemos uma família de comercial de margarina, sei lá.

— Ele... ele engoliu os filhos vivos.

— É. — Reia tirou o cabelo do rosto. — Isso foi brabo. E eu o abandonei. Na época, não era legal se divorciar. Ninguém fazia isso. Mas eu queimei meu *apodesmos* e me liberei. Criei Zeus em uma comunidade com um grupo de náiades e curetes. Com muito gérmen de trigo e néctar. O garoto cresceu com uma energia aquariana forte.

Eu tinha quase certeza de que Reia estava confundindo os séculos, mas achei que seria indelicado ficar repetindo isso.

— Você me lembra Íris — falei. — Ela virou vegana orgânica várias décadas atrás.

Reia fez uma careta, só um leve sinal de desaprovação antes de recuperar o equilíbrio cármico.

— Íris é uma boa alma. Eu gosto dela. Mas, sabe, essas deusas jovens, elas não estavam aqui para lutar na revolução. Não sabem como é ver seu parceiro comer seus filhos e não conseguir arrumar um emprego, ainda tendo que aguentar os titãs chauvinistas que só querem que você fique em casa cozinhando e limpando e tendo mais bebês olimpianos. E por falar em Íris...

Reia tocou a testa.

— Espere, nós *estávamos* falando sobre a Íris? Ou eu tive um flashback?

— Realmente não sei.

— Ah, lembrei agora. Ela é uma mensageira dos deuses, certo? Junto com Hermes e aquela riponga liberal... Joana d'Arc?

— Humm, não tenho certeza quanto a essa última.

— Bom, de qualquer modo, as linhas de comunicação caíram, cara. Nada funciona. Mensagens de arco-íris, pergaminhos voadores, o Expresso Hermes... tudo está caótico.

— Nós sabemos disso. Mas não sabemos por quê.

— São *eles*. Eles estão fazendo isso.

— Quem?

Ela olhou para os dois lados.

— O Homem, cara. O Grande Irmão. Os ternos. Os imperadores.

Eu vinha esperando que ela dissesse outra coisa: gigantes, titãs, máquinas milenares de matar, alienígenas. Eu preferia me meter no Tártaro ou com Urano ou com o Caos Primordial em si. Esperava que o gêiser Pete tivesse entendido errado o que o irmão falou sobre o imperador no ninho das formigas.

Agora que tinha uma confirmação, eu queria roubar o jipe de Reia e ir dirigindo até alguma comunidade bem longe, ao norte do estado.

— Triunvirato S.A. — falei.

— É. Esse é o novo complexo militar-industrial deles. Está me chateando pra caramba.

O leão parou de lamber meu rosto, provavelmente porque meu sangue tinha ficado amargo.

— Como é possível? Como eles voltaram?

— Eles nunca foram embora — explicou Reia. — Fizeram com eles mesmos, entende? Queriam se transformar em deuses. Isso nunca dá muito certo. Desde antigamente, eles têm se escondido, influenciando a história por trás dos panos. Estão entalados em uma espécie de vida intermediária. Não podem morrer, mas também não podem viver de verdade.

— Mas como a gente podia não *saber* sobre isso? — perguntei. — Nós somos deuses!

A gargalhada de Reia me lembrou um porquinho com asma.

— Apolo, meu neto querido, bela criança... Ser um deus alguma vez impediu alguém de ser burro?

Ela tinha razão. Não sobre mim pessoalmente, claro, mas as histórias que eu sabia sobre os *outros* olimpianos...

— Os imperadores de Roma. — Tentei aceitar a ideia. — Eles não podem ser *todos* imortais.

— Não — disse Reia. — Só os piores deles, os mais notórios. Eles vivem na memória humana, cara. É o que os mantém vivos. Assim como nós, na verdade. Estão ligados ao rumo da civilização ocidental, apesar de esse conceito todo ser propaganda imperialista eurocentrista, cara. Como meu guru diria...

— Reia... — toquei minhas têmporas latejantes —, podemos cuidar de um problema de cada vez?

— Tá, tudo bem. Eu não queria fundir sua cuca.

— Mas como eles podem afetar nossas linhas de comunicação? Como podem ser tão poderosos?

— Eles tiveram séculos, Apolo. *Séculos.* Todo esse tempo planejando e incitando guerras, construindo o império capitalista, esperando este momento, quando você fosse mortal, quando os oráculos estivessem vulneráveis para uma investida hostil. É coisa do mal. Eles não são nem um pouco bacanas.

— Achei que esse termo fosse mais moderno.

— Mal?

— Não. *Bacanas.* Deixa pra lá. O Besta... ele é o líder?

— Pior que sim. Ele tem a mente tão ruim quanto os outros, mas é o mais inteligente e mais estável, de um jeito sociopata e homicida. Você sabe quem ele é... quem ele era, certo?

Infelizmente, sabia. Lembrei onde vi aquela cara feia e o sorrisinho debochado. Eu conseguia ouvir a voz anasalada ecoando pela arena, ordenando a execução de centenas enquanto a multidão comemorava. Eu queria perguntar a Reia quem eram os dois compatriotas no Triunvirato, mas concluí que não conseguiria suportar a informação no momento. Nenhuma das opções era boa, e saber os nomes deles poderia me deixar mais desesperado do que eu era capaz de aguentar.

— É verdade, então — falei. — Os outros oráculos ainda existem. Os imperadores controlam todos?

— Estão trabalhando nisso. Píton tem Delfos, esse é o maior problema. Mas você não vai ter forças para enfrentá-la de frente. Você tem que soltar os dedos deles dos oráculos menores primeiro, diminuir o poder deles. Para fazer isso, precisa de uma nova fonte de profecias para este acampamento, um oráculo mais velho e independente.

— Dodona — falei. — Sua floresta sussurrante.

— Isso mesmo — concordou Reia. — Achei que a floresta tivesse desaparecido para sempre. Mas aí, não sei como, os carvalhos cresceram novamente no coração da mata. Você tem que encontrar a floresta e protegê-la.

— Estou trabalhando nisso. — Toquei no machucado grudento no rosto. — Mas minha amiga Meg...

— É. Você teve alguns percalços. Mas sempre há percalços, Apolo. Quando Lizzy Stanton e eu organizamos a primeira convenção de direitos das mulheres em Woodstock...

— Não foi em Seneca Falls?

Reia franziu a testa.

— Isso não foi nos anos 1960? — perguntou ela, meio perdida.

— Nos 40. Nos anos 1940 do século XX, se não me falha a memória.

— Então... Jimi Hendrix não estava lá?

— Duvido.

Reia mexeu no símbolo da paz.

— Então quem botou fogo naquela guitarra? Ah, deixa pra lá. A questão é que você tem que perseverar. Às vezes, uma mudança leva séculos.

— Só que sou mortal agora. Não *tenho* mais séculos.

— Mas tem força de vontade — retrucou Reia. — Tem motivação e urgência mortais. São coisas que os deuses costumam não ter.

Ao lado dela, o leão rugiu.

— Tenho que pular fora — disse Reia. — Se os imperadores me encontrarem... vai ser feio, cara. Estou fora do mapa há tempo demais. Não vou ser sugada para essa opressão institucional patriarcal de novo. Encontre Dodona. Essa é sua primeira provação.

— E se o Besta encontrar a floresta primeiro?

— Ah, ele já encontrou o portão, mas nunca vai passar por ele sem você e a garota.

— Eu... não entendo.

— Tranquilo. Só respire. Encontre seu centro. A iluminação tem que vir *de dentro*.

Parecia algo que eu teria dito aos *meus* adoradores. Fiquei tentado a estrangular Reia com o cinto de macramé, mas duvidava de que tivesse forças. Além do mais, ela tinha dois leões.

— Mas o que eu faço? Como salvo Meg?

— Primeiro, se cure. Descanse. Depois... bem, como você vai fazer para salvar Meg é problema seu. A jornada é mais importante do que o destino, sabe?

Ela estendeu a mão. Pendurado em seus dedos estava um sino de vento: um conjunto de tubos e medalhões de metal entalhados com símbolos antigos gregos e cretenses.

— Pendure isto no maior carvalho. Vai ajudar você a direcionar as vozes do oráculo. Se conseguir uma profecia, bacana. Vai ser só o começo, mas, sem Dodona, nada mais vai ser possível. Os imperadores vão sufocar nosso futuro e dividir o mundo. Só quando você tiver derrotado Píton é que vai poder recuperar seu lugar de direito no Olimpo. Meu filho, Zeus... ele acredita nesse método de educar na marra, saca? Recuperar Delfos é a única forma de cair nas graças dele.

— Eu... estava com medo de você dizer isso.

— Tem mais uma coisa — alertou ela. — Besta está planejando algum tipo de ataque ao seu acampamento. Não sei o que é, mas vai ser grande. Tipo, pior do que napalm. Você tem que avisar seus amigos.

O leão mais próximo me cutucou. Me apoiei em seu pescoço e deixei que me levantasse. Consegui permanecer de pé, mas só porque minhas pernas estavam paralisadas de pavor. Pela primeira vez, entendi as provações que me esperavam. Eu conhecia os inimigos que tinha que enfrentar. Precisaria de mais do que sinos de vento e iluminação. Precisaria de um milagre. E, já tendo sido um ex-deus, posso dizer que esses nunca são distribuídos com generosidade.

— Boa sorte, Apolo. — A rainha titã colocou o sino de vento nas minhas mãos. — Tenho que dar uma olhada na minha fornalha antes que meus vasos quebrem. Siga em frente e salve as árvores!

A floresta se dissolveu. Eu me vi de pé no gramado central do Acampamento Meio-Sangue, cara a cara com Chiara Benvenuti, que deu um pulo para trás, assustada.

— Apolo!

Dei um sorriso.

— Oi, garota. — Meus olhos reviraram e, pela segunda vez naquela semana, desmaiei na frente dela de forma encantadora.

27

Peço desculpas
Por quase tudo que fiz
É, sou bem legal

— ACORDE — DISSE UMA VOZ.

Abri os olhos e vi um fantasma, um rosto tão precioso para mim quanto o de Dafne. Eu conhecia a pele de cobre, o sorriso gentil, os cachos escuros e os olhos roxos como togas senatoriais.

— Jacinto — solucei. — Lamento tanto...

A luz do sol que iluminava seu rosto revelava o machucado horrível acima da orelha esquerda, onde o disco o acertou. Meu rosto ferido latejou em solidariedade.

— Procure nas cavernas — disse ele. — Perto das fontes azuis. Ah, Apolo... sua sanidade vai ser roubada, mas não...

A imagem dele foi esmaecendo e começou a se afastar. Eu me levantei do leito. Corri atrás dele e o segurei pelos ombros.

— Não *o quê*? Por favor, não me deixe de novo!

Minha visão clareou. Eu me vi na janela do chalé 7, segurando um vaso de cerâmica cheio de jacintos roxos e vermelhos. Ali perto, com expressão preocupada, Will e Nico pareciam prontos para me segurar.

— Ele está falando com as flores — observou Nico. — Isso é normal?

— Apolo — disse Will —, você teve uma concussão. Eu curei você, mas...

— Esses jacintos... — falei. — Eles sempre estiveram aqui?

Will franziu a testa.

— Sinceramente, não sei de onde vieram, mas... — Ele tirou o vaso das minhas mãos e o colocou de volta no parapeito da janela. — Vamos nos preocupar com você, tudo bem?

Em outras épocas, esse seria um conselho excelente, mas, agora, eu só conseguia me perguntar se os jacintos eram algum tipo de mensagem. Como era cruel olhar para eles... as flores que criei em homenagem ao meu amor extinto, manchadas de vermelho como o sangue dele ou em tons de violeta como seus olhos. Elas floresciam com tanta graciosidade que me lembravam da alegria que perdi.

Nico botou a mão no ombro de Will.

— Apolo, estávamos preocupados. Will, principalmente.

Vê-los juntos, apoiando um ao outro, fez meu coração pesar ainda mais. Durante meu delírio, meus dois grandes amores me visitaram. Agora, mais uma vez, eu estava arrasadoramente sozinho.

Mesmo assim, eu tinha uma tarefa para realizar. Uma amiga precisava da minha ajuda.

— Meg está com problemas — falei. — Quanto tempo fiquei inconsciente?

Will e Nico se entreolharam.

— Bom, é meio-dia agora, mais ou menos — disse Will. — Você apareceu no gramado por volta das seis da manhã. Como Meg não voltou com você, íamos procurá-la na floresta, mas Quíron não deixou.

— E fez muito bem — afirmei. — Não vou permitir que mais ninguém se arrisque entrando lá. Mas tenho que me apressar. Meg tem no máximo até esta noite.

— Senão, o que acontece? — perguntou Nico.

Eu não conseguia dizer. Não conseguia nem *pensar* naquela possibilidade sem perder a coragem. Olhei para baixo. Fora o lenço com a bandeira brasileira que Paulo me dera e meu colar de corda de ukulele, eu trajava apenas cueca. Minhas banhas estavam expostas para todo mundo ver, mas eu não ligava mais para isso. (Bom, não muito, pelo menos.)

— Tenho que me vestir — decretei.

Cambaleei até o colchão. Dei uma olhada em meus poucos pertences e encontrei a camiseta do Led Zeppelin de Percy Jackson. Eu a vesti. Parecia mais apropriada do que nunca.

Will se aproximou.

— Olha, Apolo, acho que você ainda não está cem por cento.

— Eu vou ficar bem — falei, vestindo a calça jeans. — Tenho que salvar Meg.

— Nos deixe ajudar — pediu Nico. — Se você me disser onde ela está, posso viajar pelas sombras...

— Não! — cortei. — Você tem que ficar aqui e proteger o acampamento.

A expressão de Will me lembrou muito a mãe dele, Naomi; aquele olhar enérgico que ela fazia logo antes de entrar no palco.

— Proteger o acampamento do quê?

— Eu... eu não sei direito. Vocês precisam dizer para Quíron que os imperadores voltaram. Ou melhor, que nunca foram embora. Eles estão tramando e se preparando há séculos.

Os olhos de Nico brilharam com cautela.

— Quando você diz imperadores...

— Estou falando dos romanos.

Will deu um passo para trás.

— Você está dizendo que os imperadores da Roma antiga estão vivos? *Como?* As Portas da Morte?

— Não. — O gosto de bile na boca tornava difícil falar. — Os imperadores fizeram deles próprios deuses. Tinham templos e altares. Encorajaram as pessoas a adorá-los.

— Mas isso era só marketing — disse Nico. — Eles não eram divindades reais.

Eu ri com tristeza.

— Deuses são sustentados por adoração, filho de Hades. Eles continuam a existir por causa das lembranças coletivas de uma cultura. É assim com os olimpianos, também é assim com os imperadores. De alguma forma, os mais poderosos deles sobreviveram. Todos esses séculos, eles se agarraram a uma meia-vida, se escondendo, esperando para retomar o poder.

Will balançou a cabeça.

— Isso é impossível! Como...?

— Eu não sei! — Tentei respirar com calma. — Diga para Rachel que os homens por trás da Triunvirato S.A. são antigos imperadores de Roma. Eles estão planejando nos destruir todo esse tempo, e nós, deuses, estávamos cegos. *Cegos.*

Coloquei o casaco. A ambrosia que Nico me dera ontem ainda estava no bolso esquerdo. No bolso direito, os sinos de vento de Reia tilintaram, embora eu não fizesse ideia de como tivessem ido parar lá.

— Besta está planejando algum tipo de ataque ao acampamento — contei. — Não sei como nem quando, mas digam para Quíron que vocês têm que estar preparados. Agora preciso partir.

— Espere! — gritou Will quando cheguei à porta. — Quem é Besta? Com qual imperador estamos lidando?

— Com o pior dos meus descendentes. — Meus dedos apertaram o batente da porta. — Os cristãos o chamavam de Besta porque ele os queimou vivos. Nosso inimigo é o imperador Nero.

Eles devem ter ficado atordoados demais para irem atrás de mim.

Eu corri para o arsenal. Vários campistas me olharam de um jeito estranho. Alguns me chamaram e ofereceram ajuda, mas ignorei todos. Só conseguia pensar em Meg sozinha na toca dos myrmekos e nas visões que tive de Dafne, Reia e Jacinto, todos me pedindo para seguir em frente, me dizendo para fazer o impossível em minha nova forma mortal inadequada.

Parei em frente à estante de arcos. Com a mão trêmula, peguei a arma que Meg tentara me dar no dia anterior. Era entalhada em madeira de loureiro. A ironia amarga não passou despercebida.

Eu tinha jurado não usar um arco até ser deus novamente. Mas também tinha jurado não tocar música, e já havia quebrado essa parte do juramento da forma mais vulgar e mais Neil Diamond possível.

A maldição do Rio Estige podia até me matar de um jeito lento e canceroso, ou Zeus podia acabar comigo a qualquer momento, mas meu juramento de salvar Meg McCaffrey precisava vir em primeiro lugar.

Ergui o rosto para o céu.

— Se você quer me punir, pai, fique à vontade, mas seja corajoso e machuque só a mim, não minha companheira mortal. SEJA HOMEM!

Para minha surpresa, os céus ficaram silenciosos. Um relâmpago não me vaporizou. Talvez Zeus estivesse surpreso demais para fazer alguma coisa, mas eu sabia que ele jamais deixaria passar despercebido um insulto desses.

Ao Tártaro com ele! Eu tinha um trabalho a fazer.

Peguei uma aljava e enfiei dentro todas as flechas que consegui encontrar. Em seguida, corri para a floresta, com os dois anéis de Meg balançando no colar improvisado. Tarde demais, percebi que esquecera meu ukulele de combate, mas eu não tinha tempo de voltar. Minha voz teria que bastar.

Não sei bem como encontrei o ninho.

Talvez a floresta simplesmente tenha me deixado chegar lá, sabendo que eu estava marchando em direção à morte. Descobri que quando se está procurando perigo nunca é difícil encontrar.

Em pouco tempo eu já estava agachado atrás de uma árvore caída, observando a toca dos myrmekos na clareira à frente. Chamar o lugar de formigueiro seria o mesmo que chamar o Palácio de Versalhes de casinha de sapê. Muralhas de terra subiam quase até o topo das árvores ao redor, de pelo menos trinta metros. O lugar podia muito bem acomodar um hipódromo romano. Soldados e drones entravam e saíam do monte num fluxo regular. Alguns carregavam árvores caídas. Um, inexplicavelmente, estava arrastando um Chevy Impala 1967.

Quantas formigas eu teria que enfrentar? Não fazia ideia. Depois que você chega ao número *impossível*, não faz mais sentido contar.

Eu prendi uma flecha no arco e entrei na clareira.

Quando o myrmeko mais próximo me viu, largou o Chevy. Ficou observando eu me aproximar, com as antenas balançando. Eu o ignorei e passei direto, a caminho do túnel mais próximo. Isso o deixou ainda mais confuso.

Várias outras formigas se reuniram para olhar.

Aprendi que se você age naturalmente, como se não devesse nada a ninguém, a maioria das pessoas (ou das formigas) não vai arranjar problema. Agir com confiança nunca foi uma questão para mim. Deuses podem fazer o que quiserem. Isso era um pouco mais difícil para Lester Papadopoulos, adolescente desmiolado que era, mas consegui chegar até o ninho sem ser desafiado.

Entrei e comecei a cantar.

Dessa vez, não precisei de ukulele. Não precisei de musa para servir de inspiração. Eu me lembrei do rosto de Dafne nas árvores. Eu me lembrei de Jacinto se afastando, com o ferimento mortal brilhando na cabeça. Minha voz se encheu de sofrimento. Cantei sobre corações partidos. Em vez de sucumbir ao meu próprio desespero, eu o arranquei do peito e o expus.

Os túneis amplificaram minha voz, propagando-a pelo ninho, tornando o formigueiro meu instrumento.

Cada vez que eu passava por uma formiga, ela encolhia as pernas e encostava a cabeça no chão, com as antenas tremendo por causa das vibrações da minha voz.

Se eu fosse um deus, a música teria tido ainda mais impacto, mas isso bastava. Fiquei impressionado com o tamanho da dor que a voz humana podia transmitir.

Eu me enfiei mais fundo no formigueiro. Não fazia ideia de para onde estava indo até ver um gerânio florescendo no chão do túnel.

Minha música hesitou.

Meg. Ela devia ter recuperado a consciência e largado uma das sementes para deixar uma trilha para mim. As flores roxas do gerânio seguiam um túnel menor à esquerda.

— Garota esperta — falei, escolhendo o caminho indicado por ela.

Um estalo chamou minha atenção; um myrmeko devia estar se aproximando.

Eu me virei e levantei o arco. Liberado do encantamento da minha voz, o inseto atacou, com a boca espumando de ácido. Eu puxei a flecha e disparei. A flecha entrou quase por completo na testa da formiga.

A criatura caiu, com as patas de trás dando seus espasmos finais antes de pararem de se mexer por completo. Tentei recuperar a flecha, mas o cabo se partiu na minha mão, com a ponta quebrada coberta de gosma fumegante. É, não ia dar para reaproveitar munição.

— MEG! — gritei.

A única resposta que recebi foram mais formigas gigantes vindo em minha direção. Comecei a cantar de novo. Mas, agora, eu tinha mais esperanças de encontrar Meg, o que tornou difícil incorporar a quantidade adequada de melancolia. A nova leva de formigas não estava mais catatônica. Elas se moviam com lentidão e irregularidade, mas atacaram mesmo assim. Fui forçado a disparar em uma atrás da outra.

Passei por uma caverna cheia de tesouros cintilantes, mas não estava interessado em coisas brilhantes no momento. Fui em frente.

Na interseção seguinte, outro gerânio surgia do chão, com as flores viradas para a direita. Segui o caminho indicado e chamei por Meg de novo, voltando a cantar.

Conforme meu ânimo melhorava, a música ficava cada vez menos eficiente, e as formigas, cada vez mais agressivas. Depois de mais de dez mortes, minha aljava estava ficando perigosamente leve.

Eu precisava buscar nas profundezas da alma o desespero em sua forma mais pura. Tinha que cantar a melancolia das boas.

Pela primeira vez em quatro mil anos, cantei sobre meus próprios defeitos.

Despejei minha culpa pela morte de Dafne. Minha vaidade, meu ciúme e meu desejo provocaram sua destruição. Quando ela fugiu, eu devia ter aceitado. Mas a persegui sem parar, e não me daria por satisfeito até tê-la só para mim. Por causa disso, deixei Dafne sem escolha. Para se ver livre de vez, ela sacrificou a própria vida e virou uma árvore, marcando meu coração para sempre... Mas foi culpa *minha*. Eu pedi desculpas na música. Implorei pelo perdão de Dafne.

Cantei sobre Jacinto, o mais bonito dos homens. O Vento Oeste, Zéfiro, também o amava, mas eu me recusei a compartilhá-lo com mais alguém. No meu ciúme, ameacei Zéfiro. Eu o desafiei, *desafiei-o* a interferir.

Cantei sobre o dia em que Jacinto e eu jogávamos discos nos campos e que o Vento Oeste soprou meu disco para fora da rota, indo parar bem na lateral da cabeça de Jacinto.

Para deixar Jacinto sob a luz do sol, onde era o lugar dele, fiz brotarem flores de seu sangue. Botei a culpa em Zéfiro, mas minha ganância mesquinha provocou a morte de Jacinto. Eu despejei minha dor. Assumi toda a culpa.

Cantei sobre meus fracassos, meu eterno coração partido, minha solidão. Eu era o pior dos deuses, dominado pela culpa, disperso. Não conseguia me comprometer com ninguém. Não conseguia escolher nem de que queria ser deus. Ficava mudando de uma habilidade para outra, distraído e insatisfeito.

Minha vida dourada era uma fraude. Minha indiferença era fingimento. Meu coração era um pedaço de madeira petrificada.

Ao meu redor, os myrmekos desabaram. O ninho em si tremeu de dor.

Encontrei um terceiro gerânio, e depois um quarto.

Finalmente, numa pausa entre estrofes, ouvi uma voz baixinha logo à frente: o som de uma garota chorando.

— Meg!

Desisti da música e corri.

Ela estava deitada no meio de uma caverna que funcionava como despensa de comida, como eu havia imaginado. Ao redor dela havia carcaças de animais empilhadas (vacas, cervos, cavalos), todas envoltas em uma gosma endurecida e apodrecendo lentamente. O cheiro acertou meus dutos nasais como se fosse uma avalanche.

Meg também estava imobilizada pela gosma, mas lutava para se libertar usando o poder dos gerânios. Ramos de folhas surgiam das partes mais finas do casulo; uma gola de flores deixava o muco longe do rosto dela. Ela até conseguira soltar um dos braços graças a uma explosão de gerânios rosa no sovaco esquerdo.

Os olhos dela estavam inchados de tanto chorar. Supus que estivesse com medo, talvez até sentindo dor, mas, quando me ajoelhei ao lado dela, suas primeiras palavras foram:

— Me desculpe.

Eu afastei uma lágrima da ponta do nariz dela.

— Por quê, querida Meg? Você não fez nada de errado. Fui eu que falhei com *você*.

Um soluço ficou preso na garganta dela.

— Você não entende. Aquela música que você estava cantando. Ah, deuses... Apolo, se eu soubesse...

— Shhh, pare com isso. — Eu mal conseguia falar, tamanha era a dor na garganta. A música quase destruíra minha voz. — Você só está reagindo à dor exposta na música. Vamos tirar você daqui.

Eu estava pensando em como faria isso quando os olhos de Meg se arregalaram. Ela soltou um choramingo.

Os pelos da minha nuca se eriçaram.

— Tem formigas atrás de mim, não tem? — perguntei.

Ela fez que sim.

Eu me virei no momento em que quatro delas entraram na caverna. Levei a mão à aljava. Só tinha uma flecha.

28
Um conselho aos pais
Mães, não deixem suas larvas
Virarem formigas

MEG SE DEBATEU NA casca de gosma.

— Me tire daqui!

— Não tenho como cortar! — Meus dedos foram até a corda de ukulele no meu pescoço. — Na verdade, tenho as *suas* espadas, quer dizer, seus anéis...

— Você não precisa cortar nada. Quando a formiga me deixou aqui, soltei o pacote de sementes. Deve estar por aí.

Meg estava certa. Vi o saco amassado perto dos pés dela.

Aproximei-me lentamente, de olho nas formigas. Elas estavam reunidas na entrada, como se com medo de chegar mais perto. Talvez a trilha de formigas mortas no caminho tivesse deixado as criaturas em dúvida.

— Formigas legais — falei. — Formigas excelentes e calmas.

Eu me agachei e peguei o pacote. Uma olhada rápida lá dentro me mostrou que restavam seis sementes.

— Agora o quê, Meg?

— Jogue na gosma — disse ela.

Apontei para os gerânios florescendo perto do pescoço e do sovaco dela.

— Quantas sementes fizeram isso?

— Uma.

— Então essa quantidade vai sufocar você até a morte. Já transformei gente demais de quem eu gostava em flores, Meg. Não vou...

— ANDA LOGO!

As formigas não gostaram do tom dela. Elas avançaram, estalando as mandíbulas. Sacudi as sementes de gerânio acima do casulo de Meg, depois prendi a flecha no arco. Matar uma formiga não adiantaria se as outras três nos fizessem em pedacinhos, então escolhi um alvo diferente. Disparei no teto da caverna, acima da cabeça das formigas.

Foi uma ideia desesperada, mas eu já tinha obtido sucesso derrubando prédios com flechas antes. Em 464 a.C., provoquei um terremoto que quase exterminou a população de Esparta ao acertar uma falha geológica no ângulo certo. (Nunca gostei muito dos espartanos.)

Dessa vez, tive menos sorte. A flecha entrou na terra batida com um *baque* seco. As formigas deram outro passo à frente, ácido pingando da boca. Atrás de mim, Meg lutou para se libertar do casulo, que estava coberto com um tapete de flores roxas.

Ela precisava de mais tempo.

Sem ideias, tirei o lenço de Paulo do pescoço e balancei feito um louco, tentando canalizar meu brasileiro interior.

— PARA TRÁS, FORMIGAS DO MAL! — gritei. — *BRASIL!*

As formigas hesitaram, talvez por causa das cores intensas da bandeira ou da minha voz, ou talvez da minha confiança insana repentina. Enquanto isso, rachaduras se espalharam pelo teto, e então milhares de toneladas de terra caíram nos myrmekos.

Quando a poeira baixou, metade do local tinha sumido junto com as malditas formigas.

Olhei para o meu lenço.

— Estige me morda! Ele tem *mesmo* poderes mágicos. Não posso contar isso para Paulo, senão ele vai ficar insuportável.

— Aqui! — gritou Meg.

Eu me virei. Outro myrmeko estava subindo em uma pilha de carcaças, aparentemente da segunda saída na qual não reparei, atrás das pilhas nojentas de comida.

Antes que eu pudesse pensar no que fazer, Meg rugiu e saiu do amontoado de gosma, jogando gerânios em todas as direções.

— Meus anéis! — gritou ela.

Eu os arranquei do pescoço e os arremessei. Assim que Meg os pegou, duas espadas douradas surgiram nas mãos dela.

O myrmeko mal teve tempo de pensar *Ops* antes de Meg atacar. Ela cortou a cabeça protegida pela carapaça. O corpo desabou em uma pilha fumegante.

Meg se virou para mim. O rosto dela era uma agitação de culpa, infelicidade e amargura. Fiquei com medo de ela vir para cima de mim.

— Apolo, eu... — A voz dela falhou.

Achei que ela ainda estivesse sofrendo os efeitos da minha música. Estava extremamente abalada. Fiz uma nota mental de nunca mais cantar de forma tão sincera quando houvesse a possibilidade de algum mortal estar ouvindo.

— Tudo bem, Meg. Eu que devia pedir desculpas. Coloquei você nessa confusão toda.

Meg balançou a cabeça.

— Você não entende. Eu...

Um grito enfurecido ecoou pela câmara, sacudindo o teto danificado e fazendo chover pedaços de terra em nossa cabeça. O tom do grito me lembrou Hera sempre que ela disparava pelos corredores do Olimpo, gritando comigo por ter deixado o assento divino da privada levantado.

— É a formiga rainha — deduzi. — Temos que ir.

Meg apontou a espada para a única saída que restava.

— Mas o som veio de lá. Assim vamos dar de cara com ela.

— Exatamente. Melhor deixarmos as pazes para depois, né? Um ainda pode acabar fazendo o outro morrer.

Encontramos a formiga rainha.

Oba.

Todos os corredores deviam levar à rainha. Eles irradiavam da câmara dela como as pontas de uma estrela. Sua Majestade tinha três vezes o tamanho dos maiores soldados, uma massa gigantesca de quitina e apêndices farpados, com asas ovais diáfanas dobradas nas costas. Os olhos eram poças vidradas de ônix. O abdome, um saco transparente pulsante cheio de ovos brilhantes. A visão me fez lamentar ter inventado as cápsulas de gel.

O abdome inchado poderia deixá-la mais lenta em uma briga, mas ela era tão grande que seria capaz de nos interceptar antes de chegarmos à saída mais próxima. As mandíbulas nos cortariam ao meio como galhos secos.

— Meg — falei —, o que você acha de usar suas espadas contra essa moça?

Meg ficou perplexa.

— É uma mãe dando à luz.

— É... e é um inseto, coisa que você odeia. E os filhos dela estavam preparando você para o jantar.

Meg franziu a testa.

— Mesmo assim... não acho certo fazer isso.

A rainha sibilou, um som seco de spray. Imaginei que já teria nos borrifado com ácido se não estivesse preocupada com os efeitos de longa duração de corrosivos nas larvas dela. Todo cuidado é pouco para formigas rainhas atualmente.

— Você tem alguma outra ideia? — perguntei a Meg. — De preferência uma que não envolva morrer?

Ela apontou para um túnel logo atrás do amontoado de ovos da rainha.

— A gente tem que ir para aquele lado. Leva à floresta.

— Como você pode ter certeza?

Meg inclinou a cabeça.

— As árvores. É como... Eu consigo ouvi-las crescendo.

Isso me lembrou outra coisa que as Musas me disseram uma vez: que conseguiam ouvir a tinta secando em novas páginas de poesia. Achei que fazia sentido uma filha de Deméter conseguir ouvir o crescimento de plantas. Além do mais, não me surpreendeu que precisássemos chegar justamente ao túnel com acesso mais perigoso.

— Cante — disse Meg. — Cante como você cantou antes.

— Eu... eu não consigo. Estou quase sem voz.

Além do mais, pensei, *não quero correr o risco de perder você de novo.*

Eu havia libertado Meg, então talvez tivesse cumprido meu juramento a Pete, o deus do gêiser. Ainda assim, ao cantar e usar o arco, quebrei meu juramento pelo Rio Estige não só uma vez, mas duas. Outra cantoria só me tornaria *mais* transgressor. Independentemente de quais fossem as punições cósmicas que me aguardavam, eu não queria que recaíssem sobre Meg.

Sua Majestade bateu o maxilar para nós: um aviso, nos mandando recuar. Mais alguns centímetros e minha cabeça teria rolado na terra.

Comecei a cantar, ou melhor, fiz o que pude com a voz rouca que me restou. Decidi cantar um rap. Comecei com o ritmo *bum chica chica*. Cantei um som no qual as Nove Musas e eu estávamos trabalhando pouco antes da guerra com Gaia.

A rainha arqueou as costas. Acho que não esperava ouvir um rap.

Lancei um olhar para Meg que dizia claramente *Me ajude!*.

Ela balançou a cabeça. Com duas espadas na mão, virava uma louca. Mas era só pedir uma ajudinha com uma batida musical que a menina ficava acanhada.

Tudo bem, pensei. *Faço sozinho*.

Comecei a cantar "Dance", do Nas, que, devo confessar, é uma das odes mais emocionantes às mães que já inspirei um artista a compor. (De nada, Nas.) Tomei algumas liberdades com a letra. Posso ter mudado *anjo* para *mãe de ninhada* e *mulher* para *inseto*. Mas o sentimento permaneceu. Fiz uma serenata para a rainha grávida, canalizando meu amor pela minha querida mãe, Leto. Quando cantei que só podia desejar me casar com uma mulher (ou inseto) tão linda como ela um dia, a dor em meu coração era verdadeira. Eu jamais teria uma parceira assim. Não estava no meu destino.

As antenas da rainha tremeram. A cabeça balançou para a frente e para trás. Ovos ficavam saindo do abdome, o que dificultou minha concentração, mas eu insisti.

Quando terminei, me apoiei em um joelho e estiquei os braços em homenagem a ela, esperando o veredito da rainha. Ela tanto poderia me matar, quanto me deixar vivo. Eu estava esgotado. Dediquei tudo àquela música e não conseguia cantar nem mais um verso.

Ao meu lado, Meg ficou totalmente imóvel, segurando as espadas.

Sua Majestade tremeu. Ela virou a cabeça para trás e berrou, um som mais de dor do que de raiva.

Ela se inclinou e cutucou meu peito delicadamente, me empurrando na direção do túnel para onde precisávamos ir.

— Obrigado — grunhi. — Eu... peço desculpas pelas formigas que matei.

A rainha ronronou e estalou, expulsando mais alguns ovos, como quem diz *Não se preocupe, sempre posso fazer mais*.

Fiz um carinho na testa da formiga rainha.

— Posso chamar você de Mama?

A boca do inseto espumou de um jeito satisfeito.

— Apolo — pediu Meg —, vamos, antes que ela mude de ideia.

Eu não sabia se Mama *mudaria* de ideia. Tive a sensação de que ela aceitou minha lealdade e nos adotou na ninhada. Mas Meg estava certa; precisávamos ir logo. Mama nos observou ir embora.

Entramos no túnel e vimos o brilho da luz do dia acima de nós.

29

Sonhando com tochas
E um homem de roupa roxa
Mas fica pior

NUNCA PENSEI QUE UM lugar tão macabro me deixaria tão feliz.

Saímos do túnel e encontramos uma clareira cheia de ossos. A maioria era de animais da floresta, alguns pareciam humanos. Imaginei que tivéssemos encontrado o lixão dos myrmekos, e parecia que ali não havia coleta regular.

Ao redor havia árvores tão densas e emaranhadas que andar entre elas seria impossível. Os galhos se entrelaçavam em um domo de folhas que deixava entrar apenas filetes de luz do sol, não muito mais do que isso. Qualquer pessoa voando acima da floresta jamais teria percebido que esse espaço aberto existia embaixo da cobertura verde.

Em uma das extremidades havia uma fileira de objetos que lembravam o boneco joão-teimoso, seis casulos brancos presos em postes de madeira altos, ladeando um par de carvalhos enormes. Cada árvore tinha pelo menos vinte e cinco metros de altura. Elas cresceram tão próximas uma da outra que os troncos grossos pareciam ter se fundido. A impressão era de que se estava olhando para portas vivas.

— É um portão — constatei. — Para o Bosque de Dodona.

As espadas de Meg encolheram e se transformaram novamente em anéis de ouro, que a menina colocou nos dedos do meio.

— Não *estamos* no bosque ainda?

— Não...

Eu me virei para o outro lado da clareira, para os picolés de casulos brancos. Estavam longe demais para que eu pudesse identificar com clareza seu conteúdo, mas alguma coisa neles pareceu familiar de um jeito cruel e indesejado. Eu queria chegar mais perto. Mas também queria ficar longe.

— Acho que isso é mais uma antecâmara — expliquei. — O bosque em si fica atrás daquelas árvores.

Meg olhou com cautela para o outro lado do campo.

— Não estou ouvindo nenhuma voz.

Era verdade. O bosque estava totalmente silencioso. As árvores pareciam prender a respiração.

— O bosque sabe que estamos aqui — especulei. — Está esperando para ver o que vamos fazer.

— É melhor a gente fazer alguma coisa, então.

Meg estava tão apreensiva quanto eu, mas saiu andando, esmagando ossos com os pés.

Eu desejei ter mais do que um arco, uma aljava vazia e uma voz rouca para me defender, mas fui atrás, tentando não tropeçar em caixas torácicas e chifres de cervos. Na metade do caminho, Meg expirou intensamente. Estava observando os postes dos dois lados do portão de árvore.

No começo não entendi o que estava vendo. Cada estaca era mais ou menos do tamanho da cruz que os romanos montavam ao longo das estradas para dar um recado para potenciais criminosos. (Pessoalmente, acho outdoors mais refinados.) A metade de cima de cada poste fora envolta em pedaços grossos de pano branco, e no topo de cada casulo havia uma forma parecida como uma cabeça humana.

Meu estômago deu um pulo. *Eram* cabeças humanas. Espalhados à nossa frente estavam os semideuses desaparecidos, todos bem amarrados. Petrificado, olhei fixamente para os casulos até discernir as leves expansões e contrações nos panos ao redor do peito deles. Ainda estavam respirando. Inconscientes, não mortos. Graças aos deuses.

À esquerda estavam três adolescentes que eu não conhecia, mas concluí que deviam ser Cecil, Ellis e Miranda. No lado direito havia um homem magro com pele cinza e cabelo branco, sem dúvida o deus gêiser Paulie. Ao lado dele estavam meus filhos... Austin e Kayla.

Eu tremia tanto que os ossos ao redor dos meus pés estalaram. Identifiquei o cheiro exalado pelos panos envolvendo os prisioneiros: enxofre, petróleo, cal e fogo líquido grego, a substância mais perigosa já criada. Fúria e nojo lutaram pelo direito de me fazer vomitar.

— Isso é monstruoso! — gritei. — Precisamos soltá-los agora mesmo.

— O q-que eles têm? — gaguejou Meg.

Não ousei colocar em palavras. Já tinha visto essa forma de execução uma vez, pelas mãos do Besta, e nunca mais queria ver de novo.

Corri até a estaca de Austin. Com toda a minha força, tentei empurrá-la, mas ela nem se mexeu. Estava afundada demais na terra. Puxei as amarras de tecido, mas o máximo que consegui foi encher as mãos de resina sulfurosa. O material era mais grudento e duro do que a gosma dos myrmekos.

— Meg, suas espadas! — gritei.

Eu não sabia se aquilo funcionaria, mas foi a única coisa em que consegui pensar.

E, então, de cima de nós veio um rosnado familiar.

Os galhos sacudiram. Pêssego, o *karpos*, caiu da copa das árvores e pousou com uma cambalhota aos pés de Meg. Ele parecia ter passado por maus bocados para chegar ali. Os braços tinham cortes pingando néctar de pêssego; as pernas estavam salpicadas de hematomas; a fralda estava perigosamente frouxa.

— Graças aos deuses! — falei. Essa não era minha reação habitual ao ver o espírito dos grãos, mas os dentes e as garras dele seriam perfeitos para libertar os semideuses. — Meg, ande! Mande seu amigo...

— Apolo — disse ela, apontando para o túnel de onde viemos. Sua voz estava pesada.

Os dois maiores humanos que eu já havia visto saíam do ninho das formigas. Usando armaduras de ouro, cada um devia ter mais de dois metros e mais de cem quilos de puro músculo. O cabelo louro brilhava. Aros com pedras cintilavam nas barbas. Eles carregavam um escudo oval e uma lança, apesar de muito provavelmente não precisarem de armas para matar alguém. Pareciam capazes de destruir balas de canhão com as próprias mãos.

Eu os reconheci pelas tatuagens e pelos desenhos circulares nos escudos. Esses guerreiros não eram fáceis de esquecer.

— *Germânicos*.

Instintivamente, parei na frente de Meg. Os guarda-costas imperiais de elite eram assassinos a sangue-frio na Roma Antiga, e eu duvidava que tivessem mudado ao longo dos anos.

Os dois homens me olharam com raiva. Tatuagens de serpente envolviam o pescoço, as mesmas exibidas pelos valentões que partiram para cima de mim em Nova York. Os guerreiros se afastaram, e o mestre deles saiu do túnel.

Nero não mudara muito em quase dois milênios. Parecia não ter mais de trinta anos, mas trinta anos *difíceis*, como o rosto abatido e a barriga estufada, resultado de inúmeras festas, comprovavam. A boca levava sempre uma expressão de desprezo. O cabelo encaracolado se prolongava até a barba, que cobria também o pescoço. O queixo era tão pequeno que fiquei tentado a fazer uma vaquinha virtual para comprar um maxilar melhor para ele.

Ele tentava compensar a feiura com um terno italiano caro de lã roxa, que combinava com uma camisa cinza aberta para exibir as correntes de ouro. Os sapatos eram de couro e feitos à mão, ou seja, não muito apropriados para andar em um formigueiro. Nero sempre teve gostos caros e nada práticos. Essa talvez fosse a única coisa que eu admirava nele.

— Imperador Nero — falei. — O Besta.

Seus lábios se repuxaram um pouco.

— Nero está bom. Que alegria ver você, meu honrado ancestral. Sinto muito por ter sido tão relaxado com minhas oferendas nos últimos milênios, mas — ele deu de ombros — não precisei de você. Eu me saí muito bem sozinho.

Meus punhos se fecharam. Queria acertar aquele imperador barrigudo com um raio de força ultrapotente, só que eu não tinha raios de força ultrapotentes. Não tinha flechas. Não tinha mais voz para cantar. Minhas armas contra Nero e seus guarda-costas enormes eram: um lenço brasileiro, um pacote de ambrosia e um sino de vento de metal.

— É a mim que você quer — falei. — Tire os semideuses dessas estacas. Deixe que vão embora com Meg. Eles não fizeram nada para você.

Nero riu.

— Vou ficar feliz em soltá-los quando chegarmos a um acordo. Quanto a Meg... — Ele sorriu para ela. — Como você está, minha querida?

Meg não disse nada. O rosto dela estava duro e cinzento como o do deus do gêiser. Aos pés dela, Pêssego rosnou e balançou as asas folhosas.

Um dos guardas de Nero disse alguma coisa no ouvido dele.

O imperador assentiu.

— Em breve.

Ele voltou a atenção para mim.

— Mas onde estão meus modos? Permita-me apresentar meu braço direito, Vincius, e meu braço esquerdo, Garius.

Os guarda-costas apontaram um para o outro.

— Ah, desculpem — corrigiu Nero. — Meu braço direito, Garius, e meu braço esquerdo, Vincius. Essas são as versões romanizadas dos nomes batavos deles, que não consigo pronunciar. Normalmente, só os chamo de Vince e Gary. Digam oi, rapazes.

Vince e Gary me olharam de cara feia.

— Eles têm tatuagens de serpente — observei —, como aqueles delinquentes que você mandou para me atacar.

Nero deu de ombros.

— Eu tenho muitos servos. Cade e Mikey são pivetinhos sem importância. O único trabalho deles era dar um sacode em você, dar boas-vindas à minha cidade.

— *Sua* cidade. — Era a cara de Nero ir tomando para si metrópoles que claramente pertenciam a mim. — E esses dois cavalheiros... eles são germânicos mesmo? Como?

Nero fez um som de latido que veio do fundo do nariz. Eu tinha esquecido o quanto odiava a gargalhada dele.

— Lorde Apolo, me poupe — disse ele. — Mesmo antes de Gaia tomar as Portas da Morte, almas escapavam de Erebos o tempo todo. Foi fácil um imperador-deus como eu convocar meus seguidores.

— Imperador-deus? — grunhi. — Prefiro um ex-imperador com delírios de grandeza.

Nero arqueou as sobrancelhas.

— O que fez de *você* um deus, Apolo... na época que você era um? Não foi o poder do seu nome, seu poder sobre os que acreditavam em você? Eu não sou diferente. — Ele olhou para a esquerda. — Vince, se jogue na sua lança, por favor.

Sem hesitação, Vince colocou a extremidade da lança no chão e encostou a ponta embaixo da caixa torácica.

— Pare — disse Nero. — Mudei de ideia.

Vince não demonstrou alívio. Na verdade, os olhos dele se apertaram com uma leve decepção. Ele colocou a lança novamente ao lado do corpo.

Nero sorriu para mim.

— Está vendo? Tenho poder de vida e morte sobre meus adoradores, como qualquer deus decente deveria ter.

Senti como se tivesse engolido cápsulas de gel com larvas dentro.

— Os germânicos sempre foram malucos, assim como você.

Nero colocou a mão no peito.

— Que ultraje! Meus amigos bárbaros são súditos leais da dinastia juliana! E, claro, somos todos seus descendentes, lorde Apolo.

Eu não precisava do lembrete. Tinha muito orgulho do meu filho Otaviano, mais tarde César Augusto. Depois da morte dele, seus descendentes foram ficando cada vez mais arrogantes e instáveis (isso só podia vir do DNA mortal deles; eles não herdaram essas qualidades de mim). Nero foi o último da linhagem juliana. Eu não chorei quando ele morreu. Agora, aqui estava ele, tão grotesco e sem queixo como sempre.

— O q-que você quer, Nero? — perguntou Meg, do meu lado.

Ela estava frente a frente com o homem que matou seu pai e mesmo assim parecia incrivelmente calma. Fiquei agradecido pela força dela. Isso me deu esperanças de ter uma dimaquera habilidosa e um bebê pêssego voraz ao meu lado. Mesmo assim, nossas chances de derrotar os dois germânicos eram bem pequenas.

Os olhos de Nero brilharam.

— Direto ao ponto. Eu sempre admirei isso em você, Meg. Na verdade, é bem simples. Você e Apolo vão abrir o portão de Dodona para mim. Depois, esses seis — ele indicou os prisioneiros nas estacas — serão libertados.

Eu balancei a cabeça.

— Você vai destruir o bosque. Depois, vai nos matar.

O imperador deu aquele latido horrível de novo.

— Só se você me obrigar, ora. Sou um imperador-deus razoável, Apolo! É claro que adoraria ter o Bosque de Dodona sob meu controle, mas, se não for possível, não permitirei que *você* o use. Você teve a chance de ser guardião dos oráculos, mas falhou absurdamente. Agora, é minha responsabilidade. Minha... e dos meus parceiros.

— Os dois outros imperadores — falei. — Quem são eles?

Nero deu de ombros.

— Bons romanos. Homens que, como eu, têm força de vontade para fazer o que é necessário.

— Triunviratos nunca deram certo. Eles sempre levam a uma guerra civil.

Ele sorriu como se a ideia não o incomodasse.

— Nós três chegamos a um acordo. Dividimos o novo império... que é como chamamos a América do Norte. Quando tivermos os oráculos, vamos expandir nosso reinado e colocar em prática uma especialidade dos romanos: conquistar o mundo.

Eu apenas o encarei, atônito.

— Você realmente não aprendeu nada com seu reinado anterior — falei.

— Ah, é claro que aprendi! Tive séculos para refletir, planejar e me preparar. Você tem alguma ideia de como é irritante ser um imperador-deus, sem poder morrer, mas incapaz de viver integralmente? Houve um período de uns trezentos anos durante a Idade Média em que meu nome quase foi esquecido. Eu era pouco mais que uma miragem! Graças aos deuses pela Renascença, quando nossa grandiosidade clássica foi venerada. E depois, veio a internet. Deuses, eu *amo* a internet! É impossível ser esquecido agora. A Wikipédia me fez imortal!

Eu fiz uma careta. Estava totalmente convencido da insanidade de Nero. Além do mais, a Wikipédia sempre exibia coisas erradas sobre mim.

Ele virou as palmas das mãos para cima.

— Eu sei, eu sei, você acha que sou maluco. Eu poderia explicar meus planos e provar o contrário, mas tenho muita coisa para fazer hoje. Preciso que você e Meg abram esse portão. Eu já fiz de tudo e não tive sucesso, mas, juntos, vocês dois vão conseguir. Apolo, você tem afinidade com oráculos. Meg tem jeito com árvores. Andem logo. Por favor e obrigado.

— Nós preferimos morrer, então — declarei. — Não é, Meg?

Não houve resposta.

Olhei para ela. Um filete prateado cintilou em sua bochecha. Achei que uma das pedras dos óculos tivesse derretido, mas então percebi que ela estava chorando.

— Meg?

Nero juntou as mãos.

— Ah, caramba. Parece que tivemos um probleminha de comunicação. Sabe, Apolo, foi Meg quem trouxe você aqui, porque eu pedi. Muito bem, minha linda.

Meg secou o rosto.

— Eu... eu não queria...

Meu coração se encolheu até ficar do tamanho de uma pedrinha.

— Meg, não. Não consigo acreditar...

Estiquei a mão para ela. Pêssego rosnou e se colocou entre nós. Eu me dei conta de que o *karpos* não estava ali para nos proteger de Nero. Ele estava defendendo Meg de *mim*.

— Meg — falei. — Esse homem matou seu pai! Ele é um assassino!

Ela olhou para baixo. Quando falou, a voz saiu mais sofrida do que a minha quando cantei no formigueiro.

— *Besta* matou meu pai. Este é Nero. Ele é... ele é meu padrasto.

Eu ainda estava tentando assimilar esta última informação quando Nero abriu os braços.

— Isso mesmo, minha querida — disse ele. — E você fez um trabalho maravilhoso. Vem dar um abraço no papai.

30

Um puxão de orelha
Meg, seu padrasto é maluco
Por que ela não escuta?

EU JÁ FUI TRAÍDO ANTES.

As lembranças voltaram com tudo, como uma onda dolorosa. Certa vez, minha antiga namorada Cirene ficou com Ares só para se vingar de mim. Em outra ocasião, Ártemis disparou uma flecha na minha virilha porque eu estava flertando com suas Caçadoras. Em 1928, Alexander Fleming se recusou a reconhecer que fui eu quem o inspirou a descobrir a penicilina. Tipo, *ai*. Isso doeu.

Mas eu não conseguia me lembrar de ter estado tão errado sobre alguém como aconteceu com Meg. Bem... pelo menos não desde Irving Berlin. *"Alexander's Ragtime Band"?*, eu me lembro de ter dito para ele. *Você nunca vai fazer sucesso com uma música brega dessas!*

— Meg, nós somos amigos. — Minha voz soou insolente até para mim mesmo. — Como você pôde fazer isso comigo?

Meg olhou para os tênis vermelhos, a cor primária dos traidores.

— Eu tentei contar para você, avisar.

— Ela tem um bom coração. — Nero sorriu. — Mas, Apolo, você e Meg são amigos há poucos dias, e só porque eu *pedi* a Meg para ser sua amiga. Eu sou o padrasto e protetor de Meg há muitos anos. Ela é integrante do Lar Imperial.

Eu olhei para minha amada moleca do lixão. Sim, de alguma forma ela se tornara importante para mim. Não conseguia imaginá-la como uma Imperial *sei lá o quê*, muito menos como parte do grupo de Nero.

— Eu arrisquei minha vida por você — falei, surpreso. — E isso *significa muito*, porque eu posso morrer!

Nero bateu palmas educadamente.

— Estamos todos impressionados, Apolo. Agora abra o portão. Ele me desafia há muito tempo.

Tentei lançar um olhar severo para Meg, mas eu não estava no clima. Estava magoado e vulnerável demais. Nós, deuses, não gostamos de nos sentir vulneráveis. Além do mais, Meg não estava nem olhando para mim.

Atordoado, eu me virei para o portão de carvalho. Via agora que os troncos fundidos traziam as marcas dos esforços anteriores de Nero: talhos de serra elétrica, marcas de fogo, cortes de lâminas de machado e até alguns buracos de bala. Tudo isso mal lascou o tronco externo. A área mais danificada era uma marca de dois centímetros de profundidade na forma de mão humana, onde a madeira descascou. Olhei para o rosto inconsciente de Paulie, o deus do gêiser, amarrado junto com os cinco semideuses.

— Nero, o que você fez?

— Ah, várias coisas! Encontramos um caminho para esta antecâmara semanas atrás. O Labirinto tem uma abertura conveniente no ninho dos myrmekos. Mas passar por esses portões...

— Você obrigou o Pálico a ajudar você? — Eu tive que me controlar para não jogar meu sino de vento no imperador. — Você usou um espírito da natureza para destruir a natureza? Meg, como pode tolerar isso?

Pêssego rosnou. Pela primeira vez, tive a sensação de que o espírito dos grãos concordava comigo. A expressão de Meg estava tão fechada quanto o portão. Ela ficou olhando com atenção para os ossos que cobriam o chão.

— Não exagere — disse Nero. — Meg sabe que há espíritos da natureza bons e maus. O deus do gêiser era irritante. Ele ficava pedindo para respondermos pesquisas. Além do mais, não devia ter se aventurado até tão longe da fonte de poder dele. Foi bem fácil capturá-lo. O vapor dele, como você pode ver, não nos ajudou muito.

— E os cinco semideuses? — perguntei. — Você também os "usou"?

— Claro. Eu não planejava atraí-los até aqui, mas, cada vez que atacávamos o portão, o bosque começava a implorar por ajuda. Os semideuses não conseguiram resistir. O primeiro a chegar foi esse aqui. — Ele apontou para Cecil Markowitz. — Os últimos dois foram seus filhos, Austin e Kayla, não é? Eles apareceram depois que forçamos Paulie a vaporizar as árvores. Acho que o bosque ficou bem nervoso. Ganhamos dois semideuses pelo preço de um!

Eu perdi o controle. Soltei um uivo gutural e ataquei o imperador, pretendendo esganar aquele cara de pescoço cabeludo. Os germânicos teriam me matado antes de eu chegar a esse ponto, mas fui salvo pela indignidade. Tropecei em uma pélvis humana e caí de barriga nos ossos.

— Apolo!

Meg correu na minha direção.

Rolei de costas e chutei na direção dela como uma criança birrenta.

— Não preciso da *sua* ajuda! Não sabe o que seu protetor fez? Ele é um monstro! Ele é o imperador que...

— Não diga — avisou Nero. — Se você disser "que tocou violino enquanto Roma pegava fogo", vou mandar Vince e Gary esfolarem você para eu fazer uma armadura de couro nova. Você sabe tão bem quanto eu que nós não *tínhamos* violinos naquela época. E eu *não* iniciei o Grande Incêndio de Roma.

Eu me esforcei para me levantar.

— Mas você lucrou com ele.

Ao olhar para Nero, eu me lembrei de todos os detalhes mesquinhos do governo dele, a extravagância e a crueldade que o tornaram tão constrangedor para mim, seu ancestral. Nero era aquele parente que você tinha vergonha de convidar para o festival de Lupercália.

— Meg — falei —, seu padrasto ficou olhando sem fazer nada enquanto setenta por cento de Roma virava cinzas. Dezenas de milhares morreram.

— Eu estava a cinquenta quilômetros de Roma, em Anzio! — rosnou Nero. — Voltei correndo para a cidade e liderei pessoalmente as brigadas de incêndio!

— Só quando o fogo ameaçou seu palácio.

Nero revirou os olhos.

— Não posso fazer nada se só cheguei a tempo de salvar a construção mais importante!

Meg tapou os ouvidos.

— Parem de discutir. Por favor.

Eu não parei. Falar parecia melhor do que minhas outras opções: ajudar Nero ou morrer.

— Depois do Grande Incêndio — falei para ela —, em vez de reconstruir as casas do monte Palatino, Nero aplainou o bairro e construiu um novo palácio, a *Domus Aurea*.

Nero ficou com uma expressão sonhadora no rosto.

— Ah, sim... a Casa Dourada. Era linda, Meg! Eu tinha meu próprio lago, trezentos quartos, afrescos de ouro, mosaicos feitos com pérolas e diamantes... finalmente pude viver como um ser humano!

— Você teve a coragem de colocar uma estátua de bronze de trinta metros de altura no gramado da frente! — continuei. — Uma estátua sua como Sol-Apolo, o deus-sol. Em outras palavras, você alegou ser *eu*.

— É verdade — concordou Nero. — Mesmo depois que eu morri, aquela estátua sobreviveu. Soube que ficou conhecida como o Colosso de Nero! Levaram-na para o anfiteatro de gladiadores e todo mundo começou a chamar o local em homenagem à estátua... *Coliseu.* — Nero estufou o peito. — Sim... a estátua foi a escolha perfeita.

O tom dele pareceu ainda mais sinistro do que o habitual.

— Do que você está falando? — perguntei.

— O quê? Ah, nada. — Ele olhou o relógio... um Rolex roxo e dourado. — A questão é que eu tinha estilo! O povo me amava!

Eu balancei a cabeça.

— As pessoas se voltaram contra você. O povo de Roma tinha certeza de que você foi o responsável pelo Grande Incêndio, então você usou os cristãos como bode expiatório.

Eu sabia que discutir não ia adiantar nada. Se Meg tinha escondido a verdadeira identidade esse tempo todo, eu duvidava de que pudesse fazê-la mudar de ideia agora. Mas talvez eu conseguisse enrolar o bastante até a ajuda chegar. *Se* chegasse.

Nero fez um gesto de indiferença.

— Mas os cristãos eram terroristas. Podem não ter iniciado o incêndio, mas estavam provocando vários outros problemas. Eu percebi isso antes de todo mundo!

— Ele os jogou aos leões — falei para Meg. — E os queimou em fogueiras, do jeito que vai queimar esses seis.

O rosto de Meg ficou verde. Ela olhou para os prisioneiros inconscientes presos nas estacas.

— Nero, você não faria...

— Eles vão ser libertados — prometeu Nero. — Desde que Apolo coopere comigo.

— Meg, você não pode confiar nele — insisti. — Na última vez que fez isso, pendurou cristãos por todo o quintal e os queimou para iluminar uma festa. Eu estava lá. Eu me lembro dos gritos.

Meg botou a mão na barriga.

— Minha querida, não acredite nas histórias dele! — pediu Nero. — São apenas mentiras criadas pelos meus inimigos.

Meg observou o rosto de Paulie, o deus do gêiser.

— Nero... você não falou nada sobre queimá-los.

— Eles não vão queimar — afirmou, se esforçando para suavizar a voz. — Não vai chegar a isso. Besta não vai ter que agir.

— Está vendo, Meg? — Eu balancei o dedo para o imperador. — Nunca é um bom sinal quando uma pessoa começa a se referir a si mesma na terceira pessoa. Zeus me repreendia sempre por isso!

Vince e Gary deram um passo à frente, com os nós dos dedos ficando brancos ao redor da lança.

— Eu tomaria cuidado se fosse você — avisou Nero. — Meus germânicos são sensíveis a insultos ao imperador. Agora, por mais que eu adore falar sobre mim mesmo, nosso tempo está se esgotando. — Ele olhou de novo para o relógio. — Você vai abrir o portão. Depois, Meg vai tentar usar as árvores para interpretar o futuro. Se conseguir, maravilha! Se não... bem, não vamos queimar a carroça na frente dos bois.

— Meg, ele é louco — falei.

Aos pés dela, Pêssego sibilou de forma protetora.

O queixo da menina tremeu.

— Nero cuidou de mim, Apolo. Me deu uma casa. Me ensinou a lutar.

— Você disse que ele matou seu pai!

— Não! — Ela balançou a cabeça com determinação, com pânico nos olhos. — Não, não foi isso que eu falei. *Besta* o matou.

— Mas...

Nero riu com deboche.

— Ah, Apolo... você entende tão pouco. O pai de Meg era fraco. Ela nem se lembra dele. Ele não era capaz de protegê-la. *Eu* a criei. Eu a mantive viva.

Meu coração se apertou ainda mais. Eu não entendia tudo pelo que Meg passara, nem o que estava sentindo agora, mas conhecia Nero. Via com que facilidade poderia distorcer a verdade para uma criança assustada, uma garotinha sozinha, desejando segurança e aceitação depois da morte do pai, mesmo que essa aceitação viesse de um assassino.

— Meg... lamento tanto.

Outra lágrima escorreu pela bochecha da menina.

— Ela não PRECISA da sua solidariedade. — A voz de Nero ficou dura como bronze. — Agora, minha querida, faça a gentileza de abrir o portão. Se Apolo protestar, lembre a ele que tem que seguir suas ordens.

Meg engoliu em seco.

— Apolo, não dificulte as coisas. Por favor... me ajude a abrir o portão.

Balancei a cabeça.

— Eu me recuso.

— Então eu... eu ordeno. Me ajude. Agora.

31

Ei, escute as árvores
Elas sabem o que rola
Elas sabem tudo

A DETERMINAÇÃO DE MEG podia estar oscilando, mas a de Pêssego, não.

Quando hesitei em seguir a ordem de minha mestre, o espírito dos grãos mostrou os dentes e sibilou "Pêssego", como se isso fosse uma nova técnica de tortura.

— Tudo bem — concordei, com a voz amarga.

A verdade era que eu não tinha escolha. Sentia a ordem de Meg penetrando em meus músculos, me obrigando a obedecer.

Eu me virei para os carvalhos fundidos e coloquei as mãos nos troncos. Não senti qualquer poder oracular. Não ouvi vozes, só um silêncio pesado e teimoso. A única mensagem que as árvores pareciam emitir era: VÃO EMBORA.

Eu me virei para Meg e disse:

— Se fizermos isso, Nero vai destruir o bosque.

— Não vai, não.

— Ele precisa destruir. Nero não consegue controlar Dodona. O poder do bosque é antigo demais. E ele não pode deixar mais ninguém usá-lo.

Meg encostou as mãos nas árvores, logo abaixo das minhas.

— Concentre-se. Abra o portão. Por favor. Você não vai querer enfurecer o Besta.

Ela disse isso baixinho, novamente se referindo ao Besta como se ele fosse alguém que eu ainda não conhecia... um bicho-papão escondido debaixo da cama, não um homem de terno roxo a alguns metros de distância.

Seria impossível me recusar a executar a ordem de Meg, mas talvez devesse ter protestado com mais vigor. Meg poderia ter recuado se eu a desafiasse. Mas aí, Nero ou Pêssego ou os germânicos teriam me matado. Tenho que confessar: eu estava com medo de morrer. Com um medo corajoso, nobre e lindo, verdade. Mas com medo mesmo assim.

Fechei os olhos. Senti a resistência implacável das árvores, a desconfiança que sentiam de estrangeiros. Sabia que, se abrisse o portão à força, o bosque podia ser destruído. Mesmo assim, me esforcei ao máximo e procurei a voz da profecia, atraindo-a para mim.

Pensei em Reia, a rainha dos titãs, que plantou esse bosque. Apesar de ser filha de Gaia e Urano, apesar de ter sido casada com o rei canibal Cronos, Reia conseguiu cultivar sabedoria e gentileza. Ela deu à luz uma linhagem nova e melhor de imortais (modéstia à parte). Ela representava o melhor dos tempos antigos.

Tudo bem, Reia se afastou do mundo e abriu um estúdio de cerâmica em Woodstock, mas ainda se preocupava com Dodona. Ela me enviou aqui para abrir o bosque, compartilhar do poder dele. Ela não era o tipo de deusa que acreditava em portões fechados e placas de "NÃO ENTRE". Comecei a cantarolar delicadamente "This Land Is Your Land".

Os troncos ficaram quentes debaixo dos meus dedos. As raízes das árvores tremeram.

Olhei para Meg. Ela estava superconcentrada, apoiada nos troncos como se tentando derrubá-los. Tudo nela era familiar: o cabelo curto desgrenhado, os óculos de gatinha que brilhavam, o nariz escorrendo, as cutículas roídas e o leve cheiro de torta de maçã.

Mas eu não a conhecia de verdade, não mesmo. Era enteada do psicopata imortal do Nero. Fazia parte do Lar Imperial. O que isso *significava*? Visualizei os membros da família Soprano de togas roxas, ao redor da mesa de jantar, com Nero na cabeceira fumando um charuto. Ter imaginação vívida é uma maldição terrível.

Infelizmente para o bosque, Meg também era filha de Deméter. As árvores reagiram ao poder dela. Os carvalhos gêmeos rugiram. Os troncos começaram a se mover.

Eu queria parar, mas acabei sendo tragado pelo momento. O bosque parecia estar usando meu poder agora. Minhas mãos estavam grudadas nas árvores. O portão se abriu mais, afastando meus braços com ele. Por um momento apavorante, achei que as árvores continuariam se movendo e arrancariam meus membros. Então, elas pararam. As raízes pararam. O tronco esfriou e me soltou.

Eu cambaleei para trás, exausto. Meg ficou parada, imóvel, diante da passagem recém-aberta.

Do outro lado havia... bem, mais árvores. Apesar do frio do inverno, os carvalhos jovens se erguiam altos e verdes, crescendo em círculos concêntricos ao redor de um carvalho um pouco maior no meio. Cobrindo o chão, os frutos das árvores brilhavam com uma luz âmbar suave. Ao redor do bosque havia um muro de árvores ainda mais incríveis do que as da antecâmara. Acima, outro domo de galhos entrelaçados protegia o local de invasores aéreos.

Antes que eu pudesse preveni-la, Meg entrou no bosque. As vozes explodiram. Imagine quarenta pistolas de pregos disparando no seu cérebro de todas as direções ao mesmo tempo. As palavras não faziam sentido, mas atacaram minha sanidade, impedindo que eu pensasse em qualquer coisa. Cobri os ouvidos. O barulho só ficou mais alto e mais persistente.

Atordoado, Pêssego enfiou as unhas na terra, tentando enterrar a cabeça. Vince e Gary se contorciam no chão. Até os semideuses inconscientes se debateram e gemeram nas estacas.

Nero recuou, com a mão levantada como se para bloquear uma luz intensa.

— Meg, controle as vozes! Agora!

Meg não pareceu incomodada pelo barulho, mas estava perplexa.

— Elas estão dizendo alguma coisa... — Meg balançou as mãos no ar, puxando fios invisíveis para desemaranhar o pandemônio. — Estão agitadas. Não consigo... Espere...

De repente, as vozes se calaram, como se já tivessem dito tudo o que precisavam dizer.

Meg se virou para Nero com os olhos arregalados.

— É verdade. As árvores me disseram que você deseja queimá-las.

Os germânicos grunhiram, parcialmente conscientes no chão. Nero se recuperou com mais rapidez. Ele levantou o dedo, repreendendo, orientando.

— Me escute, Meg. Eu esperava que o bosque pudesse ser útil, mas está óbvio que está quebrado e confuso. Você não pode acreditar no que ele diz. É a criação de uma rainha titã senil. O bosque tem que ser destruído. É o único jeito, Meg. Você entende isso, não entende?

Ele chutou Gary para que virasse para cima e remexeu nas pochetes do guarda-costas. Então se levantou, triunfante, segurando uma caixa de fósforos.

— Depois do incêndio, prometo que vamos reconstruir tudo — disse ele. — Vai ser glorioso!

Meg olhou para ele como se pela primeira vez estivesse reparando na barba horrível no pescoço.

— Do q-que você está falando?

— Ele vai queimar Long Island — expliquei. — Depois, vai transformar em seu domínio particular, como fez com Roma.

Nero riu, furioso.

— Long Island é uma droga mesmo! Ninguém vai sentir falta. Meu novo complexo imperial vai se estender de Manhattan a Montauk, o maior palácio já construído! Vamos ter rios e lagos particulares e cento e sessenta quilômetros de propriedade à beira-mar, com jardins tão grandes que vão ter CEP próprio. Vou construir para cada pessoa do meu lar um arranha-céu particular. Ah, Meg, imagine as festas que vamos dar na nossa nova *Domus Aurea*!

A verdade pesava demais, e fez os joelhos de Meg cederem.

— Você não pode fazer isso. — A voz dela tremeu. — O bosque... eu sou filha de Deméter.

— Você é *minha* filha — corrigiu Nero. — E me preocupo profundamente com você. E é por isso que você precisa sair da frente. Rápido.

Ele encostou um fósforo na superfície da caixa.

— Assim que eu acender essas estacas, nossas tochas humanas vão gerar uma onda de fogo direto por aquela entrada. Nada vai conseguir detê-la. A floresta toda vai pegar fogo.

— Por favor! — gritou Meg.

— Venha, minha querida. — Nero franziu mais a testa. — Apolo não tem mais utilidade para nós. Você não quer despertar o Besta, quer?

Ele acendeu o fósforo e andou na direção da estaca mais próxima, onde meu filho Austin estava.

32

Só o Village People
Para proteger a mente
"Y.M.C.A." Sim

AH, ESSA PARTE É difícil de contar.

Sou um ótimo contador de histórias. Tenho um instinto infalível para o drama. Quero contar o que *devia* ter acontecido: que avancei gritando "Nãããão!" e saltei como um acrobata, jogando o fósforo aceso longe, depois segui com uma série de movimentos de kung fu supervelozes, quebrei a cabeça de Nero e acabei com os guarda-costas dele antes que pudessem reagir.

Ah, sim.

Isso teria sido perfeito.

Mas a verdade me compele.

Maldita verdade!

Na realidade, eu balbuciei alguma coisa como "Nã-hã, bobão!". Talvez tenha sacudido meu lenço verde e amarelo com a esperança de que sua magia destruísse meus inimigos.

O verdadeiro herói foi Pêssego. O *karpos* deve ter sentido os sentimentos sinceros de Meg, ou talvez só não gostasse da ideia de botar fogo em florestas. Ele saltou sobre o braço de Nero, dando seu grito de guerra — adivinhe —, "Pêssego!", comeu o fósforo aceso na mão do imperador e caiu a uns poucos metros, limpando a língua e gritando:

— Cante! Cante!

(Eu concluí que devia ser "quente" no dialeto das frutas decíduas.)

A cena teria sido engraçada, não fosse o fato de os germânicos estarem de pé agora, os cinco semideuses e um deus do gêiser continuarem amarrados a postes inflamáveis e Nero ainda estar com uma caixa de fósforos na mão.

O imperador olhou para a mão vazia.

— Meg...? — A voz dele estava gelada como um picolé. — Qual é o significado disso?

— P-pêssego, venha cá! — A voz de Meg estava tensa de medo.

O *karpos* se aproximou dela. Sibilou para mim, para Nero e para os germânicos. Meg inspirou com dificuldade, se enchendo de coragem.

— Nero... Pêssego está certo. Você... você não pode queimar essas pessoas vivas.

Nero suspirou. Olhou para os guarda-costas em busca de apoio moral, mas os germânicos ainda pareciam atordoados. Estavam batendo nas têmporas como se tentassem tirar água do ouvido.

— Meg — começou o imperador —, estou me esforçando para manter o Besta longe. Por que você não me ajuda? Sei que é uma boa garota. Eu não teria permitido que andasse sozinha por Manhattan, bancando a menina de rua, se não soubesse que você seria capaz de se cuidar. Mas ser branda com nossos inimigos não é uma virtude. Você é minha enteada. Qualquer um desses semideuses mataria você sem hesitar se tivesse a chance.

— Meg — falei. — Você conheceu o Acampamento Meio-Sangue. Sabe que isso não é verdade!

Ela me observou com inquietação.

— Mesmo... mesmo que fosse verdade... — Ela se virou para Nero. — Você disse para eu nunca me rebaixar ao nível dos meus inimigos.

— É mesmo. — O tom de Nero era áspero como uma corda gasta. — Nós somos melhores. Mais fortes. Construiremos um novo mundo glorioso. Mas essas árvores ininteligíveis estão no nosso caminho, Meg. Como qualquer erva daninha invasiva, elas precisam queimar. E o único jeito de fazer isso é com uma verdadeira conflagração: chamas atiçadas por sangue. Vamos fazer isso juntos sem envolver o Besta, certo?

Finalmente, na minha cabeça, algo estalou. Eu me lembrei de como meu pai me punia séculos atrás, quando eu era um jovem deus aprendendo as regras do Olimpo. Zeus dizia: "Não vá irritar meu raio, garoto."

Como se o raio tomasse decisões próprias, como se Zeus não tivesse nada a ver com as punições que infligia a mim.

"Não me culpe", sugeria o tom dele. "Foi o raio que queimou todas as moléculas do seu corpo."

Muitos anos depois, quando matei os ciclopes que criaram os raios de Zeus, não foi uma decisão impensada. Eu sempre *odiei* aqueles raios. Era mais fácil do que odiar meu pai.

Nero usava o mesmo tom quando se referia a si mesmo como Besta. Ele falava da raiva e da crueldade como se fossem forças fora do seu controle. Se tivesse um ataque de fúria... Bem, ele ia culpar *Meg*.

A percepção me enojou. Meg foi criada para ver o padrasto gentil Nero e o apavorante Besta como duas pessoas diferentes. Eu entendia agora por que ela preferia passar o tempo nos becos de Nova York. Entendia por que seu humor mudava tão rápido, indo de dar estrelas por aí ao silêncio total em questão de segundos. Ela nunca sabia o que podia libertar o Besta.

Meg olhou para mim. Seus lábios tremeram. Queria uma saída, algum argumento eloquente que acalmasse o padrasto e permitisse que ela seguisse sua consciência. Mas eu não era mais um deus cheio de lábia. Não conseguiria superar um orador como Nero. E não faria o jogo de culpa do Besta.

Então, decidi seguir o estilo de Meg, que sempre era breve e ia direto ao ponto.

— Ele é mau — concluí. — Você é boa. Meg, você tem que fazer sua própria escolha.

Percebi que não era isso que Meg queria ouvir. Ela comprimiu os lábios. Encolheu os ombros como se estivesse se preparando para tomar uma vacina de sarampo, uma coisa dolorosa, mas necessária. Então, colocou a mão na cabeça encaracolada do *karpos*.

— Pêssego — disse ela baixinho, mas firme —, pegue a caixa de fósforos.

O *karpos* agiu na mesma hora. Nero mal teve tempo de piscar antes que Pêssego arrancasse a caixa da mão dele e voltasse para o lado de Meg.

Os germânicos prepararam as lanças. Nero ergueu a mão para impedi-los. Lançou um olhar para Meg que talvez fosse de coração partido... se ele tivesse coração.

— Estou vendo que você não estava pronta para essa tarefa, minha querida — disse ele. — É culpa minha. Vince, Gary, detenham Meg, mas não a machuquem. Isso pode esperar até chegarmos em casa. — Ele deu de ombros com expressão de lamento. — Quanto a Apolo e o demoniozinho das frutas, eles vão ter que ser queimados.

— Não — sussurrou Meg. E então, a plenos pulmões, ela gritou: — NÃO!

E o Bosque de Dodona gritou com ela.

A explosão foi tão poderosa que derrubou Nero e os guardas. Pêssego berrou e bateu a cabeça no chão.

Mas dessa vez eu estava preparado. Quando o coral das árvores de romper os tímpanos foi aumentando, ancorei minha mente na melodia mais chiclete que consegui imaginar. Cantarolei "Y.M.C.A."; eu me apresentava com o Village People com minha fantasia de operário até que o cacique indígena e eu começamos a discutir por causa de... Deixa pra lá. Isso não é importante.

— Meg! — Tirei o sino de vento do bolso e o joguei para ela. — Coloque isso na árvore do meio! *Y.M.C.A.* Concentre a energia do bosque! *Y.M.C.A.*

Eu não sabia se ela conseguia me ouvir. Meg levantou o sino e o viu balançar e tocar, transformando o coral das árvores em um discurso coerente: *A felicidade se aproxima. A descida do sol; o verso final. Quer saber quais são os pratos do dia?*

O rosto de Meg foi tomado pela surpresa. Ela se virou para o bosque e passou correndo pelo portão. Pêssego engatinhou atrás dela, balançando a cabeça.

Eu queria segui-la, mas não podia deixar Nero e os guardas sozinhos com seis reféns. Ainda cantarolando "Y.M.C.A.", andei na direção deles.

As árvores gritavam mais alto do que nunca, mas Nero conseguiu ficar de joelhos. Ele tirou algo do bolso do casaco, um frasco, e jogou o líquido no chão à sua frente. Eu duvidava que fosse boa coisa, mas tinha preocupações mais imediatas. Vince e Gary estavam se levantando. Vince me atacou com a lança.

Eu estava com muita raiva, ao ponto do descuido. Segurei a ponta da lança e a empurrei, acertando o queixo de Vince. Ele caiu, atordoado, e eu agarrei sua couraça.

Ele tinha facilmente o dobro do meu tamanho. Eu não liguei. Levantei-o no ar. Meus braços vibravam de força. Eu me sentia invencível e poderoso, como um deus *devia* se sentir. Não fazia ideia de por que meus poderes tinham voltado, mas decidi que não era o momento de questionar minha boa sorte. Girei Vince como um disco e o joguei para o alto com tanta força que ele fez um buraco de formato germânico na copa das árvores e disparou para longe.

Pontos para a Guarda Imperial por ter idiotas corajosos. Apesar da minha exibição de força, Gary me atacou. Com uma das mãos, eu quebrei a lança dele. Com a outra, dei um soco através do escudo e acertei seu peito com força suficiente para derrubar um rinoceronte.

Ele desabou no chão.

Eu encarei Nero. Já conseguia sentir minha força se esvaindo. Meus músculos estavam voltando à flacidez mortal patética. Eu só esperava ter tempo suficiente para arrancar a cabeça de Nero e enfiá-la dentro do terno roxo.

O imperador rosnou.

— Você é um tolo, Apolo. *Sempre* se concentra na coisa errada. — Ele olhou para o Rolex. — Minha equipe de demolição vai chegar a qualquer minuto. Quando o Acampamento Meio-Sangue for destruído, vou transformá-lo no meu jardim! Enquanto isso, você vai estar aqui... apagando o fogo.

Do bolso do colete, ele tirou um isqueiro prateado. Era típico de Nero guardar várias formas de criar fogo ao alcance da mão. Olhei para as faixas brilhantes de óleo que ele derramou no chão... Fogo grego, claro.

— Não! — exclamei.

Nero sorriu.

— Adeus, Apolo. Só faltam onze olimpianos agora.

E largou o isqueiro.

Não tive o prazer de arrancar a cabeça de Nero.

Se eu poderia tê-lo impedido de fugir? Talvez. Mas as chamas ardiam entre nós, queimando grama e ossos, raízes de árvore e a própria terra. O fogaréu era forte demais para ser apagado pisoteando, isso se o fogo grego *pudesse* ser pisoteado, e estava avançando com voracidade na direção dos seis reféns amarrados.

Deixei Nero ir. De algum modo, ele fez Gary se levantar e arrastou o germânico grogue na direção do formigueiro. Enquanto isso, eu corri até as estacas.

A mais próxima era a de Austin. Passei os braços ao redor da base e puxei, ignorando completamente as técnicas adequadas de levantamento de peso. Meus músculos se repuxaram. Meus olhos saltaram com o esforço. Consegui levantar a estaca o bastante para derrubá-la para trás. Austin se mexeu e gemeu.

Eu o arrastei, com casulo e tudo, para o outro lado da clareira, o mais longe possível do fogo. Eu o teria levado para o Bosque de Dodona, mas tinha a sensação de que não estaria fazendo bem algum a ele se o carregasse para uma clareira sem saída cheia de vozes insanas, no caminho direto das chamas.

Voltei correndo para as estacas. Repeti o processo: soltei Kayla, depois Paulie, o deus do gêiser, depois os outros. Quando levei Miranda Gardiner até um local seguro, o fogo tinha se espalhado em uma onda vermelha furiosa, a centímetros do portão do bosque.

Minha força divina acabara. Meg e Pêssego não estavam por perto. Eu ganhei alguns minutos para os reféns, mas o fogo acabaria consumindo todos nós. Caí de joelhos e chorei.

— Socorro.

Olhei para as árvores sombrias, emaranhadas e agourentas. Eu não esperava ajuda. Não estava nem acostumado a *pedir* ajuda. Eu era Apolo. Os mortais pediam ajuda a *mim*! (Sim, algumas vezes mandei semideuses executarem tarefas triviais em meu nome, como iniciar guerras ou buscar itens mágicos em covis de monstros, mas esses pedidos não contavam.)

— Não consigo fazer isso sozinho. — Imaginei o rosto de Dafne flutuando embaixo do tronco de uma árvore e depois de outra. Em pouco tempo, o bosque pegaria fogo. Eu não podia salvar as árvores, assim como não podia salvar Meg, os semideuses perdidos ou a mim mesmo. — Eu lamento tanto. Por favor... me perdoem.

Minha cabeça devia estar girando pela inalação de fumaça. Comecei a ter alucinações. As formas cintilantes das dríades surgiram das árvores, uma legião de Dafnes usando vestidos verdes. As expressões delas eram de melancolia, como se soubessem que iam morrer, mas avançaram na direção do fogo mesmo assim. Elas levantaram os braços, e a terra entrou em erupção aos pés delas. Uma torrente de lama caiu nas chamas. As dríades absorveram o calor do fogo no próprio corpo. A pele delas ficou preta. Os rostos endureceram e racharam.

Assim que as últimas chamas morreram, as dríades viraram cinzas. Eu queria poder me juntar a elas. Queria chorar, mas o fogo evaporou toda a umidade dos meus dutos lacrimais. Eu não pedi tantos sacrifícios. Não esperava por eles! Eu me sentia vazio, culpado e envergonhado.

E então, me ocorreu quantas vezes eu *pedi* sacrifícios, quantos heróis mandei para a morte. Por acaso eles eram menos nobres e corajosos do que essas dríades? Mas não senti remorso quando os mandei em missões mortais. Eu os usei e descartei, destruí suas vidas para construir minha glória. Eu era tão monstruoso quanto Nero.

Uma brisa soprou pela clareira, um vento quente nada próprio da estação, que levantou as cinzas e as carregou pela copa das árvores até o céu. Só depois que a brisa acalmou eu percebi que devia ter sido o Vento Oeste, meu antigo rival, me oferecendo consolo. Ele soprou os restos e levou as dríades para sua próxima e bela encarnação. Depois de tantos séculos, Zéfiro aceitou meu pedido de desculpas.

Descobri que ainda possuía lágrimas, afinal.

Atrás de mim, alguém gemeu.

— Onde estou?

Austin havia acordado.

Engatinhei até ele, agora chorando de alívio, e beijei seu rosto.

— Meu filho lindo!

Ele olhou para mim, confuso. As trancinhas estavam salpicadas de cinzas como geada em um campo. Acho que ele demorou um tempo para entender por que estava sendo paparicado por um garoto sujo e meio doido cheio de acne.

— Ah, certo... Apolo. — Ele tentou se mexer. — Mas que diabo...? Por que estou enrolado em ataduras fedidas? Que tal você me soltar?

Comecei a rir histericamente, o que duvidava que ajudaria a tranquilizar Austin. Tentei arrancar as amarras, mas sem sucesso. Então, me lembrei da lança quebrada de Gary. Peguei a ponta e passei vários minutos soltando Austin.

Quando estava livre, ele cambaleou um pouco, tentando fazer o sangue voltar a circular nos membros. Ele observou a cena: a floresta fumegante e os outros prisioneiros. O Bosque de Dodona tinha cessado o coral insano de gritos. (Quando isso aconteceu?) Uma luz âmbar radiante agora brilhava no portão.

— O que está acontecendo? — perguntou Austin. — E onde é que está meu saxofone?

Perguntas sensatas exigiam respostas sensatas. Eu só sabia dizer que Meg McCaffrey ainda estava explorando o bosque, e não gostei do fato de as árvores terem ficado em silêncio.

Olhei para meus braços mortais fracos. Perguntei-me por que vivenciei uma onda repentina de força divina quando estava enfrentando os germânicos. Minhas emoções deflagraram isso? Seria o primeiro sinal dos meus poderes voltando de vez? Ou Zeus estava de brincadeira comigo de novo, me dando um gostinho do meu antigo poder antes de arrancá-lo novamente? *Lembra como era, garoto?* POIS ENTÃO, VOCÊ NÃO VAI TER MAIS!

Eu desejava poder convocar aquela força mais uma vez, mas teria que me virar.

Entreguei a lança quebrada a Austin.

— Liberte os outros. Já volto.

Ele ficou me olhando, incrédulo.

— Você vai entrar *ali*? É seguro?

— Duvido muito — respondi.

E corri na direção do oráculo.

33

Abandono dói
Nada nele é doce, nada
Não me deixe jamais

AS ÁRVORES ESTAVAM USANDO as vozes interiores.

Quando passei pelo portão, percebi que ainda balbuciavam, soltando frases sem sentido como sonâmbulos em uma festa. Olhei para o bosque. Nenhum sinal de Meg. Chamei o nome dela. As árvores falaram ainda mais alto, me deixando cada vez mais entorpecido. Eu me apoiei no carvalho mais próximo.

— Cuidado aí, cara — disse a árvore.

Segui em frente e ouvi as árvores entoando versos, como se estivessem brincando de rimar:

Azuis as cavernas são
Acerte a coloração
Para o Oeste, queimando
Páginas virando
Indiana
Madura é a banana
A felicidade vem de repente
Baratas e serpentes

Nada fazia sentido, mas cada verso carregava o peso de uma profecia. Senti como se dezenas de declarações importantes, cada uma vital para a minha sobrevivência, estivessem sendo misturadas, colocadas em um revólver e disparadas na minha cara.

(Que imagem poderosa. Vou ter que usar em um haicai.)

— Meg! — chamei de novo.

Nenhuma resposta. O bosque não parecia ser muito grande. Por que ela não me ouvia? Por que eu não a via?

Segui em frente, cantarolando um tom perfeito de Lá em uma frequência de 440 hertz para me manter concentrado. Ao passar pelo segundo círculo de árvores, os carvalhos ficaram mais falantes.

— Ei, amigão, tem uma moeda? — perguntou um.

Outro tentou me contar uma piada sobre um pinguim e uma freira que foram a uma lanchonete.

Um terceiro carvalho recitava um infomercial para um colega, na tentativa de vender um processador de alimentos.

— E você não vai acreditar na qualidade da massa que ele faz!

— Uau! — disse a outra árvore. — Ele faz massas também!

— Linguine fresco em minutos! — anunciou o carvalho vendedor com entusiasmo.

Não entendi por que um carvalho ia querer linguine, mas continuei andando. Mais um minuto ali e eu acabaria comprando o processador de alimentos por três parcelas de apenas 39,99 dólares, e minha sanidade se perderia para sempre.

Finalmente, cheguei ao centro do bosque. Do outro lado, no maior carvalho, Meg estava de costas para o tronco, com os olhos bem fechados. Ainda segurava o sino de vento, mas o objeto parecia esquecido em sua mão. Os cilindros de metal se moveram sem emitir som, encostados no vestido.

Aos pés dela, Pêssego se balançava para a frente e para trás, rindo.

— Maçã? Pêssego! Manga? Pêssego!

Toquei no ombro dela.

— Meg.

Ela se encolheu. Olhou para mim como se eu fosse uma ilusão de ótica inteligente. Os olhos tremiam de medo.

— Não vou aguentar — disse ela. — Não vou aguentar.

As vozes estavam dominando Meg. Era como se cem estações de rádio estivessem tocando ao mesmo tempo, dividindo meu cérebro à força em canais diferentes. Era terrível, mas eu pelo menos estava acostumado com profecias. Meg, por outro lado, era filha de Deméter. As árvores gostavam dela. Estavam todas tentando contar coisas para a menina, lutando por sua atenção. Em pouco tempo, destruiriam por completo sua mente.

— O sino de vento — falei. — Pendure na árvore!

Apontei para o galho mais baixo, bem acima de nós. Eu não conseguiria alcançá-lo sozinho, mas, se levantasse Meg...

Meg recuou, balançando a cabeça. As vozes de Dodona eram tão caóticas que eu não sabia se ela tinha me ouvido. Se tinha, não entendeu ou não confiou em mim.

Precisei deixar meu ressentimento de lado. Ok, Meg era enteada de Nero. Foi enviada para me atrair até ali, e nossa amizade toda era uma mentira. Ela não tinha direito de não confiar em *mim*, mas eu não podia deixar que a amargura me dominasse. Se eu a culpasse pela forma como Nero distorceu as emoções dela, eu não seria melhor do que o Besta. Além do mais, não era porque ela mentiu sobre ser minha amiga que eu não era amigo dela. Ela estava em perigo. Eu não deixaria que se perdesse na loucura das piadas de pinguim do bosque.

Eu me agachei e entrelacei os dedos para servir de apoio.

— Por favor — pedi.

À minha esquerda, Pêssego rolou de costas e gritou:

— Linguine? Pêssego!

Meg fez uma careta. Vi em seus olhos que ela havia decidido cooperar comigo; não por confiar em mim, mas porque Pêssego estava sofrendo.

E eu achando que meu coração não podia ser mais pisoteado. Ser traído era uma coisa. Ser considerado menos importante do que um espírito das frutas de fralda era bem diferente.

Mesmo assim, fiquei firme quando Meg apoiou o pé esquerdo na minha mão. Com toda a força que me restava, eu a levantei. Ela pisou nos meus ombros e apoiou um dos pés na minha cabeça. Nota mental: colocar uma etiqueta no meu couro cabeludo com o aviso — NÃO SUBIR NO ÚLTIMO DEGRAU.

Com as costas apoiadas no carvalho, eu sentia as vozes do bosque subindo pelo tronco e vibrando na casca. A árvore central parecia ser uma grande antena parabólica, captando todas as falas desconexas.

Meus joelhos estavam quase cedendo. As solas dos tênis de Meg esmagavam minha testa. O lá 440 Hz que eu estava cantarolando logo murchou para sol sustenido.

Finalmente, Meg amarrou o sino de vento no galho. Ela pulou no exato momento em que minhas pernas falharam, e nós dois acabamos esparramados no chão.

O sino de vento balançou e tocou, captando notas no vento e transformando dissonância em acordes.

O bosque ficou em silêncio, como se as árvores estivessem ouvindo e pensando *Aaaah, que lindo*.

E então, o chão tremeu. O carvalho central chacoalhou com tanta força que choveram bolotas.

Meg se levantou. Aproximou-se da árvore e encostou no tronco.

— Fale — ordenou ela.

Uma única voz soou do sino de vento, como uma líder de torcida gritando em um megafone:

> *Houve um deus, Apolo era chamado*
> *Entrou em uma caverna azul acompanhado*
> *Ele e mais dois montados*
> *No cuspidor de fogo alado*
> *A morte e loucura forçado*

O sino de vento parou. O bosque mergulhou na calmaria, como se satisfeito com a sentença de morte que me dera.

Ah, que horror!

Eu aceitaria um soneto sem problemas. Uma quadra teria sido motivo de comemoração. Mas apenas as profecias mais mortais são passadas na forma de limerique.

Olhei para o sino de vento, torcendo para que falasse de novo e se corrigisse. *Ops, foi mal! Essa profecia era para* outro *Apolo!*

Mas não tive tanta sorte. Recebi um pronunciamento pior do que mil propagandas de máquinas de fazer massa.

Pêssego se levantou. Balançou a cabeça e sibilou para o carvalho, o que expressou meus sentimentos com perfeição. Ele abraçou a perna de Meg como se a garota fosse a única coisa que o impedisse de desaparecer por completo. A cena seria quase fofa, não fossem as presas e os olhos brilhantes do *karpos*.

Meg me olhou com cautela. As lentes dos óculos estavam rachadas.

— Aquela profecia — disse ela. — Você entendeu?

Engoli em seco um monte de fuligem.

— Talvez. Parte dela. Nós precisamos conversar com Rachel...

— Não existe mais *nós*. — O tom de Meg soou tão acre quanto os gases vulcânicos de Delfos. — Faça o que tiver que fazer. É minha última ordem.

Isso me atingiu como uma lança enfiada até o queixo, como se já não bastasse ela ter mentido para mim e me traído.

— Meg, não dá. — Foi impossível disfarçar o tremor na voz. — Você reivindicou meus serviços. Até que minhas provações acabem...

— Eu liberto você.

— Não! — gritei.

Eu não conseguia suportar a ideia de ser abandonado. Não de novo. Não por essa rainha do lixão desgrenhada de quem aprendi a gostar tanto.

— Você *não* pode acreditar em Nero agora — falei. — Você ouviu os planos dele. Ele quer destruir a ilha toda! Você viu o que ele tentou fazer com os reféns.

— Ele... ele não teria queimado ninguém. Ele prometeu. Se segurou. Você viu. Aquele não era o Besta.

Minha caixa torácica parecia uma harpa com as cordas esticadas demais.

— Meg... Nero *é* o Besta. Ele matou seu pai.

— Não! Nero é meu padrasto. Meu pai... meu pai libertou o Besta. Ele o deixou irritado.

— Meg...

— Pare! — Ela tapou os ouvidos. — Você não o conhece. Nero é bom para mim. Vou falar com ele. Vai ficar tudo bem.

Seu estado de negação era tão completo, tão irracional, que vi que não havia como discutir. Ela me lembrou dolorosamente de mim mesmo quando caí na Terra, de como me recusei a aceitar minha nova realidade. Sem a ajuda de Meg, eu teria morrido. Agora, os papéis estavam invertidos.

Eu me aproximei dela, mas o rosnado de Pêssego me fez parar.

Meg recuou.

— Terminamos por aqui.

— Não, Meg, não mesmo — falei. — Estamos unidos, quer você goste ou não.

Eu me dei conta de que, alguns dias antes, ela havia me dito a mesma coisa.

Ela me lançou um último olhar pelas lentes rachadas. Eu teria dado qualquer coisa para ela ter feito uma careta nesse momento. Queria andar pelas ruas de Manhattan com ela dando estrelas nos cruzamentos. Senti falta de mancar com ela pelo Labirinto, com nossas pernas amarradas. Eu teria aceitado uma boa guerra de lixo em um beco. Mas ela só se virou e saiu correndo, com Pêssego logo atrás. Eles se dissolveram entre as árvores, como Dafne fizera muito tempo antes.

Acima da minha cabeça, uma brisa fez o sino de vento tilintar. Daquela vez, nenhuma voz ecoou das árvores. Eu não sabia por quanto tempo Dodona ficaria em silêncio, mas não queria estar aqui se os carvalhos decidissem contar piadas de novo.

Eu me virei e vi uma coisa estranha aos meus pés: uma flecha com cabo de carvalho e pena verde.

Não devia haver flechas ali. Eu não levei nenhuma para o bosque. Mas estava tão atordoado que não dei importância a isso. Fiz o que qualquer arqueiro faria: peguei a flecha e a coloquei na minha aljava.

34

Nada de Uber
Algum táxi a caminho? Não.
Eu vou é com a Mama

AUSTIN HAVIA SOLTADO OS outros prisioneiros.

Eles pareciam ter sido mergulhados em uma tina de cola e pedaços de algodão, mas, fora isso, não estavam feridos. Ellis Wakefield andava de um lado para outro com os punhos fechados, procurando alguma coisa para socar. Cecil Markowitz, filho de Hermes, estava sentado no chão tentando limpar os tênis com um fêmur de cervo. Austin (que garoto versátil!) tinha conseguido um cantil de água e estava lavando o fluido de fogo grego do rosto de Kayla. Miranda Gardiner, a conselheira-chefe do chalé de Deméter, ajoelhara-se no local onde as dríades se sacrificaram. Ela chorava em silêncio.

O Pálico Paulie flutuou até mim. Como seu companheiro, Pete, a parte inferior de seu corpo era feita de vapor. Da cintura para cima, ele parecia uma versão mais magra e maltratada do companheiro de gêiser. A pele de lama estava rachada como a margem de um rio seco. O rosto murchou, como se toda a umidade tivesse sido sugada dele. Ao ver quanto Nero o afetou, eu acrescentei alguns itens à lista mental que estava preparando: *Algumas formas de torturar um imperador nos Campos de Punição*.

— Você me salvou — disse Paulie, impressionado. — Arrasou!

Ele me abraçou. O poder dele estava tão fraco que o calor do vapor não me matou, só abriu bem meus seios da face.

— Você devia ir para casa — falei. — Pete está preocupado, e você precisa recuperar suas forças.

— Ah, cara... — Paulie secou uma lágrima fumegante do rosto. — É, já estou indo. Mas, se você precisar de qualquer coisa, limpeza a vapor grátis, trabalho de relações públicas, massagem com lama, é só falar.

Quando ele já se dissolvia em névoa, gritei:

— Paulie? Eu daria nota dez por satisfação do cliente para a Floresta do Acampamento Meio-Sangue.

Paulie abriu um sorriso de gratidão. Tentou me abraçar de novo, mas seu corpo já tinha virado noventa por cento vapor. Só senti uma brisa úmida com cheiro de lama. E então, ele sumiu.

Os cinco semideuses se reuniram ao meu redor.

Miranda olhou para um ponto atrás de mim, para o Bosque de Dodona. Seus olhos ainda estavam inchados pelo choro, mas ela tinha íris lindas, da cor de folhagem.

— Então as vozes que ouvi vindas daquele bosque... O lugar é mesmo um oráculo? Essas árvores podem nos dar profecias?

Estremeci, pensando nos versos dos carvalhos.

— Talvez.

— Posso dar uma olhada...?

— Não — falei. — Não enquanto não entendermos melhor esse bosque.

Eu já havia perdido uma filha de Deméter hoje. Não pretendia perder outra.

— Não estou entendendo — resmungou Ellis. — Você é Apolo? Tipo, *o* Apolo?

— Infelizmente, sou. É uma longa história.

— Ah, deuses... — Kayla observou a clareira. — Pensei ter ouvido a voz de Meg mais cedo. Eu sonhei isso? Ela estava com você? Ela está bem?

Os outros olharam para mim, esperando uma explicação. As expressões eram tão frágeis e hesitantes que decidi que não podia fraquejar na frente deles.

— Ela está... viva — consegui dizer. — Mas teve que ir embora.

— *O quê?* — perguntou Kayla. — Por quê?

— Nero — respondi. — Ela... ela foi atrás de Nero.

— Espere aí — interrompeu Austin. — Quando você diz Nero...

Fiz o melhor que pude para explicar como o imperador louco os capturou. Eles mereciam saber. Enquanto recontava a história, as palavras de Nero ficavam se repetindo na minha mente: *Minha equipe de demolição vai chegar aqui a qualquer minuto. Quando o Acampamento Meio-Sangue for destruído, vou transformá-lo no meu jardim!*

Eu queria acreditar que aquilo era só conversa fiada. Nero sempre amou ameaças e declarações grandiosas. Diferente de mim, ele era um péssimo poeta. Usava linguagem floreada como... bem, como se todas as frases formassem um buquê pungente de metáforas. (Hum, essa também é boa. Vou anotar.)

Por que ele ficava olhando para o relógio? E de que equipe de demolição estava falando? Tive um *flashback* do sonho do ônibus do Sol caindo na direção de uma cabeça gigantesca feita de bronze.

Senti que estava afundando de novo. O plano de Nero ficou horrivelmente claro. Depois de dividir os poucos semideuses que defendiam o acampamento, ele pretendia queimar o Bosque. Mas isso era só parte do ataque...

— Ah, deuses — falei. — O Colosso.

Os cinco semideuses se remexeram, desconfortáveis.

— Que Colosso? — perguntou Kayla. — Você está falando do Colosso de Rodes?

— Não — respondi. — Do *Colossus Neronis*.

Cecil coçou a cabeça.

— Do Colosso Neurótico?

Ellis Wakefield riu com deboche.

— *Você* é um Colosso Neurótico, Markowitz. Apolo está falando da grande estátua de Nero que ficava em frente ao anfiteatro em Roma, não é?

— Infelizmente, sim — concordei. — Enquanto estamos aqui, Nero vai tentar destruir o Acampamento Meio-Sangue. E o Colosso é a equipe de demolição.

Miranda estremeceu.

— Você quer dizer que uma estátua gigantesca está prestes a pisotear o *acampamento*? Achei que o Colosso tivesse sido destruído séculos atrás.

Ellis franziu a testa.

— Em teoria, a Atena Partenos também. Mas agora ela está no alto da Colina Meio-Sangue.

As expressões dos outros ficaram sombrias. Quando um filho de Ares faz uma observação válida, você sabe que a situação está séria.

— Falando em Atena... — Austin tirou um pedaço de pano incendiário do ombro. — A estátua não vai nos proteger? É para isso que ela está lá, certo?

— Ela vai tentar — especulei. — Mas a Atena Partenos retira poder de seus seguidores. Quanto mais semideuses ela tiver sob seus cuidados, mais poderosa fica a magia dela. E agora...

— O acampamento está praticamente vazio — completou Miranda.

— Não só isso — falei —, mas a Atena Partenos tem doze metros de altura. Se minha memória não falha, o Colosso de Nero tinha mais do que o dobro disso.

Ellis resmungou.

— Então, as duas estátuas não estão na mesma categoria. É uma disputa desleal.

Cecil Markowitz se empertigou um pouco.

— Pessoal... vocês sentiram isso?

Achei que ele estivesse fazendo uma das pegadinhas de Hermes. Mas o chão tremeu de novo, bem de leve. De algum lugar ao longe ouvimos um som trovejante, como um navio de guerra roçando em um banco de areia.

— Por favor, me digam que isso foi um trovão — pediu Kayla.

Ellis inclinou a cabeça para prestar atenção.

— É uma máquina de guerra. Um autômato enorme está se aproximando pela margem, a meio quilômetro daqui. Temos que voltar para o acampamento agora.

Ninguém questionou a avaliação de Ellis. Acho que ele conseguia distinguir entre os sons de máquinas de guerra da mesma maneira que eu conseguia identificar um violino desafinado em uma sinfonia de Rachmaninoff.

Os semideuses aceitaram o desafio. Apesar de terem sido recentemente amarrados, encharcados de fluidos inflamáveis e presos a estacas como tochas humanas, eles se reuniram e me olharam com determinação.

— Como vamos conseguir sair daqui? — perguntou Austin. — Pelos túneis dos myrmekos?

Senti-me sufocado de repente, em parte porque tinha cinco pessoas olhando para mim como se eu soubesse o que fazer. Eu não sabia. Na verdade, se quer saber um segredo, nós deuses normalmente não sabemos. Quando nos pedem respostas, nós costumamos dizer alguma coisa no estilo de Reia: *Você vai ter que descobrir sozinho!* Ou: *A verdadeira sabedoria precisa ser conquistada!* Mas eu achava que isso não funcionaria nessa situação.

Além do mais, eu não estava com a mínima vontade de voltar para o formigueiro. Mesmo se conseguíssemos sair vivos de lá, perderíamos muito tempo. Depois, ainda teríamos que atravessar a floresta.

Fiquei olhando para o buraco no formato de Vince na copa das árvores.

— Acho que nenhum de vocês sabe voar, né?

Eles balançaram a cabeça.

— Eu sei cozinhar — ofereceu Cecil.

Ellis deu um tapa no ombro dele.

Olhei para o túnel dos myrmekos. A solução veio como uma voz sussurrando no meu ouvido: *Você conhece alguém que sabe voar, idiota.*

Era uma ideia arriscada. Por outro lado, lutar contra um autômato gigante também não era o plano de ação mais seguro.

— Acho que tive uma ideia — falei. — Mas vou precisar da ajuda de vocês.

Austin fechou os punhos.

— O que você precisar. Estamos prontos para lutar.

— Na verdade... não preciso que vocês lutem. Preciso que me ajudem a fazer um rap.

Minha nova grande descoberta: os filhos de Hermes não sabem cantar. Nem de longe.

Que o coraçãozinho cúmplice de Cecil Markowitz seja abençoado: ele se esforçou, mas ficava destruindo meu ritmo com as palmas fora de hora e terríveis sons de microfone. Depois de alguns testes, eu o rebaixei a dançarino. O trabalho dele se resumiu a balançar para a frente e para trás e chacoalhar as mãos, o que Cecil fez com o entusiasmo de um pastor.

Os outros conseguiram me acompanhar. Eles ainda pareciam galinhas meio depenadas e altamente inflamáveis, mas cantaram com um pouco mais de ritmo.

Comecei a cantar "Mama", reforçado por um gole d'água e pastilha para a garganta do kit de Kayla. (Que garota engenhosa! Quem leva pastilha para a garganta para uma corrida de três pernas da morte?)

Cantei diretamente na abertura do túnel dos myrmekos, confiando na acústica para carregar minha mensagem. Nós não precisamos esperar muito. A terra começou a tremer sob nossos pés. Eu continuei cantando. Já tinha avisado aos meus companheiros para não pararem até a música terminar.

Mesmo assim, quase perdi o ritmo quando o chão explodiu. Eu estava de olho na saída do túnel, mas Mama não usava túneis. Ela surgia onde queria, nesse caso, direto do chão, a uns vinte metros de nós, borrifando terra, grama e pedrinhas em todas as direções. Ela se aproximou, com as mandíbulas estalando e as asas zumbindo, os olhos pretos grudados em mim. O abdome não estava mais inchado, então supus que ela já havia terminado de depositar a última ninhada de larvas de formigas assassinas. Eu esperava que isso quisesse dizer que estaria de bom humor, não faminta.

Atrás dela, dois soldados alados saíram da terra. Eu não estava esperando formigas extras. (Falando sério, *formigas extras* não é um termo que a maioria das pessoas gostaria de ouvir.) Elas ladearam a rainha, as antenas tremendo.

Terminei minha ode, então me apoiei em um joelho e abri os braços, como tinha feito na última vez.

— Mama — falei —, nós precisamos de carona.

A minha lógica era a seguinte: mães estavam acostumadas a dar carona. Com milhares e milhares de filhotes, eu supus que a formiga rainha fosse a mãe mais dedicada de todas. E, realmente, Mama me segurou com as mandíbulas e me jogou por cima da cabeça.

Ao contrário do que os semideuses possam alegar, eu não me debati, nem gritei, nem caí de um jeito que tenha machucado minhas partes íntimas. Eu caí heroicamente, montado no pescoço da rainha, que não era mais largo do que as costas de um cavalo.

Gritei para os meus camaradas:

— Juntem-se a mim! É perfeitamente seguro!

Por algum motivo, os semideuses hesitaram. As formigas, não. A rainha jogou Kayla atrás de mim. As formigas-soldados seguiram a deixa de Mama e cada uma pegou dois semideuses e os jogou a bordo.

Os três myrmekos bateram as asas com um barulho parecido com o das hélices de um radiador. Kayla agarrou minha cintura.

— Isso é *mesmo* seguro? — gritou ela.

— Claro! — Eu esperava estar certo. — Talvez até mais do que a carruagem do Sol!

— A carruagem do Sol não quase destruiu o mundo uma vez?

— Bom, duas vezes — respondi. — Três, se você contar o dia que deixei Thalia Grace pilotar, mas...

— Deixa pra lá!

Mama subiu em direção ao céu. Galhos retorcidos bloqueavam nosso caminho, mas a rainha não prestou atenção a eles, ou à tonelada de terra que atravessou.

— Se abaixem! — gritei.

Nós nos encostamos na cabeça sólida de Mama enquanto ela passava pelas árvores, deixando mil farpas nas minhas costas. Era tão bom voar de novo que não me importei. Nós subimos acima do bosque e nos dirigimos para o leste.

Por dois ou três segundos, senti apenas alegria.

E então, ouvi os gritos vindos do Acampamento Meio-Sangue.

35

Estátua desnuda
Ou um Colosso Neurótico
Cadê a cueca?

ATÉ MEUS DONS SOBRENATURAIS de descrição me fugiram naquela hora.

Imagine como é se ver representado em uma estátua de bronze de trinta metros, uma réplica da sua magnificência brilhando sob a luz do fim da tarde.

Agora, imagine que essa estátua ridiculamente linda está saindo do Estreito de Long Island e subindo pela margem norte. Na mão, traz um leme de navio, uma lâmina do tamanho de um bombardeiro, presa em uma haste de quinze metros, que o sr. Bonitão está levantando para esmigalhar o Acampamento Meio-Sangue.

Foi essa visão que nos recebeu quando chegamos voando da floresta.

— Como essa coisa está *viva*? — perguntou Kayla. — O que Nero fez? Comprou on-line?

— A Triunvirato S.A. tem muitos recursos — expliquei. — Eles tiveram séculos para se preparar. Quando reconstruíram a estátua, só precisaram enchê-la de magia, normalmente direcionando as forças vitais dos espíritos do vento ou da água. Não tenho certeza. Hefesto entende mais dessas coisas.

— E como matamos a criatura?

— Estou… estou trabalhando nisso.

Por todo o vale, campistas gritavam e corriam para pegar suas armas. Nico e Will estavam se debatendo no lago, aparentemente depois de a canoa deles ter sido virada. Quíron galopava pelas dunas, atacando o Colosso com suas flechas. Até para os meus padrões, Quíron era um excelente arqueiro. Ele mirou nas juntas e fendas, mas seus disparos não pareceram fazer nem cosquinha no autômato. Dezenas de flechas estavam presas às axilas e ao pescoço do Colosso, como pelos descontrolados.

— Mais aljavas! — gritou Quíron. — Rápido!

Rachel Dare cambaleou para fora do arsenal levando umas seis e, depressa, as entregou ao centauro.

O Colosso tentou usar o leme para esmagar o pavilhão de refeições, mas a lâmina se chocou contra a fronteira mágica do acampamento e soltou fagulhas, como se tivesse atingido metal. O sr. Bonitão deu mais um passo em terra firme, porém a barreira o empurrou de volta com a força de um túnel de vento.

Na Colina Meio-Sangue, uma aura prateada envolvia a Atena Partenos. Eu não sabia se os semideuses podiam ver, mas de vez em quando um raio de luz ultravioleta era disparado do elmo de Atena, que funcionava como um holofote, acertando o peito do Colosso e afastando o invasor. Ao lado dela, no pinheiro alto, o Velocino de Ouro brilhava com energia vibrante. O dragão Peleu sibilava e andava ao redor do tronco, pronto para defender seu território.

Eram forças poderosas, mas não era preciso ser nenhum deus para saber que em breve elas falhariam. As barreiras defensivas do acampamento estavam preparadas para afastar um monstro qualquer ocasional, para confundir mortais e impedir que detectassem o vale e para fornecer uma linha rápida de defesa contra forças invasoras. Um gigante de bronze celestial criminalmente lindo de trinta metros era uma coisa bem diferente. Em pouco tempo o Colosso romperia a barreira e destruiria tudo no caminho.

— Apolo! — Kayla me cutucou. — O que a gente vai fazer?

Respirei fundo, mais uma vez com a percepção desagradável de que esperavam que eu tivesse respostas. Meu primeiro instinto foi pedir que um semideus experiente tomasse a frente. O fim de semana ainda não tinha chegado? Onde estava Percy Jackson? E aqueles pretores romanos Frank Zhang e Reyna Ramírez--Arellano? Sim, eles se sairiam bem.

Meu segundo instinto foi me virar para Meg McCaffrey. Como me acostumei rápido com a presença irritante e estranhamente afável dela! Mas ela tinha ido embora. Sua ausência era um Colosso pisoteando meu coração. (Essa foi uma metáfora fácil de bolar, pois o Colosso estava no momento pisoteando muitas coisas.)

As formigas-soldados ao redor de Mama esperavam as ordens da rainha. Os semideuses me olharam, aflitos, com pedaços aleatórios de pano voando de seus corpos enquanto seguíamos pelos ares.

Eu me inclinei para a frente e, com delicadeza, me dirigi a Mama:

— Sei que não posso pedir que você arrisque sua vida por nós.

Mama zumbiu como se dissesse: *Você está certíssimo!*

— Mas você poderia dar uma volta na cabeça da estátua? — pedi. — Só o bastante para distraí-la. Depois, pode nos deixar na praia?

Ela estalou as mandíbulas, em dúvida.

— Você é a melhor mãe do mundo — acrescentei —, e está linda hoje.

Essa tática sempre funcionava com Leto, e também funcionou com a Mama formiga. Ela tremeu as antenas, talvez enviando um sinal de alta frequência para os soldados, e as três formigas viraram para a direita.

Abaixo de nós, mais campistas entraram na batalha. Sherman Yang prendera dois pégasos a uma carruagem e agora corria ao redor das pernas da estátua enquanto Julia e Alice jogavam dardos elétricos nos joelhos do Colosso. Os disparos acertaram as juntas e descarregaram raios de luz azul, mas a estátua não deu a mínima. Enquanto isso, nos pés dela, Connor Stoll e Harley usavam lança-chamas idênticos para dar ao Colosso o melhor serviço de derretimento de pés da área, enquanto as gêmeas de Nice cuidavam de uma catapulta, jogando rochas na virilha de bronze celestial do monumento.

Malcolm Pace, um verdadeiro filho de Atena, estava coordenando os ataques de um posto de comando montado às pressas no gramado central. Ele e Nyssa haviam espalhado mapas em uma mesa de jogo e estavam gritando coordenadas de alvos enquanto Chiara, Damien, Paulo e Billie corriam para montar balistas ao redor da lareira comunitária.

Malcolm era um ótimo comandante, a não ser por um detalhe: na correria, ele se esqueceu de vestir a calça. A cueca vermelha causava uma impressão e tanto junto com a espada e a couraça.

Mama mergulhou em direção ao Colosso, fazendo com que meu estômago despencasse junto.

Reservei um momento para apreciar as feições majestosas da estátua, a testa de metal envolta em uma coroa espinhenta que representava os raios de sol. O Colosso deveria ser a representação de Nero como o deus-sol, mas o imperador teve a sabedoria de deixar o rosto mais parecido com o meu do que com o dele. Só a linha do nariz e a barba horrível no pescoço indicavam a feiura característica de Nero.

Além do mais... eu mencionei que a estátua de trinta metros estava totalmente nua? Claro que estava. Os deuses quase sempre são retratados nus, porque somos seres sem defeitos. Por que alguém cobriria a perfeição? Mesmo assim, foi meio desconcertante ver meu eu peladão andando por aí, batendo com um leme de navio no Acampamento Meio-Sangue.

Quando nos aproximamos do Colosso, gritei:

— IMPOSTOR! EU SOU O VERDADEIRO APOLO! VOCÊ É FEIO!

Ah, querido leitor, você não sabe como foi difícil gritar essas palavras para meu próprio rosto lindo, mas eu realmente fiz isso. Para você ver como eu era corajoso!

O Colosso não gostou de ser insultado. Quando Mama e seus soldados se afastaram, a estátua levantou o leme para nos golpear.

Você já colidiu com um bombardeiro? Tive um flashback repentino de Dresden, na Alemanha, em 1945, quando havia tantos aviões no céu que foi impossível encontrar uma pista segura no ar. O eixo da carruagem do Sol ficou desalinhado durante *semanas* depois disso.

Percebi que as formigas não voavam rápido o suficiente para fugir do alcance do leme. Vi a catástrofe se aproximando em câmera lenta. No último segundo, gritei:

— Mergulhem!

Nós mergulhamos com tudo. O leme passou de raspão nas asas das formigas, mas foi o bastante para nos arremessar em direção à praia.

Fiquei agradecido pela areia macia.

Comi um monte dela quando caímos.

Por pura sorte, nenhum de nós morreu, mas Kayla e Austin tiveram que me ajudar a me levantar.

— Você está bem? — perguntou Austin.

— Estou — respondi. — Temos que ir logo.

O Colosso olhou para nós, provavelmente tentando discernir se já estávamos agonizando e prestes a morrer ou se precisávamos de uma dor adicional. Eu queria chamar a atenção dele e consegui. Viva.

Olhei para Mama e seus soldados, que estavam se sacudindo para tirar areia da carapaça.

— Obrigado. Agora se salvem. Voem!

Não precisei falar duas vezes. Acho que as formigas têm um medo natural de humanoides enormes prestes a esmagá-las com um pé gigante. Mama e os guardas sumiram zumbindo no céu.

Miranda olhou para eles.

— Eu nunca achei que diria isso sobre insetos, mas vou sentir falta deles.

— Ei! — gritou Nico di Angelo.

Ele e Will subiram as dunas, ainda encharcados por causa do mergulho no lago de canoagem.

— Qual é o plano?

Will parecia calmo, mas eu o conhecia bem o suficiente agora para saber que por dentro estava inquieto como um fio desencapado.

BUM.

A estátua virou na nossa direção. Mais um passo e estaria em cima de nós.

— Não tem uma válvula de controle no tornozelo dela? — perguntou Ellis. — Se conseguirmos abrir...

— Não — falei. — Você está pensando em Talos. Este não é Talos.

Nico afastou o cabelo molhado da testa.

— Qual é nossa outra opção?

De onde eu estava, tinha uma vista linda do nariz do Colosso. As narinas eram seladas com bronze... acho que porque Nero não queria que seus detratores tentassem disparar flechas na cachola imperial.

Eu dei um gritinho.

Kayla segurou meu braço.

— Apolo, o que foi?

Flechas entrando na cabeça do Colosso. Ah, deuses, eu tive uma ideia que nunca, jamais funcionaria. No entanto, parecia melhor do que a outra opção, que era ser esmagado por um pé de bronze de duas toneladas.

— Will, Kayla, Austin — chamei —, venham comigo.

— E Nico — disse Nico. — Tenho atestado médico.

— Tudo bem! — concordei. — Ellis, Cecil, Miranda... façam o que puderem para chamar a atenção do Colosso.

A sombra de um pé enorme escureceu a areia.

— Agora! — gritei. — Se espalhem!

36

Amo uma doença
Quando está na flecha certa
Bum! Tudo bem aí?

ELES SE ESPALHAREM FOI a parte fácil. E os semideuses fizeram isso muito bem.

Miranda, Cecil e Ellis correram em direções diferentes, gritando insultos para o Colosso e balançando os braços. Isso nos deu alguns segundos de folga quando corremos para as dunas, mas eu desconfiava de que o Colosso logo iria atrás de mim. Afinal, eu era o alvo mais importante e atraente.

Apontei para a carruagem de Sherman Yang, que ainda estava rodeando as pernas da estátua em uma tentativa vã de eletrocutar seus joelhos.

— Precisamos confiscar aquela carruagem!

— Como? — perguntou Kayla.

Eu estava prestes a admitir que não fazia ideia quando Nico di Angelo segurou a mão de Will e pisou na minha sombra. Os dois garotos sumiram. Eu tinha me esquecido do poder da viagem nas sombras, o jeito como os filhos do Mundo Inferior conseguiam entrar em uma sombra e reaparecer em outra, às vezes a centenas de quilômetros. Hades adorava surgir de fininho às minhas costas e gritar "OI!" bem na hora em que eu estava disparando uma flecha mortal. Ele achava engraçado quando eu errava o alvo e exterminava acidentalmente a cidade errada.

Austin estremeceu.

— Odeio quando Nico faz isso. Qual é nosso plano?

— Vocês dois são meu apoio — falei. — Se eu errar, se eu morrer... vai depender de vocês.

— Opa, opa — disse Kayla. — O que você quer dizer com "se você errar"?

Peguei minha última flecha, a que encontrei no Bosque de Dodona.

— Vou disparar no ouvido daquele gigante lindo.

Austin e Kayla trocaram olhares, talvez questionando se eu finalmente havia perdido a cabeça devido ao estresse de ser mortal.

— Uma flecha fatal — expliquei. — Vou encantar uma flecha com uma doença, depois disparála no ouvido da estátua. A cabeça é oca. Os ouvidos são a única abertura. A flecha deve liberar doença suficiente para matar o poder do Colosso... ou ao menos desabilitá-lo.

— Como você sabe que vai dar certo? — perguntou Kayla.

— Eu não sei, mas...

Nossa conversa foi interrompida pelo pé gigante do Colosso. Pulamos para o lado, escapando por pouco do esmagamento.

Atrás de nós, Miranda gritou:

— Ei, feioso!

Eu sabia que ela não estava falando comigo, mas olhei para trás mesmo assim. Ela levantou os braços, o que fez algas marinhas surgirem das dunas e se enrolarem nos tornozelos da estátua. O Colosso as arrebentou com facilidade, mas elas conseguiram irritá-lo, e com isso distraí-lo. Ver Miranda enfrentar a estátua me deixou com o coração apertado por causa de Meg novamente.

Enquanto isso, Ellis e Cecil pararam dos dois lados do Colosso e começaram a jogar pedras nas canelas dele. Do acampamento, uma saraivada de projéteis flamejantes explodiu no traseiro nu do sr. Bonitão, o que me fez contrair o meu em solidariedade.

— O que você estava dizendo? — perguntou Austin.

— Certo. — Girei a flecha entre os dedos. — Eu sei o que você está pensando. Estou sem os meus poderes divinos. É bem possível que não consiga conjurar a Peste Negra ou a Gripe Espanhola. Mas, mesmo assim, se eu conseguir fazer o disparo de perto, direto na cabeça, talvez cause algum dano.

— E... se isso falhar? — perguntou Kayla.

Reparei que a aljava dela também estava vazia.

— Não vou ter forças para tentar uma segunda vez. Você vai precisar fazer outro disparo. Encontre uma flecha, tente conjurar alguma doença e dispare enquanto Austin guia a carruagem.

Percebi que era uma missão impossível, mas eles a aceitaram em silêncio. Eu não sabia se devia me sentir grato ou culpado. Quando era um deus, achava natural o fato de os mortais terem fé em mim. Agora... eu estava pedindo aos meus filhos para arriscarem a vida de novo, e nem tinha certeza se meu plano funcionaria.

Tive um vislumbre de movimento no céu. Dessa vez, em vez do pé do Colosso, era a carruagem de Sherman Yang, mas sem Sherman Yang. Will fez os pégasos pousarem e arrastou para fora um Nico di Angelo semiconsciente.

— Onde estão os outros? — perguntou Kayla. — Sherman e as filhas de Hermes?

Will revirou os olhos.

— Nico os convenceu a desembarcar.

Como se estivesse esperando uma deixa, ouvi Sherman gritando de algum lugar ao longe:

— Eu vou acabar com você, di Angelo!

— Agora, vão — disse Will. — A carruagem foi feita para três pessoas, e, depois dessa viagem nas sombras, Nico vai desmaiar a qualquer segundo.

— Não vou, não — reclamou Nico, desmaiando em seguida.

Will pegou Nico no colo e o levou para longe.

— Boa sorte! Vou arrumar um Gatorade para o Lorde das Trevas aqui!

Austin entrou primeiro e tomou as rédeas. Assim que Kayla e eu subimos, voamos a toda para o céu, com os pégasos desviando e girando ao redor do Colosso com habilidade extrema. Comecei a sentir uma pontada de esperança. Nós talvez conseguíssemos superar esse gostosão gigantesco de bronze.

— Agora — falei —, se eu conseguir enfeitiçar essa flecha com uma bela doença...

A flecha tremeu por todo o comprimento.

— *TU NÃO FARÁS ISSO* — disse ela.

Eu tento evitar armas falantes. Acho-as grosseiras e distrativas. Durante um período, Ártemis teve um arco que xingava como um marinheiro fenício. E certa vez, em uma taverna de Estocolmo, eu conheci um deus absurdamente lindo, mas a espada dele *não* calava a boca.

Mas estou divagando aqui.

Fiz a pergunta óbvia.

— Você está falando comigo?

A flecha se arqueou. (Ah, caramba. Foi um trocadilho horrível. Peço desculpas.)

— *SIM, DE FATO. POR OBSÉQUIO, EU NÃO FUI FEITA PARA SER DISPARADA.*

A voz era claramente masculina, sonora e grave, bem ao modo de um ator shakespeariano fajuto.

— Mas você é uma flecha — falei. — Disparar você é o ponto alto. (Ah, tenho mesmo que tomar cuidado com os trocadilhos.)

— Pessoal, segurem-se! — gritou Austin.

A carruagem mergulhou para evitar o leme do Colosso. Sem o aviso de Austin, eu teria ficado no ar discutindo com minha flecha.

— Então você é feita do carvalho do Bosque de Dodona — supus. — É por isso que fala?

— *PRECISAMENTE* — respondeu a flecha.

— Apolo! — chamou Kayla. — Não sei por que você está falando com a flecha, mas...

Ouvi um reverberante *TOIN!* à minha direita, como um fio de energia arrebentado batendo em um telhado de metal. Em um brilho de luz prateada, as fronteiras mágicas do acampamento desabaram. O Colosso seguiu em frente e pisou no pavilhão de refeições, transformando-o em escombros, como uma pilha de blocos de brinquedo.

— ...isso acabou de acontecer — continuou Kayla com um suspiro.

O Colosso levantou o leme, triunfante. Ele avançou pelo acampamento, ignorando os campistas que corriam ao redor dos pés dele. Valentina Diaz disparou uma balista na virilha. (Mais uma vez, tive que me encolher em solidariedade.) Harley e Connor Stoll tentaram queimar os pés da estátua com um lança-chamas, sem sucesso. Nyssa, Malcolm e Quíron esticaram apressadamente um cabo de aço no caminho da estátua para que tropeçasse, mas não teriam tempo de prendê-lo direito.

Eu me virei para Kayla.

— Você não consegue ouvir o que a flecha diz?

A julgar pelos olhos arregalados, concluí que a resposta era: *Não, por acaso ter alucinações é de família?*

— Deixa pra lá.

Olhei para a flecha.

— O que você sugere, ó sábia Flecha de Dodona? Minha aljava está vazia. A ponta da flecha apontou para o braço esquerdo da estátua.

— *A AXILA TEM AS FLECHAS DE QUE PRECISAS!*

— O Colosso está indo para os chalés! — gritou Kayla.

— A axila! — gritei para Austin. — Voe... voe para perto da axila!

Não era uma ordem que se ouvia todo dia, mas Austin virou os pégasos em uma subida íngreme. Passamos pela floresta de flechas espetadas na axila do Colosso, mas superestimei completamente meus reflexos mortais. Puxei as hastes, mas terminei de mãos vazias.

Kayla foi mais ágil. Ela pegou um punhado, mas deu um grito quando as puxou.

Eu a segurei para impedi-la de cair. Sua mão sangrava muito, cortada por causa do movimento em alta velocidade.

— Estou bem! — gritou Kayla. Mesmo com o punho fechado, gotas vermelhas pingavam pelo chão da carruagem. — Pegue as flechas!

Eu fiz isso. Depois, puxei o lenço verde e amarelo do pescoço e o entreguei a ela.

— Amarre ao redor da mão — mandei. — Tem ambrosia no bolso do meu casaco.

— Não se preocupe comigo. — O rosto de Kayla estava tão verde quanto o cabelo. — Dispare logo! Vai!

Eu inspecionei as flechas e senti um aperto no coração. Só uma não estava quebrada, mas a haste estava torta. Seria quase impossível disparar.

Olhei de novo para a flecha falante.

— *AFASTA ESSE PENSAMENTO* — disse ela. — *ENCANTA A FLECHA TORTA!*

Eu tentei. Abri a boca, mas as palavras certas para realizar o encantamento sumiram da minha mente. Como eu temia, Lester Papadopoulos não tinha esse poder.

— Não consigo!

— *VOU AJUDÁ-LO* — prometeu a Flecha de Dodona. — *COMEÇA ASSIM: "DOENÇA, DOENCINHA, DOENÇÃO."*

— O encantamento *não* começa com *doença, doencinha, doenção*!

— Com quem você está falando? — perguntou Austin.

— Com a flecha! Eu... eu preciso de mais tempo.

— Nós não *temos* mais tempo! — Kayla apontou com a mão ensanguentada.

O Colosso estava a poucos passos do gramado central. Eu não sabia se os semideuses se davam conta do perigo que corriam. O Colosso podia fazer bem mais do que achatar construções. Se ele destruísse a lareira de Héstia, o templo sagrado da deusa, extinguiria a própria alma do acampamento. O vale seria amaldiçoado por gerações. O Acampamento Meio-Sangue deixaria de existir.

Percebi que eu havia falhado. Meu plano demoraria tempo demais, isso se eu conseguisse me *lembrar* de como fazer uma flecha mortal. Essa era a minha punição por quebrar um juramento pelo Rio Estige.

E então, de algum lugar acima de nós, uma voz gritou:

— Ei, Bunda de Bronze!

Uma nuvem escura se formou sobre a cabeça do Colosso, como um balão de fala em uma revista em quadrinhos. Das sombras surgiu um cachorro monstruoso peludo e preto, um cão infernal, e montado nas costas dele estava um jovem carregando uma espada de bronze reluzente.

O fim de semana chegara. Percy Jackson estava aqui.

37

Ei! Percy chegou!
Pode dar uma ajudinha?
Eu sou seu mentor

FIQUEI SURPRESO DEMAIS PARA falar. Senão, teria avisado Percy sobre o que estava prestes a acontecer.

Os cães infernais não gostam de grandes alturas. Quando assustados, reagem de forma previsível. Assim que a fiel escudeira de Percy pousou no topo do Colosso em movimento, ela grunhiu e fez xixi na cabeça do dito Colosso. A estátua congelou e olhou para cima, sem dúvida se perguntando o que diabo estava escorrendo por suas costeletas imperiais.

Percy saltou heroicamente da montaria e escorregou no xixi do cão infernal. Ele quase caiu pela testa da estátua.

— Mas que... sra. O'Leary, caramba!

O cão deu um latido de desculpas. Austin guiou nossa carruagem para perto deles.

— Percy!

O filho de Poseidon nos olhou com a testa franzida.

— Tudo bem, quem libertou o sujeito gigantesco de bronze? Foi você, Apolo?

— Estou ofendido! — gritei. — Sou apenas indiretamente responsável por isso! Além do mais, tenho um plano.

— Ah, tem? — Percy olhou para o pavilhão de refeições destruído. — Como ele está indo?

Com minha tranquilidade habitual, eu me mantive concentrado no bem maior.

— Se você puder fazer o favor de impedir esse Colosso de pisotear a lareira do acampamento, já ajudaria bastante. Preciso de mais alguns minutos para enfeitiçar esta flecha.

Levantei a flecha falante por engano, depois levantei a flecha torta.

Percy suspirou.

— Claro.

A sra. O'Leary latiu, alarmada. O Colosso estava levantando a mão para dar um tapa nos invasores.

Percy segurou um dos raios da coroa. Cortou-o na base e o enfiou na testa da estátua. Eu duvidava que o Colosso sentisse dor, mas ele cambaleou, aparentemente surpreso por ter ganhado um chifre de unicórnio na testa.

Percy cortou outro raio.

— Ei, feioso! — gritou ele. — Você não precisa de todas essas coisas pontudas, precisa? Vou levar uma para a praia. Sra. O'Leary, pegue!

Percy jogou o raio como um dardo.

O cão infernal latiu com empolgação. Ela pulou da cabeça do Colosso, se transformou em sombra e reapareceu no chão, correndo atrás do seu novo graveto de bronze.

Percy ergueu as sobrancelhas para mim.

— E aí? Comece o encantamento!

Ele pulou da cabeça para o ombro da estátua. Em seguida, saltou para a haste do leme e deslizou nele como se fosse um poste de bombeiro até o chão. Se eu estivesse no meu nível habitual de capacidade atlética, poderia ter feito algo assim de olhos fechados, claro, mas eu tinha que admitir: Percy Jackson era moderadamente impressionante.

— Ei, Bunda de Bronze! — gritou ele de novo. — Venha me pegar!

O Colosso obedeceu, virando-se lentamente e seguindo Percy até a praia.

Tentei invocar meus antigos poderes como deus das pragas. Dessa vez, as palavras vieram. Não sabia bem por quê. Talvez a chegada de Percy tivesse renovado minha fé. Talvez eu só não tivesse pensado demais no assunto. Já percebi que pensar demais nas coisas costuma interferir na execução. É uma das primeiras lições que os deuses aprendem na carreira.

Meus dedos formigaram, e senti a doença indo até a flecha. Falei sobre como eu era incrível e sobre as várias doenças horríveis que despejei em populações más do passado, porque... bem, eu sou incrível. Conseguia sentir a magia se espalhando, apesar de a Flecha de Dodona ficar sussurrando para mim como um ajudante de palco elisabetano irritante.

— *DIZE: "DOENÇA, DOENCINHA, DOENÇÃO!"*

Abaixo, mais semideuses se juntaram ao grupo indo para a praia. Eles corriam à frente do Colosso, provocando, jogando coisas e chamando-o de Bunda de Bronze. Fizeram piadas sobre o novo chifre. Riram do xixi do cão infernal escorrendo pelo rosto dele. Normalmente, tenho tolerância zero para bullying, principalmente quando a vítima é a minha cara, mas, como o Colosso era do tamanho de um prédio de dez andares e estava destruindo o acampamento deles, acho que a grosseria dos campistas era compreensível.

Terminei o encantamento. Uma névoa verde abominável agora envolvia a flecha. Tinha um cheiro leve de fritura de lanchonete, um bom sinal de que carregava algum mal terrível.

— Estou pronto — falei para Austin. — Me leve para perto do ouvido!

— Pode deixar!

Austin se virou para dizer mais alguma coisa, e um filete de névoa verde passou debaixo do nariz dele. Seus olhos começaram a lacrimejar. O nariz ficou vermelho e começou a escorrer. Ele contraiu o rosto e deu um espirro tão forte que desabou. Ficou caído no chão da carruagem, gemendo e se contorcendo.

— Meu filho!

Queria segurá-lo e ver se ele estava bem, mas como levava uma flecha em cada mão, isso não era aconselhável.

— *AH, DESGRAÇA! FORTE DEMAIS É ESSA DOENÇA.* — A Flecha de Dodona zumbiu com irritação. — *TEU ENCANTAMENTO FOI RIDÍCULO.*

— Ah, não, não, não — falei. — Kayla, tome cuidado. Não respir...

— ATCHIM!

Kayla caiu ao lado do irmão.

— O que eu fiz? — choraminguei.

— *ACHO QUE TU FIZESTE BESTEIRA* — disse a Flecha de Dodona, minha fonte de sabedoria infinita. — *ANDA LOGO! PEGA TU AS RÉDEAS.*

— Por quê?

Era de se imaginar que um deus que guiava uma carruagem diariamente não precisaria fazer uma pergunta dessas. Em minha defesa, eu estava abalado porque meus filhos jaziam semiconscientes aos meus pés. Não considerei que ninguém estava guiando a carruagem. Sem ninguém nas rédeas, os pégasos entraram em pânico. Para evitar o choque contra o enorme Colosso de bronze, eles mergulharam em rota de colisão com o chão.

Não sei como, consegui reagir da forma apropriada. (Três vivas para uma reação apropriada!) Joguei as duas flechas na aljava, segurei as rédeas e consegui controlar o pouso o suficiente para impedir uma tragédia. Nós quicamos em uma duna e paramos na frente de Quíron e um grupo de semideuses. Nossa entrada poderia ter sido mais pomposa se a força centrífuga não tivesse jogado nós três para fora da carruagem.

Já mencionei que fiquei agradecido pela areia macia?

Os pégasos saíram voando, arrastando a carruagem destruída para o céu e nos deixando presos no chão.

Quíron galopou até nós, seguido por um amontoado de semideuses. Percy Jackson também se aproximou, enquanto a sra. O'Leary mantinha o Colosso distraído com uma brincadeira de pique-pega. Duvido que isso fosse sustentar o interesse da estátua por muito tempo, principalmente quando o Colosso percebesse que havia um grupo de alvos logo às suas costas, prontos para serem pisoteados.

— A flecha com a doença está pronta! — anunciei. — Precisamos disparar no ouvido do Colosso!

Minha plateia não pareceu encarar isso como uma boa notícia. Então percebi que a carruagem não estava mais ali. Meu arco se fora com ela. E Kayla e Austin estavam contaminados com seja lá qual doença conjurei.

— Isso é contagioso? — perguntou Cecil.

— Não! — respondi. — Bom... acho que não. Foram os vapores da flecha... Todo mundo se afastou de mim.

— Cecil — chamou Quíron —, você e Harley vão levar Kayla e Austin para o chalé de Apolo, para tratamento.

— Mas eles *são* o chalé de Apolo — reclamou Harley. — Além do mais, meu lança-chamas...

— Você pode brincar com o lança-chamas depois — prometeu Quíron. — Vá logo. Bom menino. O restante vai fazer o que puder para manter o Colosso perto da água. Percy e eu vamos ajudar Apolo.

Quíron disse a palavra *ajudar* como se quisesse dizer *dar um pescotapa com violência extrema*.

Quando a multidão se dispersou, Quíron me ofereceu seu arco.

— Faça o disparo.

Olhei para a arma enorme e complexa, cuja corda devia ter uma tensão de mais de quarenta e cinco quilos.

— Isso foi feito para a força de um centauro, não de um adolescente mortal!

— Você criou a flecha — disse ele. — Só você pode disparar sem sucumbir à doença. Só você pode acertar um alvo desses.

— *Daqui?* É impossível! Onde está aquele garoto voador, Jason Grace?

Percy limpou o suor e a areia do pescoço.

— Estamos sem garotos voadores. E os pégasos fugiram.

— Talvez com umas harpias e linha de pipa... — comecei.

— Apolo — interrompeu Quíron —, você tem que fazer isso. Você é o senhor da arqueria e das doenças.

— Não sou senhor de nada! — choraminguei. — Sou um adolescente mortal burro e feio! Não sou *ninguém*!

A autopiedade bateu com tudo. Achei que o chão se abriria ao meio quando chamei a mim mesmo de *ninguém*. O cosmos pararia de girar. Percy e Quíron me tranquilizariam imediatamente.

Nada disso aconteceu. Percy e Quíron só fizeram uma careta.

Percy colocou a mão no meu ombro.

— Você é Apolo. Nós precisamos de você. Você consegue fazer isso. Além do mais, se não conseguir, vou jogar você pessoalmente do alto do Empire State Building.

Essa era exatamente a conversa de que eu precisava, o tipo de coisa que Zeus me dizia antes dos meus jogos de futebol.

Eu empertiguei os ombros.

— Certo.

— Vamos tentar atraí-lo para a água — disse Percy. — Tenho vantagem lá. Boa sorte.

Percy aceitou a mão estendida de Quíron e pulou nas costas do centauro. Juntos, eles galoparam até o mar, com Percy balançando a espada e gritando vários impropérios relacionados a bundas de bronze para o Colosso.

Eu corri para a praia até conseguir ver a orelha esquerda da estátua.

Ao olhar para aquele perfil majestoso, não vi Nero. Eu me vi, um monumento à minha própria vaidade. O orgulho de Nero não passava de um reflexo do meu. Eu era o pior tolo. Era exatamente o tipo de pessoa que colocaria uma estátua nua de trinta metros de mim mesmo no meu jardim.

Puxei a flecha enfeitiçada da aljava e ajustei o arco.

Os semideuses estavam ficando ótimos na arte de se espalhar. Eles continuaram a atormentar o Colosso dos dois lados enquanto Percy e Quíron galopavam pela orla, com a sra. O'Leary pulando nos calcanhares da estátua com seu graveto de bronze.

— Ei, feioso! — gritou Percy. — Aqui!

O passo seguinte do Colosso deslocou várias toneladas de água salgada e criou uma cratera grande o bastante para engolir uma picape.

A Flecha de Dodona tremeu na aljava.

— *SOLTA TEU AR* — aconselhou ela. — *RELAXA TEU OMBRO.*

— Eu *já* usei um arco antes — resmunguei.

— *PRESTA ATENÇÃO NO TEU COTOVELO DIREITO* — disse a flecha.

— Cala a boca.

— *E NÃO MANDES TUA FLECHA CALAR A BOCA.*

Eu puxei a corda. Meus músculos arderam, como se água fervendo estivesse sendo derramada nos meus ombros. A flecha enfeitiçada não me fez desmaiar, mas os vapores desorientavam. A haste torta tornou qualquer cálculo impossível. O vento estava contra mim. A curva do disparo seria alta demais.

Mesmo assim eu mirei, expirei e soltei a corda.

A flecha girou enquanto disparava para cima, perdendo força e desviando para a direita. Meu coração despencou. Claro que a maldição do Rio Estige me negaria qualquer chance de sucesso.

No momento em que a flecha atingiu o ápice da subida e estava prestes a cair, um sopro de vento a pegou... talvez Zéfiro, olhando com gentileza minha tentativa pífia. A flecha entrou no canal auditivo do Colosso e ricocheteou dentro da cabeça dele com um *clink, clink, clink*, como uma máquina caça-níqueis.

O Colosso parou. Olhou para o horizonte como se estivesse confuso. Virou o rosto para o céu, arqueou as costas e caiu para a frente, como um tornado destruindo o telhado de um armazém. Como sua cara não tinha nenhum outro orifício, a pressão do espirro gerou gêiseres de óleo de motor pelos ouvidos, respingando as dunas com sujeira nociva ao meio ambiente.

Sherman, Julia e Alice cambalearam até mim, cobertos da cabeça aos pés de areia e óleo.

— Agradeço por ter libertado Miranda e Ellis — rosnou Sherman —, mas vou matar você depois por ter roubado minha carruagem. O que você fez com o Colosso? Que tipo de doença faz você espirrar?

— Acho que não conjurei uma doença mortal... Acho que dei ao Colosso uma crise de febre do feno.

Sabe aquela pausa horrível quando você está esperando alguém espirrar? A estátua arqueou as costas de novo, e todo mundo na praia se encolheu na expectativa. O Colosso inspirou vários hectares cúbicos de ar pelos ouvidos, se preparando para o próximo espirro.

Eu imaginei os piores cenários: o Colosso espirraria e jogaria Percy Jackson em Connecticut, onde ele jamais seria encontrado. O Colosso balançaria a cabeça e depois pisotearia todos nós. A febre do feno deixava as pessoas mal-humoradas. Eu sabia disso porque *inventei* a febre do feno. Mesmo assim, não foi minha intenção que fosse um mal que matasse. Certamente não previ que enfrentaria a fúria de um autômato gigante de metal com alergias sazonais. Maldita seja minha falta de visão! Maldita seja minha mortalidade!

O que *não* levei em consideração foi o dano que nossos semideuses já tinham provocado às juntas de metal do Colosso, em particular ao pescoço.

O Colosso se balançou para a frente com um *ATCHIM!* estrondoso. Eu me encolhi e quase perdi o momento decisivo, quando a cabeça da estátua sofreu uma separação em primeiro grau do corpo. Ela disparou pelo Estreito de Long Island, girando sem parar. Bateu na água com um barulhão e boiou ali por um momento.

Então, ar jorrou do buraco do pescoço, e a bela face majestosa deste que vos fala afundou sob as ondas.

O corpo decapitado da estátua oscilou. Se tivesse caído para trás, poderia ter destruído ainda mais o acampamento. Mas ele caiu para a frente. Percy soltou um palavrão que daria orgulho a qualquer marinheiro fenício. Quíron e ele correram para o lado para não serem esmagados enquanto a sra. O'Leary se dissolvia sabiamente nas sombras. O Colosso caiu na água e gerou ondas de doze metros para bombordo e estibordo. Eu nunca tinha visto um centauro pegar jacaré num tubo, mas Quíron se saiu muito bem.

O rugido da queda final da estátua finalmente parou de ecoar nas colinas.

Ao meu lado, Alice Miyazawa assobiou.

— Nossa, isso foi um tombo de respeito.

Sherman Yang perguntou, com surpresa na voz:

— Mas que Hades acabou de acontecer?

— Acho que o Colosso perdeu a cabeça — respondi.

38

Depois de espirrar
Cuidar e até analisar
Pior deus? Eu mesmo

A DOENÇA SE ESPALHOU.
    Este foi o preço da nossa vitória: um surto de febre do feno. A maioria dos campistas estava tonta, grogue e muito congestionada, mas fiquei satisfeito de nenhum perder a cabeça ao espirrar, porque os estoques de atadura e fita adesiva estavam no fim.
    Will Solace e eu passamos a noite cuidando dos feridos. Will tomou a frente, o que achei ótimo; eu estava exausto. O que mais fiz foi imobilizar braços quebrados e distribuir remédio para resfriado e lenços de papel. Também tentei impedir Harley de roubar todos os adesivos de carinha feliz da enfermaria, que ele colou por todo o lança-chamas. Fiquei agradecido pela distração, pois me impediu de pensar muito nos eventos do dia.
    Sherman Yang fez a gentileza de aceitar não matar Nico por roubar sua carruagem, nem a mim por estragá-la, mas fiquei com a sensação de que o filho de Ares estava deixando suas opções abertas para depois.
    Quíron disponibilizou cataplasmas de cura para os casos mais fortes de febre do feno. Isso incluía Chiara Benvenuti, cuja sorte a deixou na mão pela primeira vez. Estranhamente, Damien White ficou doente logo depois que soube que Chiara estava doente. Os dois ficaram em camas próximas na enfermaria, o que achei meio suspeito, apesar de eles ficarem censurando um ao outro sempre que sabiam que estavam sendo observados.

Percy Jackson passou várias horas recrutando baleias e hipocampos para ajudá-lo a rebocar o Colosso. Ele decidiu que seria mais fácil puxá-lo para o fundo do mar, até o palácio de Poseidon, onde poderia ser utilizado como enfeite de jardim. Eu não sabia bem o que sentir sobre isso. Imaginei que Poseidon fosse substituir o belo rosto da estátua pela cara barbada e feia dele. Mas eu queria o Colosso longe, e duvidava que a estátua coubesse nos cestos de lixo do acampamento.

Graças aos cuidados de Will e a um jantar quente, os semideuses que resgatei na floresta logo recuperaram as forças. (Paulo alegou que foi porque ele balançou seu lenço acima da cabeça de cada um, e eu que não ia discutir.)

Quanto ao acampamento em si, o dano poderia ter sido bem pior. O píer das canoas teria que ser reconstruído. As crateras dos passos do Colosso podiam ser transformadas em trincheiras convenientes ou lagos de carpas.

O pavilhão de refeições fora reduzido a escombros, mas Nyssa e Harley estavam confiantes que Annabeth Chase poderia recriar o ambiente quando voltasse ao acampamento. Com sorte, seria reconstruído a tempo para o próximo verão.

O único outro dano maior foi ao chalé de Deméter. Eu não percebi durante a batalha, mas o Colosso pisou nele antes de se virar para a praia. Em retrospecto, o caminho de destruição parecia quase proposital, como se o autômato tivesse subido em terra, pisado no chalé 4 e voltado para o mar.

Considerando o que aconteceu com Meg McCaffrey, tive dificuldade de não encarar isso como um mau presságio. Miranda Gardiner e Billie Ng receberam camas temporárias no chalé de Hermes, mas por bastante tempo naquela noite ficaram sentadas, completamente atordoadas em meio às ruínas enquanto margaridas surgiam ao redor das duas no chão congelado de inverno.

Apesar da exaustão, tive um sono agitado. Não me importei com os espirros constantes de Kayla e Austin, nem com o ronco suave de Will ou com os jacintos florescendo na janela, preenchendo o quarto com seu perfume melancólico. Mas não conseguia parar de pensar nas dríades lutando contra as chamas na floresta, ou em Nero e Meg. A Flecha de Dodona estava quieta, ainda na minha aljava, mas eu desconfiava que receberia mais conselhos shakespearianos irritantes em breve. Eu não ansiava pelo que teria a me dizer sobre meu futuro.

Ao nascer do sol, eu me levantei em silêncio, peguei meu arco, a aljava e o ukulele de combate e caminhei até o cume da Colina Meio-Sangue. O dragão guardião, Peleu, não me reconheceu. Quando me aproximei demais do Velocino de Ouro, ele sibilou, então tive que me sentar um pouco mais afastado, aos pés da Atena Partenos.

Não me importei de não ser reconhecido. No momento, não *queria* ser Apolo. Toda a destruição que eu via no acampamento... era minha culpa. Eu fui cego e complacente. Permiti que os imperadores de Roma, inclusive um de meus próprios descendentes, ganhassem poder nas sombras. Deixei que minha antiga rede grandiosa de oráculos ruísse ao ponto de até Delfos estar perdido. Quase provoquei o fim do próprio Acampamento Meio-Sangue.

E Meg McCaffrey... Ah, Meg, onde você estava?

Faça o que tiver que fazer, ela me dissera. *É minha última ordem.*

Aquela ordem tinha sido vaga o bastante para me permitir ir atrás dela. Afinal, estávamos unidos agora. O que eu *tinha que fazer* era encontrá-la. Eu me perguntei se Meg havia elaborado a ordem daquele jeito de propósito ou se isso era só no que eu queria acreditar.

Olhei para o rosto sereno de alabastro de Atena. Na vida real, ela não era tão pálida nem parecia tão indiferente... Bem, ao menos na maior parte do tempo. Eu me perguntei por que o escultor, Fídias, escolheu fazer com que ela parecesse tão inalcançável, e se Atena aprovava. Nós, deuses, costumávamos debater quanto os humanos podiam mudar nossa própria natureza só pela forma como nos retratavam ou nos imaginavam. Durante o século XVIII, por exemplo, eu não consegui escapar da peruca branca, por mais que tentasse. Dentre os imortais, o assunto sobre quanto os humanos nos influenciavam era tabu.

Talvez eu merecesse minha forma atual. Depois do meu descuido e da minha tolice, talvez a humanidade *devesse* me ver como nada além de Lester Papadopoulos.

Suspirei.

— Atena, o que você faria no meu lugar? Alguma coisa inteligente e prática, imagino.

Atena não me respondeu. Só observou calmamente o horizonte, como sempre.

Eu não precisava que a deusa da sabedoria me dissesse o que fazer. Eu sabia que devia ir embora do Acampamento Meio-Sangue imediatamente, antes que os campistas acordassem. Eles me acolheram para me proteger, e quase levei todos à morte. Eu não conseguia suportar a ideia de colocá-los em um perigo ainda maior.

Mas, ah, como eu queria ficar com Will, Kayla, Austin... meus filhos mortais. Eu queria ajudar Harley a colar carinhas sorridentes no lança-chamas. Queria conquistar Chiara e roubá-la de Damien... ou talvez roubar Damien de Chiara, eu ainda não tinha certeza. Queria melhorar minha música e arqueria por meio daquela atividade estranha conhecida como *treino*. Eu queria ter um lar.

Vá embora, eu disse a mim mesmo. *Agora*.

Como eu era um covarde, esperei demais. Abaixo de mim, as luzes dos chalés começaram a se acender. Campistas saíram pelas portas. Sherman Yang começou seu alongamento matinal. Harley correu pelo gramado, levantando o sinalizador para Leo Valdez, esperando que finalmente funcionasse.

Por fim, duas figuras familiares me viram. Elas se aproximaram vindas de direções diferentes, da Casa Grande e do chalé 3, subindo a colina ao meu encontro: Rachel Dare e Percy Jackson.

— Eu sei no que você está pensando — disse Rachel. — Não faça isso.

Fingi surpresa.

— Você consegue ler minha mente, srta. Dare?

— Não preciso. Eu conheço você, lorde Apolo.

Uma semana antes, a ideia teria me feito dar gargalhadas. Uma mortal não podia me *conhecer*. Eu tinha vivido quatro milênios. Olhar para a minha verdadeira forma vaporizaria qualquer humano. Mas, agora, as palavras de Rachel pareciam perfeitamente razoáveis. Com Lester Papadopoulos, tudo estava exposto. E não havia muito a conhecer.

— Não me chame de *lorde*. — Soltei um suspiro. — Sou só um adolescente mortal. Não pertenço a este acampamento.

Percy se sentou ao meu lado. Apertou os olhos contra o sol nascente, a brisa do mar bagunçando seu cabelo.

— É, eu também achava que aqui não era o meu lugar.

— Não é a mesma coisa — falei. — Vocês, humanos, mudam, crescem e amadurecem. Deuses, não.

Percy me olhou.

— Tem certeza? Você parece bem diferente.

Acho que ele pretendia fazer um elogio, mas não achei as palavras reconfortantes. Se eu estava ficando mais humano, isso não era motivo de comemoração. Era verdade que consegui usar alguns dos meus poderes divinos quando mais importava (uma explosão de força divina contra os germânicos, uma flecha com febre do feno contra o Colosso), mas eu não podia contar com essas habilidades. Eu nem sabia como as tinha conjurado. O fato de ter limites e de não poder ter certeza de *quais* eram esses limites... Bem, isso fazia com que eu me sentisse bem mais Lester Papadopoulos do que Apolo.

— Os outros oráculos precisam ser encontrados e protegidos — falei. — Não posso fazer isso se não sair do Acampamento Meio-Sangue. E não quero colocar a vida de mais ninguém em risco.

Rachel se sentou do meu outro lado.

— Você parece resoluto. Recebeu uma profecia no bosque?

Estremeci.

— Temo que sim.

Ela colocou as mãos nos joelhos.

— Kayla disse que você estava falando com uma flecha ontem. Ela é feita da madeira do Bosque de Dodona?

— Espere aí — interrompeu Percy. — Você encontrou uma flecha falante que revelou uma profecia?

— Não seja bobo — falei. — A flecha fala, mas quem me deu a profecia foi o próprio bosque. A Flecha de Dodona só dá conselhos aleatórios. É bem irritante.

A flecha tremeu na minha aljava.

— De qualquer modo — continuei —, preciso ir embora do acampamento. A Triunvirato S.A. quer dominar todos os oráculos antigos. Eu tenho que impedi-los. Quando tiver derrotado os antigos imperadores... só então vou poder enfrentar meu amigo Píton e libertar o Oráculo de Delfos. Depois disso... se eu sobreviver... pode ser que Zeus me deixe voltar ao Olimpo.

Rachel puxou uma mecha de cabelo.

— Você sabe que fazer isso sozinho é perigoso, certo?

— Escute o que ela diz — pediu Percy. — Quíron me contou sobre Nero e essa empresa maluca.

— Eu agradeço a oferta, mas...

— Calma lá. — Percy levantou as mãos. — Só para deixar claro, não estou me oferecendo para ir com você. Ainda tenho que terminar meu último ano no colégio, passar no APIS e no exame de admissão da faculdade e evitar que minha namorada me mate. Mas tenho certeza de que podemos conseguir outros ajudantes.

— Eu vou — ofereceu Rachel.

Eu balancei a cabeça.

— Meus inimigos *adorariam* capturar alguém tão querido para mim quanto a sacerdotisa de Delfos. Além do mais, preciso que você e Miranda Gardiner fiquem aqui e estudem o Bosque de Dodona. Por enquanto, é nossa única fonte de profecias. E como nossos problemas de comunicação não desapareceram, aprender a usar seu poder é de suma importância.

Rachel tentou esconder, mas consegui ver decepção nas rugas ao redor de sua boca.

— E Meg? — perguntou ela. — Você vai tentar encontrá-la, não vai?

Daria no mesmo se ela tivesse enfiado a Flecha de Dodona no meu peito. Olhei para a floresta, aquela área enevoada e verde que tinha engolido a jovem McCaffrey. Por um breve momento, me senti como Nero: tinha vontade de queimar tudo aquilo.

— Vou tentar — falei —, mas Meg não quer ser encontrada. Ela está sob a influência do padrasto.

Percy passou as mãos pelo dedão da Atena Partenos.

— Eu já perdi gente demais para péssimas influências: Ethan Nakamura, Luke Castellan... Nós quase perdemos Nico... — Ele balançou a cabeça. — Não. Não mais. Você não pode desistir de Meg. Vocês estão unidos. Além do mais, ela é do grupo dos mocinhos.

— Eu já conheci muita gente do grupo dos mocinhos — falei. — A maioria foi transformada em bestas, estátuas ou... ou árvores... — Minha voz falhou.

Rachel colocou a mão na minha.

— As coisas nem sempre precisam terminar da mesma maneira, Apolo. Essa é a parte boa de ser humano. Nós só temos uma vida, mas podemos escolher que tipo de história queremos ter.

Isso me pareceu otimista demais. Eu havia passado séculos vendo os mesmos padrões de comportamento se repetindo sem parar em humanos que se achavam terrivelmente inteligentes e que estavam fazendo uma coisa que nunca havia sido feita antes. Eles achavam estar criando as próprias histórias, mas só percorriam as mesmas velhas narrativas, geração após geração.

Ainda assim... talvez a persistência fosse a maior virtude dos mortais, no fim das contas. Eles nunca pareciam perder as esperanças. De tempos em tempos, *conseguiam* me surpreender. Eu nunca previ Alexandre, o Grande, Robin Hood ou Billie Holiday. Para falar a verdade, nunca previ Percy Jackson e Rachel Elizabeth Dare.

— Eu... eu espero que vocês estejam certos.

Rachel deu um tapinha na minha mão.

— Nos conte a profecia que ouviu no bosque.

Minha respiração saiu trêmula. Não queria falar as palavras. Tive medo de elas despertarem o bosque e nos mergulharem em uma cacofonia de profecias, piadas ruins e musiquinhas de propaganda. Mas recitei os versos.

Houve um deus, Apolo era chamado
Entrou em uma caverna azul acompanhado
Ele e mais dois montados
No cuspidor de fogo alado
A morte e loucura forçado

Rachel cobriu a boca.

— Um limerique?

— Pois é! — choraminguei. — Estou condenado!

— Esperem aí. — Os olhos de Percy brilharam. — Esses versos... Eles significam o que eu penso?

— Bem — falei. — Acredito que a caverna azul se refira ao Oráculo de Trofônio. Era... um oráculo antigo muito perigoso.

— Não — disse Percy. — Os *outros* versos. *Dois no lombo, cuspidor de fogo,* blá-blá-blá.

— Ah. Não tenho ideia do que isso significa.

— O sinalizador de Harley. — Percy riu, mas eu não conseguia entender por que parecia tão satisfeito. — Ele disse que você fez um ajuste na sintonia. Acho que funcionou.

Rachel estreitou os olhos para ele.

— Percy, o que você... — A expressão dela se suavizou. — Ah. *Ah.*

— Houve outros versos? — perguntou Percy. — Além do limerique?

— Vários — admiti. — Trechos que não entendo. *A descida do sol, o verso final.* Hum... *Indiana, banana. A felicidade se aproxima.* Alguma coisa sobre *páginas queimando.*

Percy bateu no joelho.

— Pronto. *A felicidade se aproxima.* Em latim, Feliz é um nome... Bem, ao menos uma versão dele. — Ele se levantou e observou o horizonte. Seus olhos se fixaram em uma silhueta ao longe. Um sorriso se abriu em seu rosto. — Apolo, sua escolta está a caminho.

Eu segui seu olhar. Uma criatura alada enorme feita de bronze celestial descia das nuvens, cintilando ao sol. Nas costas dela estavam duas figuras humanas.

A descida foi silenciosa, mas na minha mente a melodia alegre do Valdezinator proclamava as boas notícias.

Leo estava de volta.

39

Quer bater no Leo?
Algo supercompreensível
O Garanhão mereceu

OS SEMIDEUSES TIVERAM QUE pegar senha.

Nico saiu distribuindo papeizinhos com números, gritando:

— A fila começa à esquerda! Fila única, pessoal!

— Isso é mesmo necessário? — perguntou Leo.

— É — disse Miranda Gardiner, que pegou o primeiro número.

Ela deu um soco no braço de Leo.

— Ai! — reclamou ele.

— Você é um idiota e a gente odeia você — disse Miranda. Em seguida, o abraçou e lhe deu um beijo na bochecha. — Se desaparecer outra vez, vamos fazer fila para *matar você*.

— Tudo bem, tudo bem!

Miranda teve que ir embora, porque a fila estava ficando bem comprida atrás dela. Percy e eu nos sentamos à mesa de piquenique com Leo e sua companheira, ninguém menos do que a feiticeira imortal Calipso. Embora Leo estivesse recebendo socos de todo mundo no acampamento, eu tinha certeza de que ele era a pessoa *menos* desconfortável ali.

Quando se viram, Percy e Calipso deram um abraço constrangido. Eu não testemunhava um cumprimento tão tenso desde que Pátroclo conheceu o prêmio de guerra de Aquiles, Briseida. (Longa história. Fofoca das boas. Me pergunte depois.) Calipso nunca gostou de mim, então fez questão de me ignorar, mas fiquei esperando que gritasse "BU!" e me transformasse em perereca. O suspense estava me matando.

Percy abraçou Leo, nada de socos. Mesmo assim, o filho de Poseidon parecia indignado.

— Não consigo acreditar — disse ele. — Seis meses...

— Eu já falei — disse Leo. — Nós tentamos mandar mais pergaminhos holográficos. Tentamos mensagens de Íris, visões em sonhos, telefonemas. Nada funcionou. Ai! Oi, Alice, como vai? Enfim, nós tivemos um problema atrás do outro.

Calipso assentiu.

— A Albânia foi particularmente difícil.

Do meio da fila, Nico di Angelo gritou:

— Por favor, não mencionem a Albânia! E aí, quem é o próximo? A fila é única.

Damien White deu um soco no braço de Leo e saiu andando e sorrindo. Eu não sabia nem se Damien conhecia Leo. Acho que ele só não podia perder a chance de dar um soco em alguém.

Leo massageou o bíceps.

— Ei, não é justo. Aquele cara está voltando para a fila. Mas, como eu estava dizendo, se Festus não tivesse captado o sinal daquele sinalizador ontem, nós ainda estaríamos voando por aí, procurando um jeito de sair do Mar de Monstros.

— Ah, odeio aquele lugar — disse Percy. — Eles têm um ciclope enorme, Polifemo...

— Não é? — concordou Leo. — Qual é a do *bafo* daquele cara?

— Meninos — disse Calipso —, que tal a gente se concentrar no presente?

Ela não olhou para mim, mas tive a impressão de que com "presente" ela quis dizer "esse ex-deus tolo e seus problemas".

— É — disse Percy. — Esses problemas de comunicação... Rachel Dare acha que tem alguma coisa a ver com essa tal de empresa Triunvirato.

Rachel tinha ido à Casa Grande chamar Quíron, mas Percy nos contou de forma resumida o que ela havia descoberto sobre os imperadores e a corporação do mal. Claro que não sabíamos muito. Depois dos socos de mais seis pessoas, o filho de Hefesto já estava inteirado do assunto.

Ele massageou o braço dolorido.

— Cara, por que não me surpreende corporações modernas serem chefiadas por imperadores romanos zumbis?

— Eles não são zumbis — falei. — E não sei se eles chefiam *todas* as corporações...

Leo descartou minhas explicações.

— Mas eles estão tentando conquistar os oráculos.

— Sim — concordei.

— E isso é ruim.

— Muito.

— Então você precisa da nossa ajuda. Ai! Ei, Sherman. Onde você arrumou essa cicatriz, cara?

Enquanto Sherman contava para Leo a história da Chutadora de Virilhas McCaffrey e do Bebê Demônio Pêssego, eu observei Calipso.

Ela estava bem diferente do que eu lembrava. O cabelo ainda era comprido e tinha aquele tom castanho e caramelo. Os olhos amendoados ainda eram escuros e inteligentes. Mas, agora, em vez de quíton, ela usava uma calça jeans moderna, uma blusa branca e um casaco de esqui rosa-shocking. Parecia mais nova, da minha idade mortal. Eu me perguntei se ela foi punida com a mortalidade por abandonar a ilha encantada. Se foi, não parecia justo manter a beleza inigualável. Ela não tinha banha nem acne.

Enquanto eu a examinava, ela esticou dois dedos na direção do outro lado da mesa de piquenique, onde uma jarra de limonada suava à luz do sol. Eu já a vira fazer esse tipo de coisa, ordenar que seus servos aéreos invisíveis levassem objetos até ela. Daquela vez, nada aconteceu.

Uma expressão de decepção surgiu em seu rosto. E então, ela se deu conta de que eu estava olhando. Suas bochechas ficaram vermelhas.

— Desde que deixei Ogígia, não tenho mais poderes — admitiu ela. — Sou totalmente mortal. Não perco as esperanças, mas...

— Quer beber alguma coisa? — perguntou Percy.

— Pode deixar.

Leo alcançou a jarra primeiro.

Eu não esperava sentir solidariedade por Calipso. Nós dissemos palavras duras um para o outro no passado. Alguns milênios atrás, eu me opus à petição dela para sair de Ogígia antes do prazo determinado por causa de um... ah, um drama entre nós. (Longa história. Fofoca das boas. *Não* me pergunte depois.)

Mesmo assim, como deus caído, eu entendia como era desconcertante ficar sem seus poderes.

Por outro lado, fiquei aliviado. Isso queria dizer que ela não podia me transformar em pererreca nem pedir que seus servos aéreos me jogassem de cima da Atena Partenos.

— Aqui está.

Leo entregou a ela um copo de limonada. Ele parecia mais sombrio e ansioso, como se... É, bem, faz sentido. Leo salvou Calipso da ilha-prisão. Com isso, Calipso perdeu seus poderes, e Leo se sentia responsável.

Calipso sorriu, mas seus olhos ainda traziam um toque de melancolia.

— Obrigada, gatinho.

— *Gatinho?* — perguntou Percy.

O rosto de Leo se iluminou.

— É. Mas ela não quer me chamar de Garanhão. Não sei por quê... Ai!

Era a vez de Harley. O garotinho deu um soco em Leo, depois o abraçou e começou a chorar.

— Oi, mano. — Leo bagunçou o cabelo dele e teve o bom senso de parecer envergonhado. — Você me trouxe para casa com esse seu sinalizador, Mestre H. Você é um herói! Sabe que eu nunca teria deixado você sem resposta daquele jeito de propósito, né?

Harley chorou e assentiu. Depois, deu outro soco em Leo e saiu correndo. Leo parecia prestes a vomitar. Harley era forte.

— De qualquer modo — disse Calipso —, esses problemas com os imperadores romanos... como podemos ajudar?

Eu arqueei as sobrancelhas.

— Você *vai* me ajudar, então? Apesar de... ah, bom, eu sempre soube que você tinha um coração gentil e misericordioso, Calipso. Pretendia visitar você em Ogígia com mais frequência...

— Me poupe. — Calipso tomou um gole de limonada. — Vou ajudar você se *Leo* decidir ajudar, e ele parece ter alguma afeição por você, não sei por quê.

Eu soltei o ar que estava prendendo havia... ah, uma hora.

— Fico agradecido. Leo Valdez, você sempre foi um cavalheiro e um gênio. Afinal, o Valdezinator é criação sua.

Leo sorriu.

— Eu criei, né? Acho que foi uma coisa bem legal. E onde fica esse próximo oráculo que você... Ai!

Tinha chegado a vez de Nyssa. Ela deu um tapa em Leo e o repreendeu em um espanhol desenfreado.

— Tá, tudo bem, tudo bem. — Leo massageou o rosto. — Caramba, *hermana*, eu também amo você!

Ele voltou a atenção para mim.

— E esse próximo oráculo, você disse que era onde?

Percy bateu na mesa de piquenique.

— Quíron e eu estávamos falando sobre isso. Ele acha que essa coisa de triunvirato... que eles dividiram os Estados Unidos em três partes, com um imperador encarregado de cada uma. Sabemos que Nero está entocado em Nova York, então achamos que o próximo oráculo fica no território do segundo cara, talvez no Meio-Oeste dos Estados Unidos.

— Ah, o Meio-Oeste dos Estados Unidos! — Leo abriu os braços. — Moleza, então. Vamos só procurar no centro do país!

— Sempre sarcástico — comentou Percy.

— Ei, cara, eu naveguei com os vigaristas mais sarcásticos por todos os sete mares.

Os dois fizeram um *high five*, apesar de eu não ter entendido bem por quê. Pensei em um trecho da profecia que ouvi no bosque, alguma coisa sobre Indiana. Poderia ser um ponto de partida...

A última pessoa da fila era o próprio Quíron, empurrado na cadeira de rodas por Rachel Dare. O velho centauro deu um sorriso caloroso e paternal para Leo.

— Meu garoto, fico tão feliz de ter você de volta. E você libertou Calipso, estou vendo. Muito bem, e bem-vindos, os dois!

Quíron abriu os braços.

— Ah, obrigado, Quíron.

Leo se inclinou para a frente para abraçá-lo.

De debaixo do cobertor no colo de Quíron, a perna equina da frente surgiu e acertou com o casco na barriga de Leo. Com a mesma agilidade, a perna sumiu.

— Sr. Valdez — disse Quíron, mantendo o tom gentil —, se você fizer qualquer outra coisa parecida novamente...

— Eu entendi, eu entendi! — Leo massageou a barriga. — Caramba, para um professor você tem um chute forte à beça.

Rachel sorriu e empurrou Quíron para longe. Calipso e Percy ajudaram Leo a se levantar.

— Aí, Nico — gritou Leo —, me diga que acabaram as agressões físicas.

— Por enquanto. — Nico sorriu. — Ainda estamos tentando falar com a Costa Oeste. Tem algumas dezenas de pessoas lá que vão querer bater em você também.

Leo fez uma careta.

— Nossa, mal posso esperar! Bom, acho melhor eu me cuidar, então, para resistir à próxima leva de socos. Onde vocês vão almoçar, agora que o Colosso destruiu o pavilhão de jantar?

Percy foi embora naquela noite, antes do jantar.

Eu esperava uma despedida emocionada; ele me pediria conselhos sobre provas, ser herói e viver a vida em geral. Depois que ele me ajudou a derrotar o Colosso, seria o mínimo que eu poderia fazer.

Mas ele estava mais interessado em se despedir de Leo e Calipso. Não participei da conversa deles, mas os três pareceram ter se entendido. Percy e Leo se abraçaram. Calipso deu até um beijinho na bochecha de Percy. Depois, o filho de Poseidon adentrou o Estreito de Long Island com seu cachorro extremamente grande e os dois desapareceram debaixo da água. A sra. O'Leary nadava? Viajava pelas sombras das baleias? Eu não sabia.

Como o almoço, o jantar foi um evento casual. Quando a noite caiu, nós comemos em toalhas de piquenique ao redor da lareira, que ardia com o calor de Héstia e afastava o frio do inverno. O dragão Festus foi farejar ao redor dos chalés, cuspindo fogo no céu de vez em quando por nenhum motivo aparente.

— Ele levou umas pancadas quando estávamos na Córsega — explicou Leo. — Às vezes, cospe aleatoriamente, desse jeito.

— Mas ainda não fritou ninguém importante — acrescentou Calipso, com a sobrancelha arqueada. — Vamos ver se ele vai gostar de você.

Os olhos vermelhos brilhantes de Festus reluziam na escuridão. Depois de dirigir a carruagem do sol por tanto tempo, não fiquei nervoso por ter que subir em um dragão de metal, mas, quando pensei no *lugar* para onde estávamos indo, gerânios floresceram na minha barriga.

— Eu queria ir sozinho — contei a eles. — A profecia de Dodona fala de um comedor de fogo de bronze, mas... me parece errado pedir para vocês arriscarem suas vidas. Vocês passaram por tanta coisa só para chegarem aqui.

Calipso inclinou a cabeça, intrigada.

— Talvez você *realmente* tenha mudado. Isso não me parece coisa do Apolo de quem me lembro. Sem contar que você já foi bem mais bonito.

— Eu ainda estou *bem* bonito — protestei. — Só preciso me livrar dessas espinhas.

Ela deu um sorrisinho debochado.

— É, acho que você não perdeu totalmente a arrogância.

— Como é?

— Pessoal — interrompeu Leo —, se vamos viajar juntos, vamos tentar ser amigos. — Ele apertou uma bolsa de gelo no bíceps dolorido. — Além do mais, nós estávamos mesmo planejando ir para a Costa Oeste. Tenho que encontrar meus amigos Jason e Piper e Frank e Hazel e... bom, todo mundo do Acampamento Júpiter, acho. Vai ser divertido.

— *Divertido?* — perguntei. — O Oráculo de Trofônio, ao que tudo indica, vai me arremessar em um mar de morte e loucura. Mesmo que eu sobreviva a isso, minhas outras provações sem dúvida serão longas, dolorosas e muito provavelmente fatais.

— Exatamente — disse Leo. — Divertido. Mas não sei se é uma boa ideia chamar essa missão de *Provações de Apolo*. Acho que devíamos chamá-la de *Turnê Mundial da Volta da Vitória de Leo Valdez*.

Calipso riu e entrelaçou os dedos nos de Leo. Ela podia não ser mais imortal, mas ainda tinha uma graça e tranquilidade que eu não conseguia compreender.

Talvez sentisse falta dos poderes, mas parecia genuinamente feliz com Valdez... e nessa nova forma jovem e mortal, mesmo que isso significasse que ela podia morrer a qualquer momento.

Ao contrário de mim, ela *escolheu* ser mortal. Sabia que deixar Ogígia era um risco, mas agiu por vontade própria. Foi muito corajosa.

— Ei, cara — disse Leo. — Não fique assim. Nós vamos encontrá-la.

Eu me mexi, um pouco desconcertado.

— O quê?

— Sua amiga Meg. Nós vamos encontrá-la. Não se preocupe.

Uma bolha de escuridão explodiu dentro de mim. Pela primeira vez, eu não estava pensando em Meg. Estava pensando em mim, e isso me fez sentir culpa. Talvez Calipso estivesse certa ao questionar se eu realmente havia mudado.

Olhei para a floresta silenciosa. Lembrei-me de Meg me arrastando pela mata quando eu estava com frio, encharcado e delirante. Lembrei que ela lutou sem medo contra os myrmekos e que mandou Pêssego apagar o fósforo quando Nero estava prestes a botar fogo nos reféns, apesar do medo de libertar o Besta. Eu tinha que fazê-la perceber que Nero era mau, muito mau. Tinha que encontrá-la. Mas como?

— Meg sabe a profecia — falei. — Se contar a Nero, ele também vai saber nosso plano.

Calipso deu uma mordida na maçã.

— Eu não sei de nada que aconteceu no Império Romano. Um imperador pode ser tão ruim assim?

— Ah, pode — garanti a ela. — E ele se aliou a outros dois. Não sabemos quais, mas é seguro supor que são igualmente implacáveis. Tiveram séculos para acumular fortunas, adquirir propriedades, construir exércitos... Quem sabe do que são capazes?

— Ah — disse Leo. — Nós derrotamos Gaia em uns quarenta segundos. Isso vai ser moleza.

Eu recordava que o que nos *levou* à luta com Gaia envolveu meses de sofrimento e encontros de raspão com a morte. Leo *morreu*, na verdade. Eu também queria lembrá-lo que o triunvirato podia muito bem ter orquestrado nossos problemas anteriores com os titãs e gigantes, o que os tornaria mais poderosos do que qualquer coisa que Leo já tivesse enfrentado. Mas decidi que mencionar isso poderia afetar o ânimo do grupo.

— Nós vamos conseguir — disse Calipso. — Temos que conseguir. Então, vamos conseguir. Eu fiquei presa em uma ilha por milhares de anos. Não sei quanto tempo essa vida mortal vai durar, mas pretendo viver intensamente e sem medo.

— Essa é minha *mamacita* — disse Leo.

— O que já falei sobre me chamar de *mamacita*?

Leo deu um sorrisinho encabulado.

— De manhã, vamos pegar nossos suprimentos. Assim que Festus passar por um ajuste e uma troca de óleo, poderemos partir.

Pensei nos suprimentos que levaria comigo. Eu tinha pouquíssimas coisas: roupas emprestadas, um arco, um ukulele e uma flecha teatral demais.

No entanto, a verdadeira dificuldade seria me despedir de Will, Austin e Kayla. Eles me ajudaram tanto e me receberam tão bem; fizeram por mim mais do que eu jamais fiz por eles. Lágrimas arderam nos meus olhos. Antes que eu pudesse começar a chorar, Will Solace apareceu, iluminado pela luz da lareira.

— Ei, pessoal! Nós fizemos uma fogueira no anfiteatro! É hora da cantoria. Venham!

Houve suspiros misturados com gritos de alegria, mas quase todo mundo se levantou e seguiu para a fogueira, onde Nico di Angelo aparecia delineado pelas chamas, preparando espetos de marshmallows no que pareciam ossos de fêmur.

— Ah, cara. — Leo fez uma careta. — Sou péssimo em cantorias. Eu sempre bato palmas fora de hora e canto o refrão errado. Podemos pular essa parte?

— Ah, não! — falei.

Eu me levantei, me sentindo melhor de repente. Era possível que amanhã eu fosse chorar e pensar nas despedidas. Era possível que em dois dias nós voássemos direto para a morte. Mas, hoje, eu pretendia me divertir com minha família. O que Calipso disse? *Viver intensamente e sem medo.* Se ela podia fazer isso, o brilhante e fabuloso Apolo também podia.

— Cantar é bom para os espíritos. Você nunca deve desperdiçar uma oportunidade de cantar — insisti.

Calipso sorriu.

— Não acredito que vou dizer isso, mas pela primeira vez concordo com Apolo. Venha, Leo. Vou ensinar as harmonias a você.

Juntos, nós três andamos em direção aos sons de gargalhadas, à música e ao fogo quente crepitando.

GUIA PARA ENTENDER APOLO

Acampamento Júpiter — campo de treinamento para semideuses romanos localizado entre as Oakland Hills e as Berkeley Hills, na Califórnia

Acampamento Meio-Sangue — campo de treinamento para semideuses gregos localizado em Long Island, Nova York

Admeto — rei de Feras, na Tessália; Zeus puniu Apolo mandando-o trabalhar como pastor para Admeto

Afrodite — deusa grega do amor e da beleza

Agamenon — rei de Micenas; comandante dos gregos na Guerra de Troia. Um homem corajoso, mas também arrogante e excessivamente orgulhoso

ágora — praça principal ao ar livre para a vida atlética, artística, espiritual e política nas cidades-estado da Grécia Antiga

Ajax — herói grego de grande força e coragem; lutou na Guerra de Troia; usava um grande escudo em batalha

ambrosia — comida dos deuses; tem poderes de cura

anfiteatro — construção oval ou circular a céu aberto usada para apresentações e eventos esportivos. Os assentos da plateia eram construídos em semicírculo ao redor do palco

apodesmos — faixa de tecido que as mulheres da Grécia Antiga usavam ao redor dos seios, particularmente quando participavam de atividades esportivas

Apolo — deus grego do sol, da profecia, da música e da cura; filho de Zeus e Leto e irmão gêmeo de Ártemis

Aquiles — o melhor lutador entre os gregos que sitiaram Troia na Guerra de Troia. Um herói forte, corajoso e leal que possuía apenas um ponto fraco: o calcanhar

Ares — deus grego da guerra; filho de Zeus e Hera e meio-irmão de Atena

Argo — o navio usado pelo grupo de heróis que acompanhou Jasão em sua busca ao Velocino de Ouro

argonautas — grupo de heróis que acompanharam Jasão no *Argo* em busca do Velocino de Ouro

Ártemis — deusa grega da caça e da lua; filha de Zeus e Leto e irmã gêmea de Apolo

Asclépio — deus da medicina; filho de Apolo. Seu templo era o centro médico da Grécia Antiga

Atena — deusa grega da sabedoria

Atena Partenos — estátua gigantesca de Atena; a estátua grega mais famosa de todos os tempos

balista — arma de cerco romana que arremessava grandes projéteis em alvos distantes

batavos — povo antigo que vivia onde hoje é a Alemanha; também foi uma unidade de infantaria do exército romano com origens germânicas

Bosque de Dodona — local de um dos oráculos gregos mais antigos, posterior apenas ao Oráculo de Delfos. O movimento das folhas das árvores no bosque oferecia respostas a sacerdotes e sacerdotisas que o visitavam

Briseida — princesa capturada por Aquiles durante a Guerra de Troia. Foi o estopim da briga entre Aquiles e Agamenon, que resultou na recusa de Aquiles em lutar a favor dos gregos

bronze celestial — metal raro letal para monstros

Bunker 9 — oficina escondida descoberta por Leo Valdez no Acampamento Meio-Sangue, cheia de ferramentas e armas. Tem pelo menos duzentos anos e foi usada durante a Guerra Civil dos Semideuses

Caçadoras de Ártemis — grupo de donzelas leais à deusa Ártemis. São abençoadas com juventude eterna e habilidades de caça enquanto rejeitarem homens

Calidão — vilarejo na Grécia Antiga onde um javali gigante provocou destruição até ser morto por Teseu

Calíope — musa da poesia épica; teve vários filhos, inclusive Orfeu

Calipso — deusa ninfa da ilha mítica Ogígia; filha do titã Atlas. Ela deteve o herói Odisseu por muitos anos

Campos de Punição — parte do Mundo Inferior para onde as pessoas que foram más durante a vida são enviadas para expiarem seus crimes após a morte

Caos Primordial — a primeira coisa a existir no mundo; um vazio do qual os primeiros deuses foram criados

Casa de Hades — local no Mundo Inferior onde Hades, deus grego da morte, e sua esposa, Perséfone, reinam sobre as almas dos mortos

Cassandra — filha do rei Príamo e da rainha Hécuba; tinha o dom da profecia, mas foi amaldiçoada por Apolo para que ninguém acreditasse em suas previsões, inclusive em seus avisos sobre o Cavalo de Troia

catapulta — máquina de guerra usada para arremessar objetos

Caverna de Trofônio — fenda profunda e lar do Oráculo de Trofônio; sua entrada extremamente estreita exigia que o visitante se deitasse de costas para adentrar a caverna. Era chamada de "Caverna dos Pesadelos" devido aos relatos apavorantes dos visitantes

centauro — raça de criaturas metade homem, metade cavalo

Ceres — deusa romana da agricultura. Forma grega: Deméter

César Augusto — fundador e primeiro imperador do Império Romano; filho adotivo e herdeiro de Júlio César (*ver também* Otaviano)

ciclope — membro de uma raça primordial de gigantes que tem um único olho no meio da testa

Circe — feiticeira grega

Cirene — caçadora corajosa por quem Apolo se apaixonou após vê-la lutar contra um leão. Mais tarde, Apolo a transformou em ninfa para prolongar sua vida

Clitemnestra — filha do rei e da rainha de Esparta; casou-se com Agamenon e mais tarde o assassinou

Cloacina — deusa romana do sistema de esgoto

Coliseu — anfiteatro elíptico no centro de Roma, na Itália. Com capacidade para cinquenta mil espectadores sentados, o Coliseu era usado para competições entre gladiadores e para espetáculos públicos, como simulações de batalhas navais, caçadas, execuções e reencenação de batalhas e dramas famosos

Colossus Neronis **(Colosso de Nero)** — estátua enorme de bronze do imperador Nero. Mais tarde, foi transformada no deus-sol com a adição de uma coroa de raios

Contracorrente — nome da espada de Percy Jackson; *Anaklusmos*, em grego

couraça — armadura de couro ou metal que consiste em uma cobertura para o peito e outra para as costas. Usada pelos soldados gregos e romanos, era comum que fosse bastante ornamentada e que imitasse o desenho dos músculos

cretense — relativo à ilha de Creta

Crisótemis — filha de Deméter que conquistou o coração de Apolo durante uma competição de canto

Cronos — o mais jovem dos doze titãs; filho de Urano e Gaia e pai de Zeus. Matou o pai a pedido da mãe. Titã senhor da agricultura e das colheitas, da justiça e do tempo. Forma romana: Saturno

curetes — dançarinos armados que protegiam o bebê Zeus do pai, Cronos

Dafne — linda náiade que atraiu a atenção de Apolo. Ela foi transformada em loureiro para fugir do deus

Dédalo — hábil artesão que criou o Labirinto em Creta onde o Minotauro (parte homem, parte touro) era mantido

Deméter — deusa grega da agricultura; filha dos titãs Reia e Cronos. Forma romana: Ceres

dimaquero — gladiador romano treinado para lutar com duas espadas ao mesmo tempo

dinastia juliana — o período entre a batalha do Áccio (31 a.C.) e a morte de Nero (68 d.C.)

Dioniso — deus grego do vinho e da orgia; filho de Zeus. Diretor de atividades do Acampamento Meio-Sangue

Domus Aurea — mansão extravagante do imperador Nero no coração da Roma Antiga, construída após o Grande Incêndio de Roma

drakon — serpente gigantesca verde e amarela com garras afiadas, olhos reptilianos e uma juba de pele. Cospe veneno

dríades — ninfas das árvores

Éolo — deus grego de todos os ventos

Érebo — lugar de escuridão entre a Terra e o Hades

Eritreia — ilha onde Sibila de Cumas, um interesse amoroso de Apolo, morava antes de ele convencê-la a partir com a promessa de uma vida longa

Eros — deus grego do amor

Esparta — cidade-estado da Grécia Antiga com domínio militar

falange — formação compacta de tropas fortemente armadas

ferro estígio — metal mágico forjado no Rio Estige capaz de absorver a essência dos monstros e de ferir mortais, deuses, titãs e gigantes. Tem grande efeito sobre fantasmas e criaturas do Mundo Inferior

Fídias — escultor famoso da Grécia Antiga; criou a Atena Partenos e muitas outras esculturas

fogo grego — arma incendiária muito usada em batalhas navais porque continua a queimar mesmo na água

Gaia — deusa grega da terra; mãe dos titãs, gigantes, ciclopes e outros monstros

germânicos — povo de uma tribo que vivia a oeste do rio Reno

górgonas — três irmãs monstruosas (Esteno, Euríale e Medusa) cujos cabelos eram serpentes vivas venenosas; os olhos de Medusa podem transformar em pedra aqueles que a encaram

Grande Incêndio de Roma — incêndio arrebatador que aconteceu em 64 d.C. e durou seis dias. As lendas contam que Nero iniciou o fogo para abrir espaço para a construção de sua propriedade, a *Domus Aurea*, mas ele culpou a comunidade cristã pelo desastre

greva — peça da armadura para a canela

Guerra de Troia — de acordo com as lendas, a Guerra de Troia foi declarada contra a cidade de Troia pelos Achaeans (gregos) quando Páris, príncipe de Troia, roubou Helena de seu marido, Menelau, rei de Esparta

Guerra dos Titãs — batalha épica que durou dez anos entre os titãs e os olimpianos, que resultou na vitória dos olimpianos

Hades — deus grego da morte e das riquezas. Senhor do Mundo Inferior

harpia — criatura fêmea alada que rouba objetos

Hebe — deusa grega da juventude. Filha de Zeus e Hera

Hécate — deusa da magia e das encruzilhadas

Hefesto — deus grego do fogo, do artesanato e dos ferreiros; filho de Zeus e Hera, casado com Afrodite

Hera — deusa grega do casamento; esposa e irmã de Zeus

Hermes — deus grego dos viajantes; guia dos espíritos dos mortos; deus da comunicação

Heródoto — historiador grego conhecido como "Pai da História"

Héstia — deusa grega da lareira

Hipnos — deus grego do sono

hipocampos — criaturas metade cavalo e metade peixe

hipódromo — estádio oval para corridas de cavalos e carruagens na Grécia Antiga

hititas — povo que viveu nas atuais Turquia e Síria; estavam sempre em conflito com os egípcios. Ficaram conhecidos por usarem carruagens nas batalhas

icor — fluido dourado que é o sangue dos deuses e imortais

imperador — termo para *comandante* no império romano

Íris — deusa grega do arco-íris e mensageira dos deuses

Jacinto — herói grego e amante de Apolo. Morreu enquanto tentava impressionar o deus com suas habilidades de lançamento de disco

karpos (pl.:*karpoi*) — espírito dos grãos

Labirinto — um labirinto subterrâneo construído originalmente na ilha de Creta pelo artesão Dédalo para aprisionar o Minotauro

Laomedonte — rei troiano a quem Poseidon e Apolo foram obrigados a servir após ofenderem Zeus

Lépido — aristocrata e comandante militar romano que participou de um triunvirato com Otaviano e Marco Antônio

Leto — mãe de Ártemis e Apolo junto com Zeus; deusa da maternidade

Lídia — província na Roma Antiga; o machado duplo se originou lá, além do uso de moedas e das lojas de varejo

livros sibilinos — conjunto de profecias em versos rimados escritos em grego. Tarquínio Soberbo, rei de Roma, comprou-os de uma profetisa e os consultava em épocas de grande perigo

Lupercália — festival pastoral que acontece entre 13 e 15 de fevereiro para afastar os espíritos malignos e purificar a cidade, espalhando saúde e fertilidade

Marco Antônio — político e general romano. Fez parte do triunvirato com Lépido e Otaviano, que, juntos, encontraram e derrotaram os assassinos de César. Teve um longo caso com Cleópatra

Marsias — um sátiro que perdeu para Apolo após desafiá-lo em um concurso de música. Foi esfolado vivo como punição

Medeia — seguidora de Hécate e uma das maiores feiticeiras do mundo antigo

Midas — rei com poder de transformar tudo que tocasse em ouro; ele escolheu Marsias como vencedor do concurso de música entre Apolo e Marsias, o que fez com que Apolo o amaldiçoasse com orelhas de asno

Minos — rei de Creta, filho de Zeus; todos os anos obrigava o rei Aegus a escolher sete rapazes e sete moças para enviar ao Labirinto, onde seriam devorados pelo Minotauro. Depois de sua morte, se tornou juiz no Mundo Inferior

Minotauro — filho de Minos de Creta, tinha cabeça de touro e corpo de homem. O Minotauro ficava no Labirinto e matava as pessoas que eram enviadas para lá. Foi finalmente derrotado por Teseu

Mitrídates — rei de Ponto e da Armênia Menor, ao norte da Anatólia (atual Turquia), entre 120 a 63 a.C.; um dos inimigos mais terríveis e bem-sucedidos da República Romana, combateu três dos mais proeminentes generais do fim da República Romana nas Guerras Mitridáticas

Monte Olimpo — lar dos doze olimpianos

Mundo Inferior — reino dos mortos, para onde as almas vão pela eternidade; governado por Hades

myrmeko — criatura gigantesca similar a uma formiga que envenena e paralisa a presa antes de comê-la; conhecida por proteger vários metais, particularmente o ouro

Nêmesis — deusa grega da vingança

Nero — imperador romano de 54 a 68 d.C.; o último da dinastia juliana

Nice — deusa grega da força, da velocidade e da vitória

ninfa — deidade feminina que dá vitalidade à natureza

Níobe — filha de Tântalo e Dione; sofreu a perda dos seis filhos e das seis filhas, mortos por Apolo e Ártemis como punição por seu orgulho

nosoi (sing.: *nosos*) — espíritos das chagas

Nova Roma — comunidade perto do Acampamento Júpiter onde os semideuses podem viver juntos e em paz, sem a interferência dos mortais ou de monstros

Nove Musas — deusas gregas da literatura, ciências e artes que inspiraram artistas e escritores durante séculos

Odisseu — lendário rei grego de Ítaca e herói do poema épico de Homero, *A odisseia*

Ogígia — ilha mágica que é o lar e a prisão de Calipso

onfalo — pedras usadas para marcar o centro (ou o umbigo) do mundo antigo

Oráculo de Delfos — porta-voz das profecias de Apolo

Oráculo de Trofônio — um grego que foi transformado em oráculo após sua morte; localizado na Caverna de Trofônio; famoso por apavorar todos os que o procuravam

Otaviano — fundador e primeiro imperador do Império Romano; filho adotivo e herdeiro de Júlio César (*ver também* César Augusto)

ouro imperial — metal raro letal para monstros, consagrado no Panteão; sua existência era um segredo muito bem guardado dos imperadores

Pã — deus grego da natureza; filho de Hermes

Pálicos — filhos gêmeos de Zeus e Talia; deuses dos gêiseres e das águas termais

Pandora — a primeira mulher humana criada pelos olimpianos, foi presenteada com um dom único por cada um deles. Libertou o mal no mundo ao abrir uma caixa

Partenon — templo na Acrópole de Atenas, na Grécia, dedicado à deusa Atena

Pátroclo — filho de Menécio; era grande amigo de Aquiles por terem sido criados juntos. Morreu lutando na Guerra de Troia

pégaso — cavalo alado divino, gerado por Poseidon em seu papel de deus-cavalo

Peleu — pai de Aquiles; seu casamento com a ninfa do mar Tétis contou com a presença dos deuses, e uma discordância entre eles no evento acabou levando à Guerra de Troia. O nome do dragão guardião do Acampamento Meio-Sangue foi escolhido em homenagem a ele

Perséfone — rainha grega do Mundo Inferior; esposa de Hades; filha de Zeus e Deméter

Pítia — o nome dado a todos os Oráculos de Delfos

Píton — serpente monstruosa que Gaia designou para proteger o Oráculo de Delfos

Polifemo — ciclope; filho de Poseidon e Toosa

Portas da Morte — portal para a Casa de Hades localizado no Tártaro. As portas têm dois lados: um no mundo mortal, o outro no Mundo Inferior

Poseidon — deus grego do mar; filho dos titãs Cronos e Reia, irmão de Zeus e Hades

pretor — pessoa eleita para magistrado e comandante do exército romano

Prometeu — titã que criou os humanos e os presenteou com fogo roubado do Monte Olimpo

Quíron — centauro; diretor de atividades do Acampamento Meio-Sangue

quíton — traje grego; peça de linho ou lã sem mangas, presa no ombro por broches e na cintura por um cinto

Reia — rainha dos titãs, mãe de Zeus

Rio Estige — rio que forma a fronteira entre a Terra e o Mundo Inferior

sátiro — deus grego da floresta, parte bode e parte homem

Saturnália — antigo festival romano em homenagem a Saturno (Cronos)

Sibila — uma profetisa

siccae — punhal usado em batalhas na Roma Antiga

Talos — gigante feito de bronze usado em Creta para proteger o litoral de invasores

Tântalo — Na mitologia grega, esse rei era tão amigo dos deuses que jantava à mesa com eles, até o dia em que contou os segredos deles para os mortais. Foi mandado para o Mundo Inferior, onde sua maldição foi ficar preso em um lago sob uma árvore frutífera, mas sem jamais poder beber água nem comer as frutas

Tártaro — marido de Gaia; espírito do abismo; pai dos gigantes. É também uma região no Mundo Inferior

Teodósio — o último a governar o Império Romano; conhecido por fechar os templos antigos por todo o império

Tifão — o mais apavorante monstro grego; pai de muitos monstros famosos, como Cérbero, o cachorro de várias cabeças responsável por proteger a entrada do Mundo Inferior

Tique — deusa grega da prosperidade; filha de Hermes e Afrodite

titãs — raça de deidades gregas poderosas, descendentes de Gaia e Urano, que governaram durante a Era de Ouro e foram derrubados por uma raça de deuses mais jovens, os olimpianos

trácio — relativo à Trácia, antiga região localizada entre as fronteiras modernas da Bulgária, Grécia e Turquia

trirreme — antigo navio de guerra grego ou romano com três fileiras de remo de cada lado

triunvirato — aliança política formada entre três indivíduos

Troia — cidade romana situada na Turquia dos dias atuais; local da Guerra de Troia

Urano — personificação grega do céu; pai dos titãs

Velocino de Ouro — pele de um carneiro alado com lã de ouro, considerada símbolo de autoridade e realeza. Era protegido por um dragão e por touros que cuspiam fogo. Jasão recebeu a tarefa de obtê-lo, o que resultou em uma missão épica

viagem nas sombras — forma de transporte que permite que criaturas do Mundo Inferior e os filhos de Hades usem sombras para viajar para qualquer lugar na Terra ou no Mundo Inferior. Deixa o viajante extremamente cansado

Zéfiro — deus grego do Vento Oeste

Zeus — deus grego do céu e rei dos deuses

intrinseca.com.br

@intrinseca

editoraintrinseca

@intrinseca

@editoraintrinseca

editoraintrinseca

1ª edição	MAIO DE 2016
reimpressão	DEZEMBRO DE 2024
impressão	BARTIRA
papel de miolo	PÓLEN NATURAL 70 G/M²
papel de capa	CARTÃO SUPREMO ALTA ALVURA 250 G/M²
tipografia	ADOBE CASLON PRO